VŒUX SECRETS

Album de famille
La Fin de l'été
Il était une fois l'amour
Au nom du cœur
Secrets
Une autre vie
La Maison des jours heureux
La Ronde des souvenirs
Traversées
Les Promesses de la passion
La Vagabonde
Loving
La Belle Vie
Un parfait inconnu
Kaléidoscope
Zoya
Star
Cher Daddy
Souvenirs du Vietnam
Coups de cœur
Un si grand amour
Joyaux
Naissances
Disparu
Le Cadeau
Accident
Plein Ciel

L'Anneau de Cassandra
Cinq Jours à Paris
Palomino
La Foudre
Malveillance
Souvenirs d'amour
Honneur et Courage
Le Ranch
Renaissance
Le Fantôme
Un rayon de lumière
Un monde de rêve
Le Klone et moi
Un si long chemin
Une saison de passion
Double Reflet
Douce Amère
Maintenant et pour toujours
Forces irrésistibles
Le Mariage
Mamie Dan
Voyage
Le Baiser
Rue de l'Espoir
L'Aigle solitaire
Le Cottage
Courage

Danielle Steel

VŒUX SECRETS

Roman

Traduction de Zoé Delcourt

PRESSES
DE LA CITÉ

Titre original : *Answered Prayers*

© Danielle Steel, 2001
© Presses de la Cité, 2004, pour la traduction française
ISBN 2-258-06271-3

A mes merveilleux enfants,
Qui sont mes prières exaucées,
Beatrix, Trevor, Todd, Samantha,
Victoria, Vanessa, Maxx et Zara.
Et à Nick, qui non seulement était la
réponse à mes prières,
Mais pour qui je prie à présent,
Et qui demeurera à jamais dans mon
cœur.
Je vous aime, de tout mon cœur et de
toute mon âme.

Maman/d.s.

1

Vêtue d'un tailleur noir parfaitement coupé qui ajoutait une touche d'élégance à la grâce naturelle de ses gestes, Faith Madison dressa la table, assaisonna la salade et jeta un coup d'œil au plat qui cuisait dans le four. A quarante-sept ans, elle était aussi mince que lorsqu'elle avait épousé Alex Madison vingt-six ans plus tôt, et avec sa petite taille, ses beaux yeux verts et ses longs cheveux blonds ramassés en un chignon serré, on eût presque dit une ballerine de Degas.

Lorsqu'elle eut terminé, elle poussa un soupir et s'installa tranquillement sur l'une des chaises de la cuisine pour attendre le retour d'Alex. Il régnait un calme absolu dans la jolie maison typiquement new-yorkaise de la Soixante-Quatorzième Rue Est. Seul le tic-tac de la pendule troublait le silence. Faith ferma les yeux pendant quelques instants, se remémorant l'après-midi qu'elle avait passé. Presque immédiatement, elle entendit la porte d'entrée s'ouvrir, puis se refermer. Aucun autre bruit n'accompagnait jamais le retour d'Alex. Pas même un « bonsoir ». Selon un rituel immuable, il posait sa mallette, rangeait son manteau dans la penderie et regardait son courrier. Ensuite seulement, il cherchait sa femme, vérifiant d'abord qu'elle ne se trouvait pas dans son petit bureau avant de se diriger vers la cuisine.

Alex Madison avait cinquante-deux ans. Faith et lui s'étaient connus à l'Université Columbia ; elle était en premier cycle, et il se spécialisait en droit des affaires. A l'époque — comme cela semblait loin ! —, Alex avait été séduit par le caractère ouvert et facile de Faith, sa gentillesse, son énergie et sa joie de vivre. Lui, au contraire, était de nature calme et réservée, et pesait toujours soigneusement ses mots. Ils s'étaient mariés dès qu'elle avait obtenu sa licence et lui son mastère. Depuis, Alex travaillait dans une banque d'affaires. De son côté, Faith avait passé une année très enrichissante comme journaliste à *Vogue*, avant de reprendre ses études de droit. Elle les avait abandonnées au bout d'un an, à la naissance de leur premier enfant. Eloise avait à présent vingt-quatre ans. Passionnée par les meubles anciens, elle était installée à Londres depuis quelques mois et travaillait chez Christie's. Quant à leur seconde fille, Zoe, âgée de dix-huit ans, elle avait quitté la maison presque en même temps que sa sœur pour commencer ses études à l'Université Brown. Ainsi, après avoir été mère à plein temps pendant vingt-quatre ans, Faith se retrouvait depuis deux mois inactive, loin de ses filles, et seule avec Alex.

— Alors, comment ça s'est passé ? demanda ce dernier d'une voix lasse en pénétrant dans la cuisine.

Manifestement fatigué par sa journée de travail, il se laissa tomber sur une chaise, sans un regard ou un geste tendre pour sa femme. Cette dernière n'y vit aucune marque d'hostilité ; elle avait l'habitude. Il y avait si longtemps qu'il ne l'avait pas embrassée en rentrant du bureau qu'elle n'aurait su dire quand il avait cessé de le faire. Pendant des années, elle s'était consacrée à leurs filles, aux devoirs et aux bains avec tant de zèle qu'elle ne s'était même pas aperçue qu'il avait cessé de la prendre dans ses bras à son retour du travail. En réalité, il y avait une éternité qu'il n'avait pas eu le moindre élan affectueux envers elle. A présent, un abîme les séparait, et ils avaient tous deux accepté cet état de fait. Faith avait l'impression d'avoir affaire à un étranger. Elle lui servit un verre de vin et le lui tendit avant de répondre à sa question.

— Ça s'est bien passé, répondit-elle alors qu'il ouvrait son journal. C'était triste, bien sûr...

Elle sortit le poulet du four. Il préférait le poisson, mais elle n'avait pas eu le temps d'en acheter en rentrant.

— Il avait l'air si fragile...

Elle parlait du second mari de sa mère, Charles Armstrong, qui venait de mourir à l'âge de quatre-vingt quatre ans et dont la dépouille avait été exposée pour permettre à ses proches de venir lui rendre un dernier hommage. C'était ce que Faith avait fait ce jour-là.

— Il était vieux, conclut Alex. Et malade depuis longtemps.

Comme si cela empêchait la douleur ! Alex était ainsi : il tournait le dos aux contrariétés, les ignorant purement et simplement. Tout comme il l'ignorait elle... En ce moment, elle se sentait rejetée et inutile, comme si, maintenant qu'elle avait accompli sa mission et achevé sa tâche, on lui signifiait son congé. Depuis qu'elles avaient quitté la maison, les filles menaient leur propre vie et Alex évoluait dans un monde où elle n'avait sa place qu'en de rares occasions, quand il comptait sur elle pour sortir avec des clients ou l'accompagner à un dîner. Le reste du temps, il estimait qu'elle n'avait qu'à se débrouiller pour se distraire. Elle voyait parfois des amies dans la journée, mais la plupart avaient encore des enfants à la maison et couraient après le temps. Ainsi, depuis que Zoe était partie à l'université, Faith avait passé le plus clair de son temps toute seule, à essayer de trouver ce qu'elle allait bien pouvoir faire du reste de sa vie. Alex avait la sienne de son côté, bien remplie... Des siècles s'étaient écoulés depuis leur dernier dîner en tête à tête, depuis leur dernière grande conversation à cœur ouvert, leur dernière promenade ensemble, ou même leur dernière sortie au cinéma. Il ne la touchait plus qu'exceptionnellement, et lui adressait à peine la parole. Pourtant, elle savait qu'il l'aimait, ou tout au moins elle le pensait... Mais il semblait ne pas éprouver le besoin de communiquer avec elle autrement que par monosyllabes. En règle générale, il préférait demeurer silencieux, comme en cet instant, tandis qu'elle lui préparait son dîner.

Elle balaya une mèche de cheveux blonds de son visage, et lui jeta un regard : entièrement absorbé par la lecture de son article de journal, il ne semblait pas lui prêter la moindre attention. Et il lui fallut un long moment avant de répondre lorsqu'elle lui parla de nouveau.

— Viendras-tu à l'enterrement demain ?

Il secoua la tête, et leva enfin les yeux vers elle.

— Je ne peux pas, je pars à Chicago. Des réunions avec Unipam.

Il avait des difficultés avec un gros client, et pour lui ses affaires passaient avant tout le reste. Il fallait reconnaître que c'était grâce à elles qu'ils possédaient cette maison, qu'ils avaient pu offrir des études à leurs filles, qu'ils vivaient dans une aisance et un luxe dont Faith n'aurait même pas osé rêver, autrefois. Pour elle, cependant, il y avait des choses qui comptaient plus que cela : la chaleur humaine, le rire, le bien-être... Or, il lui semblait qu'elle ne riait plus jamais, sauf avec ses filles. Non qu'Alex la traitât mal. En fait, il ne s'occupait pas d'elle du tout. Il avait d'autres choses en tête, et n'hésitait pas à le lui faire comprendre, notamment par le biais de ses silences interminables, qui disaient mieux que n'importe

12

quel discours qu'il préférait rester plongé dans ses pensées plutôt que de parler avec elle.

— Ce serait gentil que tu viennes, hasarda-t-elle en prenant place en face de lui.

C'était encore un très bel homme. La cinquantaine avait teinté ses cheveux de reflets argentés qui ajoutaient à sa distinction naturelle. Il avait conservé le regard bleu perçant et le corps athlétique qui l'avaient séduite autrefois. Depuis qu'un de ses associés était mort subitement d'une crise cardiaque deux ans auparavant, il surveillait son régime et prenait soin de faire de l'exercice. C'était pour cette raison qu'il préférait le poisson à la viande ; elle le vit repousser sur le rebord de son assiette le poulet qu'elle venait de lui servir. La veillée mortuaire avait empêché Faith de se montrer plus créative. Elle y avait passé tout l'après-midi, tenant compagnie à sa demi-sœur Allison, pendant que les visiteurs venaient leur présenter leurs condoléances. Les deux femmes ne s'étaient vues qu'une fois en dix ans, pour les obsèques de la mère de Faith, un an plus tôt. Allison n'était pas venue à l'enterrement de Jack, le frère de Faith, deux ans avant celui de leur mère.

Décidément, il y avait eu bien des décès autour d'elle ces dernières années. Jack, sa mère, et maintenant Charles… Trop de gens avaient disparu. Bien qu'elle ne se fût jamais sentie proche de son beau-père, elle le respectait, et son départ l'affectait sincèrement. C'était comme si tous les repères de sa vie s'écroulaient les uns après les autres.

— Je dois aller à cette réunion à Chicago demain, répéta Alex en gardant les yeux délibérément braqués sur son assiette.

Il s'était contenté de picorer quelques morceaux de poulet, mais n'avait pas pris la peine de se plaindre.

— Beaucoup de gens travaillent, et cela ne les empêche pas d'aller aux enterrements, observa Faith.

Il n'y avait aucune animosité dans sa voix. Elle manifestait rarement son désaccord, et ne se disputait jamais avec Alex. Cela ne servait à rien, car Alex se débrouillait toujours pour échapper au conflit. En général, il faisait ce qu'il voulait sans la consulter, en fonction des exigences de son travail. Cela durait depuis si longtemps que Faith connaissait par cœur son mode de fonctionnement et savait qu'il était vain d'essayer de briser la carapace qu'il avait édifiée autour de lui. Etait-ce une forme de défense, un besoin de se protéger ? Elle n'aurait su le dire. Il n'était pas ainsi lorsqu'ils s'étaient connus mais beaucoup d'eau avait passé sous les ponts depuis. Etre mariée à Alex Madison était devenu une sorte de sacerdoce. Faith y était habituée, mais en avait davantage conscience depuis que les filles étaient parties. Pendant des années, elles lui avaient apporté la chaleur humaine dont elle avait besoin, et c'était de leur absence qu'elle souffrait à présent, bien plus que de l'attitude distante de son mari. Par ailleurs, il lui semblait qu'elle s'était éloignée de nombre de ses amies, comme si son couple et ses enfants avaient pris toute la place dans sa vie.

Zoe était maintenant à Brown depuis deux mois. Elle semblait tellement s'y plaire qu'elle n'était toujours pas revenue à la maison, même pour un week-end. Providence n'était pourtant pas très loin de New York, mais la jeune fille était trop occupée pour faire le déplacement, entre ses amis, sa nouvelle vie et ses activités étudiantes... Quant à Eloise, elle vivait à Londres pour son travail. En fait, depuis quelque temps, Faith avait l'impression que la vie de ses filles était plus remplie que la sienne, et elle s'interrogeait de plus en plus. Comment donner un sens à son avenir ? Elle avait bien envisagé de se remettre à travailler, mais n'avait aucune idée de ce qu'elle pourrait faire. Vingt-cinq ans s'étaient écoulés depuis qu'elle avait quitté *Vogue*, avant la naissance d'Eloise... Elle avait aussi songé à reprendre ses études de droit, et en avait parlé à Alex une ou deux fois, mais il avait trouvé l'idée ridicule et l'avait balayée d'un revers de main.

« A ton âge, Faith ? On ne reprend pas des études de droit à quarante-sept ans, voyons ! Tu aurais cinquante ans avant d'être diplômée et de passer l'examen du barreau ! »

Il y avait tant de condescendance dans sa voix qu'elle avait cessé d'évoquer cette possibilité, même s'il lui arrivait encore d'y songer de temps en temps. Alex pensait qu'elle n'avait qu'à se consacrer à ses activités caritatives, comme elle le faisait depuis des années, et aller déjeuner de temps en temps avec ses amies. Mais tout cela n'avait plus beaucoup d'attrait aux yeux de Faith, maintenant que les filles avaient quitté la maison. Elle souhaitait une activité plus intéressante pour occuper son temps libre. Il ne lui restait plus qu'à trouver laquelle...

— Personne ne remarquera mon absence à l'enterrement de Charles, conclut Alex alors que Faith débarrassait son assiette.

Elle lui proposa de la glace, qu'il refusa, toujours attentif à son poids et à sa forme physique. Il jouait au squash plusieurs fois par semaine, et au tennis le week-end, quand le temps new-yorkais le permettait. Lorsque les filles étaient petites, ils louaient de temps en temps une maison dans le Connecticut, mais ils ne le faisaient plus depuis des années, car Alex tenait à rester à proximité de son bureau, même le week-end.

Faith aurait voulu lui dire qu'il allait lui manquer, durant l'enterrement de son beau-père, mais à quoi bon ? Une fois qu'il avait pris une décision, il était impossible de le faire changer d'avis. Il ne comprenait pas qu'elle pût avoir besoin de sa présence à l'enterrement ; elle-même ne se voyait pas le supplier de venir, leur relation ne fonctionnant pas ainsi. Elle s'était toujours montrée sûre d'elle, parfaitement capable de se prendre en charge, sans avoir besoin de s'appuyer sur lui, même quand les filles étaient petites. Une parfaite épouse, en somme, pas une « pleurnicharde », comme il disait lui-même avec mépris. D'ailleurs, elle ne « pleurnichait » pas non plus, aujourd'hui. Elle était seulement déçue de constater qu'il ne voulait pas lui faire le plaisir de l'accompagner.

En réalité, la déception était devenue quasi permanente, chez Faith, car Alex n'était jamais là pour elle. C'était un homme responsable, intelligent, et qui subvenait à tous leurs besoins, mais qui semblait incapable de la moindre émotion. En fait, elle constatait avec effroi que leur relation ressemblait de plus en plus à celle de ses beaux-parents. Dès sa première entrevue avec eux, elle avait été choquée par leurs manières froides et distantes et par leur incapacité à exprimer leur affection. Son beau-père s'était montré particulièrement réservé, exactement comme Alex l'était devenu avec le temps. Désormais, il était tout sauf démonstratif, et supportait difficilement que les autres le soient, en particulier Zoe et Faith. Leurs élans de tendresse le mettaient toujours mal à l'aise, et le rendaient encore plus distant et sévère à leur égard.

De leurs deux filles, Zoe était celle qui ressemblait le plus à Faith. Avenante, tendre, de caractère facile, elle ne se plaignait jamais, et rappelait à Faith la jeune fille qu'elle avait été.

Bien que Zoe fût brillante et vive, c'était Eloise qui avait les faveurs de leur père. Il existait entre eux une

16

sorte de lien tacite et silencieux, qu'il appréciait car il ne le perturbait pas. De fait, Eloise avait toujours été plus calme et réservée que sa sœur. Et, à l'instar de son père, elle n'hésitait pas à se montrer franchement critique à l'égard de sa mère, alors que Zoe était toujours prompte à prendre sa défense et à la soutenir. Ainsi, même si elle n'avait jamais été proche de Charles, elle avait voulu venir à son enterrement, uniquement pour faire plaisir à sa mère. Mais des examens l'avaient finalement retenue à l'université, si bien que Faith se retrouvait seule. De toute façon, Charles ne s'était jamais vraiment intéressé aux enfants de sa belle-fille ; il n'y avait donc aucune raison pour que Zoe se rende disponible, et encore moins pour qu'Eloise fasse le voyage de Londres. Mais, si elle trouvait parfaitement normal que ses filles ne soient pas présentes, Faith aurait aimé qu'Alex, lui, fasse l'effort de l'accompagner.

Toutefois, elle n'en parla plus. Comme souvent, elle abandonna la partie, consciente de n'avoir aucune chance de faire valoir son point de vue. Alex estimait qu'elle pouvait très bien se passer de lui, d'autant qu'il savait qu'elle n'avait jamais été proche de son beau-père. Ce qu'il ne comprenait pas, c'était la force symbolique que ce décès revêtait pour elle. Il ne faisait que raviver la douleur de ceux qui l'avaient précédé. Celui de sa mère, et surtout celui de son frère Jack, qui l'avait brisée. L'avion qu'il pilotait s'était écrasé alors qu'il se rendait à Martha's Vineyard trois ans auparavant ; il n'avait que quarante-six ans. C'était un excellent pilote, mais son moteur avait pris feu, et l'appareil avait explosé en vol. Ce drame avait causé à Faith un tel choc qu'elle commençait à peine à s'en remettre. Jack et elle avaient toujours été très liés. Il n'avait jamais cessé de la soutenir et de l'encourager, aussi bien durant leur enfance que par la suite. Jack pardonnait toujours, ne critiquait jamais, et sa loyauté envers sa petite sœur était sans faille. D'ailleurs leur mère disait d'eux qu'ils se comportaient comme des jumeaux. Et c'était vrai, surtout depuis la disparition de leur père, mort subitement d'une crise cardiaque, alors que Faith avait dix ans et Jack douze.

La relation de Faith avec son père avait été difficile. Désastreuse, même. Elle n'en parlait jamais, et il lui avait fallu une bonne partie de sa vie d'adulte pour surmonter ce traumatisme. Elle y avait travaillé avec un thérapeute, et avait fini par faire la paix avec son passé, tant bien que mal. Cependant, ses plus vieux souvenirs d'enfance demeuraient ceux de son père en train de la maltraiter.

Il avait commencé à abuser d'elle alors qu'elle n'avait que quatre ou cinq ans. Elle n'avait jamais osé en parler à sa mère, parce que son père avait menacé de les tuer, son frère et elle, si elle disait quelque chose. Par amour pour Jack, elle avait gardé le silence, jusqu'au jour où il avait découvert ce qui se passait. Il avait alors onze ans et elle neuf. Leur père et lui s'étaient violemment disputés, et le petit garçon qu'il était encore avait été à son tour menacé : son père avait juré que s'il racontait ce qu'il savait à leur mère, il les tuerait tous les deux. L'événement les avait tellement traumatisés qu'ils n'en avaient reparlé qu'une fois adultes, lorsque Faith avait commencé sa thérapie. Mais ce passé avait créé entre eux un lien d'amour indéfectible, fondé sur la compassion et né de la profonde détresse dans laquelle leur père les avait plongés tous les deux. Jack était torturé par son impuissance face au cauchemar physique et psychologique vécu par sa sœur ; il se maudissait d'avoir été incapable de la protéger.

Des années plus tard, pendant sa thérapie, Faith avait essayé de parler à leur mère, mais celle-ci avait refusé d'écouter et surtout de croire ce que sa fille lui révélait. Aveuglée par le déni, elle avait accusé Faith de proférer des mensonges honteux, dans le but de salir la mémoire de son père et de les faire tous souffrir. Comme Faith l'avait redouté toute sa vie, sa mère l'avait tenue pour responsable du passé et s'était retranchée derrière ses propres fantasmes, assurant que son mari avait toujours été un homme bon et aimant, qui adorait sa famille et vénérait sa femme. Au fil des années, elle l'avait en quelque sorte canonisé. Faith s'était donc retrouvée seule face à ses souvenirs, sans personne vers qui se tourner, à l'exception de son frère Jack. Comme toujours, ce dernier l'avait écoutée. Il était allé chez le psychothérapeute avec elle et l'avait aidée à faire remonter à la surface l'atroce passé qui les unissait. Ensuite, Faith avait pleuré dans ses bras pendant des heures.

En fin de compte, l'amour et le soutien de Jack lui avaient permis de calmer les vieux démons. Son père demeurait le monstre qui avait violé l'innocence sacrée de son enfance, et il avait fallu des années à Jack pour surmonter la culpabilité de son impuissance, mais elle avait finalement fait la paix avec le passé, en grande partie grâce à son frère. Malgré tout, les cicatrices de cette blessure demeuraient sensibles, et leur marche vers la guérison n'avait pas été de tout repos. Ainsi, pour l'un comme pour l'autre, les rapports humains étaient souvent demeurés difficiles, et inconsciemment ils avaient tous deux cherché à compenser l'indifférence de leur mère en choisissant des conjoints qui les critiquaient sans cesse et les rendaient responsables de tous leurs maux. La femme de Jack était caractérielle et l'avait quitté plusieurs fois sans raison apparente. Quant à Alex, il tenait Faith à distance depuis des années. Elle avait souvent abordé ce sujet avec son frère, et bien qu'ils fussent tous deux conscients de ce que la situation devait à leur passé, ni l'un ni l'autre n'était parvenu à faire changer les choses. Ils avaient en quelque sorte reproduit le schéma de leur enfance, de manière à pouvoir éradiquer le drame en gagnant cette fois le combat ; mais ils avaient choisi des conjoints face auxquels ils ne pouvaient triompher, et dans un cas comme dans l'autre, le résultat, bien que moins traumatisant, s'était tout de même révélé peu satisfaisant. Jack avait supporté la situation en arrondissant sans cesse les angles, et en tolérant presque tout ce que sa femme pouvait lui faire subir, y compris ses abandons, pour éviter de provoquer sa colère et ne pas risquer de la perdre. Et Faith s'était comportée sensiblement de la même façon, ne discutant que très exceptionnellement avec Alex, sans jamais s'opposer à lui. Son père avait laissé en elle une marque indélébile ; il avait réussi à la persuader que tout était sa faute, qu'elle avait tort de toute façon, que c'était elle la pécheresse, pas lui. Et, aussi incroyable que cela pût paraître, elle considérait sa mort comme l'ultime châtiment qu'il leur avait infligé, à Jack et à elle. En plus de tout le reste, il les avait abandonnés, et Faith avait eu la sensation que c'était encore une fois à cause d'elle. Voilà pourquoi elle avait toujours soigneusement évité dans sa vie de couple de prendre la moindre initiative susceptible de pousser Alex à la quitter. En un sens, elle avait passé sa vie à s'efforcer d'être une petite fille parfaite. Souvent, elle avait songé à révéler son histoire à Alex, mais elle y avait renoncé. Quelque part dans son inconscient, elle redoutait qu'il cessât de l'aimer s'il apprenait ce que son père lui avait fait.

Pour être honnête, au cours des dernières années, elle avait maintes fois eu l'occasion de se demander s'il l'avait jamais vraiment aimée. Peut-être à sa façon...

Mais, plus qu'elle-même, c'était surtout sa docilité qu'il avait aimée. Et pour cette raison, elle sentait confusément qu'il serait incapable d'accepter la vérité à propos du calvaire qu'elle avait enduré. Son lourd secret était enterré avec Jack ; ce dernier demeurait la seule personne au monde qui lui eût donné un amour inconditionnel. C'était réciproque : elle aussi l'aimait de tout son cœur, sans limite, et la douleur de le perdre avait été d'une intensité insupportable. D'autant plus insupportable qu'elle ne pouvait compter sur aucun autre réconfort.

Tous deux avaient difficilement accepté que leur mère se remarie avec Charles. Faith avait alors douze ans et Jack quatorze. Faith se méfiait de son beau-père, s'attendant à ce qu'il lui fasse subir la même chose que son père, mais ça n'avait pas été le cas. Bien au contraire, il l'avait complètement ignorée, et ç'avait été pour elle une véritable libération. En bon militaire, Charles n'était pas à l'aise avec les femmes ou les jeunes filles, et même sa propre fille était une étrangère pour lui. Il se montrait également dur envers Jack, mais au moins il parvenait à lui témoigner quelques signes d'affection. En revanche, avec Faith, il se contentait de faire ce qu'il estimait être son devoir, à savoir signer ses bulletins scolaires et se plaindre de ses notes. En dehors de cela, elle n'existait pas pour lui. Elle ne se plaignait pas : elle était tellement convaincue qu'il se comporterait avec elle comme son père avant lui qu'elle était infiniment soulagée, et ce sentiment compensait largement la frustration qu'elle aurait pu éprouver face à sa froideur. De toute façon, elle n'avait pas l'habitude des démonstrations d'affection.

Peu à peu, Charles avait fini par gagner les bonnes grâces de Jack en entreprenant des activités masculines avec lui, mais Faith était une fille, et les filles ne l'intéressaient pas. Du coup, Jack était resté l'unique modèle masculin de sa petite sœur, sa seule relation saine avec l'autre sexe. Contrairement à leur mère et à Charles, il s'était toujours montré tendre et chaleureux avec elle. La femme qu'il avait épousée, en revanche, ressemblait beaucoup à leur mère. Distante et froide, elle ne manifestait jamais aucune émotion et semblait incapable de se rapprocher de lui. Ils s'étaient d'ailleurs séparés plusieurs fois, et en quinze ans de mariage, ils n'avaient pas eu d'enfant, car Debbie ne pouvait supporter cette idée. Faith n'avait jamais compris comment une telle femme avait pu attirer son frère ; mais malgré tout ce qu'elle lui faisait endurer, Jack lui trouvait des qualités que personne d'autre ne voyait, et il s'était toujours montré envers elle d'un dévouement sans faille, prenant systématiquement sa défense lorsque quelqu'un critiquait son caractère difficile. A son enterrement, elle était restée impassible, sans verser la moindre larme, et par la suite Faith n'avait plus jamais entendu parler d'elle. Elles n'avaient même pas échangé une carte de vœux. Et, en un sens, cela représentait une perte supplémentaire, car même si elle n'avait jamais vraiment porté sa belle-sœur dans son cœur, celle-ci représentait son dernier lien avec Jack... Mais elle avait disparu, elle aussi. Faith n'avait plus personne à présent, à part Alex et ses deux filles. Elle avait l'impression que son univers rétrécissait de jour en jour. Tous ceux qui avaient compté pour elle disparaissaient un à un. Même si elle ne les avait pas tous chéris comme Jack, tout au moins lui étaient-ils proches... Charles, par exemple, avec son caractère distant mais droit, avait en fin de compte représenté un appui sécurisant pour elle. A présent, ils étaient tous partis. Ses parents, Jack, et maintenant Charles. Cela rendait Alex et ses filles encore plus précieux à ses yeux.

Elle appréhendait la journée du lendemain. Les obsèques de Charles lui rappelleraient celles de Jack, et cette perspective suffisait à la plonger dans une profonde détresse.

Elle songeait à tout cela, lorsqu'elle passa devant le bureau où Alex aimait s'isoler pour lire le soir. Il feuilletait des papiers et ne leva pas les yeux quand elle s'arrêta sur le seuil. Il avait l'art de se retrancher dans sa forteresse, de faire comprendre aux gens qu'il ne voulait pas être dérangé ; même à quelques mètres d'elle, il était hors d'atteinte. Le précipice qui s'était creusé entre eux au fil des années ne pouvait être comblé. Comme des glaciers, ils avaient imperceptiblement évolué chacun de leur côté, s'écartant peu à peu l'un de l'autre, si bien qu'ils étaient condamnés à se regarder de loin, au mieux à se faire signe, sans espoir de rapprochement. Alex avait réussi à s'isoler complètement, tout en continuant à vivre sous le même toit qu'elle. Depuis longtemps, Faith avait abandonné tout espoir de voir les choses s'améliorer, et acceptait simplement la situation, laissant la vie suivre son cours. Mais le vide qui se creusait en elle maintenant que ses filles étaient parties avait entamé cette résignation. Elle n'avait pas encore trouvé le moyen de le combler et se demandait si elle y parviendrait un jour... Elle regarda Alex se replonger dans ses papiers sans lui dire un mot. Alors, en silence, elle se dirigea vers l'escalier.

Quand il monta la rejoindre une heure et demie plus tard, elle était déjà couchée, avec un livre que Zoe lui avait recommandé. C'était un roman amusant, et elle souriait toute seule lorsqu'il pénétra dans la pièce. De son côté, Alex avait l'air fatigué, mais il avait réussi à passer en revue tout ce qu'il voulait pour sa réunion du lendemain à Chicago. Il lui jeta un regard distrait et alla se déshabiller. Quelques minutes plus tard, il se glissait dans les draps à côté d'elle. Comme tous les soirs, Faith eut l'impression qu'un mur invisible séparait le lit en deux, une ligne Maginot qu'aucun d'entre eux ne traversait jamais, sauf exceptionnellement, une ou deux fois par mois au maximum. Dans ces moments-là, Faith se sentait un peu plus proche de son mari... Mais ils étaient si éphémères ! Avec les années, leurs étreintes étaient devenues de plus en plus rapides, exemptes de tout sentiment, même si elles pouvaient s'avérer agréables. Par bonheur, grâce à sa psychothérapie, Faith ne connaissait pas de problèmes d'ordre sexuel, en dépit des blessures infligées par son père dans sa petite enfance. Mais, en raison du manque de communication et de chaleur qui accompagnait ses rapports avec Alex, elle se passait volontiers de faire l'amour.

Alors qu'elle s'allongeait à son tour, il se tourna de son côté, lui présentant son dos. Cela signifiait qu'il ne voulait rien d'autre d'elle ce soir. Ils avaient dîné ensemble, il lui avait dit où il allait le lendemain, et elle avait noté sur son agenda qu'ils avaient un dîner d'affaires le soir, après l'enterrement. C'était tout ce qu'ils avaient besoin de savoir l'un de l'autre, tout ce qu'ils pouvaient partager. Si elle avait besoin d'autre chose, d'un geste tendre ou d'un quelconque témoignage d'affection, il lui faudrait le quémander auprès de ses filles. Elle le savait, et c'était à cause de cela que Jack lui manquait par-dessus tout. Ils avaient toujours eu besoin l'un de l'autre pour trouver la chaleur humaine, le réconfort et la tendresse que leurs conjoints respectifs ne savaient pas leur donner...

Elle l'avait aimé de toutes ses forces et avait toujours pensé qu'elle mourrait s'il venait à disparaître avant elle. Elle avait pourtant survécu, mais une partie d'elle-même errait comme une âme en peine depuis ce jour funeste, privée de son havre de paix. Elle ne pouvait pas révéler à ses filles, ni à quiconque, ce qu'elle avait partagé avec

Jack depuis toujours, et cela le rendait d'autant plus irremplaçable. Il avait été le soleil de sa vie, son sauveur, son refuge... Et maintenant, alors qu'Alex dormait paisiblement à côté d'elle et que ses filles étaient parties, Faith, en éteignant la lumière, se sentait comme un radeau abandonné sur l'océan.

2

Alex était déjà parti pour Chicago quand Faith fut tirée de son sommeil par le réveil, à huit heures le lendemain matin. Les obsèques étaient à onze heures, et elle avait promis d'aller chercher sa demi-sœur avec la limousine. Allison avait soixante et un ans, soit quatorze ans de plus que Faith, et elle lui semblait vraiment d'une autre génération. Ses enfants avaient presque son âge, puisque l'aîné avait quarante ans, mais elle les connaissait à peine. Ils vivaient tous au Canada, dans le nord du Québec. De toute façon, Allison n'avait jamais noué de lien particulier ni avec sa belle-mère ni avec ses enfants. A l'époque où Charles avait épousé la mère de Faith, Allison était déjà mariée et mère de famille, et elle ne s'était jamais réellement intéressée à Faith et Jack.

Pour les mêmes raisons que Faith, Allison n'avait jamais été proche de Charles. Celui-ci ne s'intéressait tout simplement pas aux filles. Diplômé de West Point, il avait fait toute sa carrière dans l'armée. Quand il avait épousé la mère de Faith, il avait quarante-neuf ans, et était à la retraite depuis peu. Il avait en quelque sorte traité les enfants de sa femme comme des cadets de l'académie militaire. Il inspectait leur chambre, leur donnait des ordres, distribuait des punitions et, une fois, il avait même voulu laisser Jack dehors toute une nuit

26

sous la pluie, parce qu'il avait raté un examen à l'école. Faith l'avait fait rentrer par la fenêtre de sa chambre et l'avait caché sous son lit jusqu'au matin ; puis elle l'avait aspergé d'eau pour que ses vêtements soient trempés. Il s'était ensuite glissé de nouveau dehors. Charles ne s'était par bonheur aperçu de rien, sans quoi le châtiment eût été terrible. Comme toujours, leur mère s'était bien gardée d'intervenir en leur faveur. Elle était prête à tout pour éviter le conflit, et ne désirait rien d'autre qu'une vie tranquille. Son premier mariage avait été difficile, et elle s'était débattue pendant deux ans avec les dettes laissées par le père de Faith, avant de rencontrer Charles. Elle lui était reconnaissante de l'avoir sauvée et d'avoir accepté de prendre soin d'elle et de ses enfants, et elle se moquait par conséquent qu'il lui adressât à peine la parole, sauf pour lui aboyer des ordres. Lui, de son côté, ne lui demandait rien, sinon d'être là et de tenir sa maison. Quant aux enfants, il se contentait d'exiger qu'ils obéissent, qu'ils obtiennent de bonnes notes en classe, et qu'ils le laissent en paix. Ainsi, il avait, en un sens, préparé le terrain de leurs mariages futurs avec des gens aussi réservés et distants que lui.

Faith avait beaucoup parlé de tout cela avec son frère, l'année qui avait précédé sa mort, alors qu'il venait de se séparer une nouvelle fois de Debbie. Tous deux étaient parfaitement conscients des similitudes de leurs couples respectifs. Ils avaient épousé des êtres calmes, réservés, distants, qui ne dégageaient aucune chaleur humaine et n'exprimaient aucune affection. Pourtant, Faith n'avait pas remarqué ces défauts chez Alex au début de leur relation… Mais ses élans de tendresse avaient rapidement cessé après la naissance d'Eloise, et depuis, il n'avait fait que se renfermer chaque jour un peu plus. Elle n'en souffrait plus depuis longtemps. Elle avait appris à l'accepter tel qu'il était. Alex était tout de même beaucoup plus raffiné que Charles, qui était resté avant tout un militaire, un homme de West Point.

La mère de Faith ne s'était jamais plainte pendant toutes ces années. Garder le navire à flot et faire en sorte que la vie continue, tel était son mode de défense, même si elle ne voyait pas les choses ainsi. Pendant les trente-quatre années de son mariage avec Charles, elle s'était appliquée à faire ce qu'on attendait d'elle. Ni Jack ni Faith ne se rappelaient l'avoir vue heureuse, et ils ne rêvaient pas du tout d'avoir plus tard la même vie de couple qu'elle. Et pourtant, Faith constatait que la sienne y ressemblait à s'y méprendre. Elle se demandait pourquoi elle n'avait pas vu se profiler ce spectre en épousant Alex. Et le mariage de Jack ne s'était pas beaucoup mieux passé...

C'était à cause de tout cela que Faith avait toujours fait preuve de tant de tendresse envers Zoe et Eloise. Elle avait essayé de renverser la vapeur et de leur offrir tout ce qui lui avait manqué. Elle avait tenté de se comporter de la même façon avec Alex, mais il lui avait clairement fait comprendre au fil des années que les manifestations de tendresse le mettaient mal à l'aise et qu'il n'en avait pas besoin. Il voulait une vie ordonnée, une carrière brillante, une belle maison, et une femme présente à ses côtés, capable de s'occuper de l'intendance lorsqu'il partait à la conquête du monde des affaires. Les petites attentions de Faith, ses efforts pour égayer le quotidien, la chaleur humaine qu'elle eût aimé partager avec lui, tout cela ne l'intéressait pas. Aussi avait-elle donné tout l'amour dont elle débordait à son frère et à ses enfants.

Quand Faith sortit de la maison à dix heures et quart, la limousine l'attendait devant la porte. Elle était vêtue de noir des pieds à la tête, manteau, robe, bas et escarpins, et ses cheveux blonds étaient relevés en chignon, comme la veille. Pour seul bijou, elle portait une paire de boucles d'oreilles qui avaient appartenu à sa mère, et que Charles lui avait donnée. Elle était digne, élégante, belle malgré ses vêtements austères, et comme toujours elle paraissait plus jeune que son âge. Son visage respirait la bonté, l'intelligence, et laissait deviner un esprit spontané et une grande douceur naturelle. En jean et les cheveux lâchés, elle semblait presque aussi jeune que ses filles ; les soucis qui l'avaient affectée au cours des dernières années n'avaient en rien altéré la fraîcheur de ses traits.

En se glissant à l'arrière de la limousine, elle songea à Jack. Il aurait sans doute trouvé le moyen de plaisanter, de lui murmurer quelque chose d'absurde à l'oreille, de la faire rire, même en ce jour funeste. En tout cas, tout aurait été plus facile à supporter, s'il avait été là. Cette simple pensée la fit sourire malgré elle, alors qu'ils arrivaient devant l'hôtel d'Allison. Jusqu'à sa disparition précoce et imprévue, Jack avait toujours été plein d'humour. Avocat dans un cabinet de Wall Street, il était très apprécié de ses collègues et de ses amis. Alex était probablement le seul à ne pas le trouver sympathique et à s'être disputé avec lui. Il fallait reconnaître que les deux hommes étaient opposés en tout, et que Jack n'appréciait pas non plus son beau-frère, bien qu'il n'en eût jamais dit du mal par égard pour sa sœur. Il savait qu'il ne servait à rien de discuter de cela avec elle ; Faith n'aimait pas sa femme non plus, et aborder le sujet délicat de leurs conjoints ne faisait que les peiner tous les deux.

Allison et son mari attendaient devant l'hôtel, et la limousine s'arrêta pour les laisser monter. Tous deux étaient robustes et avaient l'air bien portants. Ils avaient dirigé une grande exploitation agricole au Canada pendant quarante ans, tout en élevant trois garçons et une fille qui avaient maintenant presque l'âge de Faith. Les garçons n'étaient pas venus, et la fille non plus car elle était malade.

Allison et Bertrand n'étaient pas à l'aise avec Faith. Elle était trop citadine et raffinée pour eux, et bien qu'Allison et elle se connussent depuis des décennies, elles ne s'étaient vues que très rarement. Elles évoluaient dans des mondes trop différents.

Ils demandèrent pourquoi Alex n'était pas là, et Faith expliqua qu'il avait dû partir pour Chicago. Allison hocha la tête sans faire de commentaire. Elle n'avait rencontré Alex qu'une ou deux fois, et le considérait sans doute comme un extraterrestre, d'autant qu'il n'avait fait aucun effort pour lui parler à l'enterrement de la mère de Faith. Bien qu'appartenant à la même famille depuis plus de trente ans, ils demeuraient des étrangers les uns pour les autres, et Faith se demandait même, alors qu'ils prenaient la direction de l'église, s'ils se reverraient un jour après l'enterrement de Charles. Elle n'éprouvait aucun attachement particulier pour sa demi-sœur, et en prendre conscience ne faisait que la déprimer davantage. Allison viendrait probablement bientôt s'ajouter à la longue liste des personnes ayant disparu de son entourage... Son existence souffrait d'une désertification progressive. Aucun visage nouveau, que des départs. Jack, Debbie, sa mère, Charles, Zoe et Eloise, Allison maintenant... Depuis un certain temps, sa vie n'était plus qu'une succession de défections. Et la mort de Charles s'inscrivait dans cette triste logique. Même si elle n'était ni dramatique ni surprenante à quatre-vingt-quatre ans, c'était tout de même une disparition de plus, une nouvelle personne de son entourage qui s'en allait et l'abandonnait.

Durant le trajet jusqu'à l'église, ils échangèrent à peine quelques mots. Allison paraissait calme et sereine malgré les circonstances, sans doute parce que son père et elle ne se voyaient que très rarement et qu'ils n'avaient jamais été proches l'un de l'autre. Elle annonça toutefois qu'elle avait organisé une petite réception à l'hôtel après la cérémonie. Elle avait réservé un grand salon et commandé un buffet. Faith trouva l'attention délicate ; les amis de leurs parents y seraient sans doute sensibles.

— Je crains de ne pas connaître grand monde, avoua-t-elle en la remerciant.

Le faire-part de décès paru dans le journal annonçait le lieu de la cérémonie, et elle avait prévenu quelques proches de ses parents ; cependant, la plupart d'entre eux étaient décédés ou en maison de retraite. Charles et sa mère avaient vécu dans le Connecticut pendant de nombreuses années et s'étaient fait beaucoup d'amis là-bas, mais après la mort de sa mère Faith avait fait revenir son beau-père en ville dans une résidence spécialisée, et il avait été malade presque toute l'année qui avait précédé sa mort. Faith ne s'attendait donc pas à voir beaucoup de monde à ses obsèques, car il s'était éteint dans un relatif isolement.

Il était prévu d'aller au cimetière immédiatement après la cérémonie religieuse, si bien qu'ils pouvaient espérer être de retour à l'hôtel vers une heure et demie. Allison et Faith convinrent de rester l'après-midi. Ensuite, Allison et Bertrand reprendraient l'avion pour le Canada, vers vingt heures, tandis que Faith rejoindrait Alex pour son dîner d'affaires. Cela la distrairait, après cette triste journée.

Tous les trois furent surpris, en entrant dans l'église, du nombre de gens déjà installés dans les travées. Charles avait été un notable connu et respecté dans la petite ville du Connecticut où sa femme et lui avaient vécu. Sans que Faith eût jamais bien saisi pourquoi, les

31

gens avaient toujours semblé l'apprécier. Ils le trouvaient distingué, respectable, et même intéressant. Dans sa jeunesse, il avait vécu dans des endroits exotiques et avait de nombreuses histoires à raconter, même s'il ne les partageait pas avec sa femme ou les enfants de celle-ci. En somme, au-delà du cercle familial immédiat, on avait toujours pensé le plus grand bien de lui. Il n'était pas aussi froid en société qu'à la maison, et il déployait bien plus d'efforts pour se rendre aimable, ce qui avait toujours paru étrange à Faith. Pourquoi sa mère s'était-elle attachée à cet homme qui semblait n'avoir échangé que quelques mots avec elle ? Peut-être avait-elle simplement été conquise par sa respectabilité... En tout cas, Faith ne lui trouvait aucun charme ni aucun charisme.

La cérémonie commença exactement à l'heure prévue. La veille, Faith et Allison avaient choisi la musique, et le cercueil était posé à quelques mètres d'elles, sous une gerbe de fleurs blanches. Faith avait fait appel à son fleuriste et avait proposé de se charger de toutes les compositions florales qui ornaient l'église, ce qu'Allison avait volontiers accepté. La cérémonie fut simple, conforme au rite de l'Eglise presbytérienne à laquelle Charles n'avait jamais cessé d'appartenir, même si la mère de Faith était catholique et s'ils s'étaient mariés à l'église catholique. En réalité, ni l'un ni l'autre n'était vraiment pratiquant, contrairement à Faith et Jack, qui étaient souvent allés à la messe ensemble.

Le prêche fut bref et impersonnel, ce qui aurait tout à fait convenu à Charles, qui n'était pas homme à apprécier les louanges hypocrites ou les effets de style. Le prêtre rappela son parcours, évoqua son passage à West Point et sa carrière militaire, et fit une rapide allusion à Faith et Allison. Visiblement, il les pensait toutes les deux filles de Charles. Allison ne sembla pas s'en formaliser.

Lorsque tout le monde entonna le chant final, Faith sentit les larmes lui monter aux yeux. Sans bien s'expliquer pourquoi, elle venait d'avoir une vision de Charles jeune, alors qu'ils étaient encore enfants, Jack et elle. Il les avait emmenés au bord d'un lac où il avait montré à son frère comment pêcher. Jack avait les yeux brillants de bonheur, et avait regardé Charles avec émerveillement. C'était un instant privilégié, un des rares qu'ils eussent connus ensemble, et elle le revoyait, debout à côté de Jack, lui montrant comment tenir la canne à pêche, tandis que ce dernier souriait, ravi... Le souvenir la fit surtout penser à Jack, qui lui manquait bien plus que Charles. En fermant les yeux, elle pouvait presque sentir sur sa peau la caresse du soleil qui brillait en ce lointain jour d'août. Son cœur saignait à l'évocation de ce temps-là. Tout était fini à présent. C'était le passé.

Elle ne pouvait arrêter ses larmes, qui continuaient à rouler le long de ses joues, et un sanglot s'échappa de sa gorge alors que les hommes en livrée du service funéraire se plaçaient autour du cercueil pour l'emporter. Trois ans plus tôt, c'étaient les amis de Jack qui avaient soulevé son cercueil, et il en avait tant... Des centaines de personnes étaient venues à ses obsèques. Dans la mémoire de Faith, la cérémonie n'était plus qu'un brouillard opaque. Elle était si anéantie par le chagrin, alors, qu'elle s'en souvenait à peine, ce dont elle remerciait d'ailleurs le ciel.

Mais tandis qu'elle regardait les hommes en uniforme emporter Charles, le cruel souvenir se réveilla avec une force dévastatrice, surtout lorsqu'elle suivit Allison et Bertrand le long de l'allée centrale. A la sortie de l'église, ils s'arrêtèrent tous les trois pour saluer, en tant que derniers membres de la famille de Charles, les gens qui étaient venus lui rendre hommage.

La moitié de l'assistance environ avait défilé devant eux quand Faith entendit derrière elle une voix incroyablement familière. Elle était en train de serrer la main d'une ancienne amie de sa mère, et se figea en entendant ce mot inattendu :

— Fred.

Instantanément, un sourire éclaira son visage, et elle se retourna, soudain rayonnante en dépit des circonstances. Un seul être au monde l'appelait ainsi en dehors de son frère Jack : le meilleur ami de celui-ci. Quand ils étaient petits, il avait décrété que Faith portait un prénom stupide, et l'avait donc rebaptisée Fred. Jack avait adopté le surnom, qui lui était resté durant toute son enfance.

Faith leva un visage radieux vers Brad Patterson, incapable de croire qu'il était là. Il n'avait pas changé du tout, bien qu'il eût deux ans de plus qu'elle. A quarante-neuf ans, Brad Patterson avait toujours l'air d'un gamin espiègle quand il souriait. Ses yeux étaient du même vert que ceux de Faith, et ses cheveux demeuraient d'un noir de jais. Dans le temps, elle lui disait toujours que ses jambes ressemblaient à des pattes d'araignée, mais le grand corps qu'elle jugeait autrefois trop maigre était à présent parfaitement proportionné. Surtout, un sourire irrésistible illuminait son visage, adoucissant son menton volontaire. Brad avait été le meilleur ami de son frère, dès l'âge de dix ans. La première fois qu'elle avait posé les yeux sur lui, elle avait huit ans, et il lui avait peint les cheveux en vert pour la Saint-Patrick. Jack, Brad et elle avaient trouvé l'idée formidable, même si leurs parents s'étaient montrés nettement moins enthousiastes. Par la suite, Brad avait été à l'origine de dizaines d'autres coups pendables, et Jack et Faith étaient restés ses complices inséparables. Ils avaient commencé leurs études à l'université de Pennsylvanie ensemble, et ne s'étaient finalement séparés que lorsque les garçons étaient entrés à la faculté de droit — Brad à Berkeley, et Jack à Duke. Brad était tombé amoureux d'une fille de sa classe, il s'était installé sur la côte Ouest, et la vie avait pris le dessus : il s'était marié et avait eu des enfants, des jumeaux, qui avaient à peu près l'âge d'Eloise. Jack allait lui rendre visite de temps en temps, environ un an sur deux, mais Brad, lui, avait cessé de venir sur la côte Est. Quand elle l'avait retrouvé à l'enterrement de Jack, Faith ne l'avait pas vu depuis des années.

Ils étaient alors tous les deux ravagés par le chagrin, et avaient passé des heures à parler de lui, comme si le fait d'évoquer tous leurs souvenirs pouvait le leur rendre. Brad l'avait ensuite raccompagnée chez elle, et avait rencontré Zoe et Eloise, qui avaient alors respectivement quinze et vingt et un ans. Alex n'avait pas fait grand cas de lui, le déclarant « trop côte Ouest à son goût », selon ses propres termes. Faith s'en moquait éperdument tant elle était ravie de reprendre contact avec lui.

Cependant, après avoir échangé des lettres pendant un an, Brad et elle s'étaient de nouveau perdus de vue. Il semblait trop absorbé par sa propre vie. Elle ne l'avait pas revu depuis l'enterrement de Jack et n'avait aucune nouvelle de lui depuis presque deux ans. Aussi était-elle stupéfaite de le voir se tenir là, devant elle, à la sortie de la messe d'enterrement de Charles. Elle ne parvenait pas à s'expliquer sa présence.

— Qu'est-ce que tu fais ici ?

Le sourire qu'ils échangèrent aurait pu illuminer toute l'église.

— J'étais à New York pour une conférence, et j'ai vu le faire-part de décès dans le journal d'hier. Je me suis dit que je devais venir.

Il lui sourit de nouveau, et elle reconnut le sourire de l'enfant qu'il avait été quarante ans plus tôt. Pour elle, il était toujours le petit garçon qu'elle avait connu, et il le resterait toujours. Elle ne voyait que leur jeunesse, cette époque où Jack, Brad et elle étaient unis comme les trois mousquetaires. Elle lui sourit à son tour, infiniment reconnaissante qu'il soit venu. Tout semblait soudain plus facile, et elle avait l'impression que Jack était là aussi, avec eux.

— Et puis, je savais que tu serais là, ajouta-t-il. Tu es magnifique, Fred.

Il n'avait jamais cessé de la taquiner quand ils étaient enfants, et, vers l'âge de treize ans, elle était tombée un peu amoureuse de lui. Mais lorsqu'il était parti à l'université, elle s'était déjà remise de ce béguin préadolescent, fréquentant plutôt des garçons de son âge. Toutefois, il était toujours demeuré l'un de ses meilleurs amis, et elle avait été triste de perdre le contact avec lui. Il était trop difficile d'entretenir longtemps une amitié à distance, si bien que seul le passé les liait aujourd'hui, ainsi que l'énorme affection qu'elle éprouvait encore pour lui. Tous deux chérissaient une foule de souvenirs des années qu'ils avaient passées ensemble.

Elle lui proposa de venir à l'hôtel après l'enterrement, et il accepta d'un signe de tête, sans la quitter des yeux. Il semblait aussi ému qu'elle de ces retrouvailles.

— Je viendrai, promit-il.

Il l'avait vue pleurer pendant le chant final, *Amazing Grace*, et lui aussi avait versé des larmes. Il ne pouvait plus entendre cet hymne sans penser à Jack. Le jour de l'enterrement de son ami restait parmi les plus sombres de son existence.

— C'est vraiment gentil d'être venu, dit-elle tandis que les gens se pressaient autour d'eux pour saluer Allison et Bertrand.

— Charles était quelqu'un de bien, répondit Brad avec sincérité.

Il gardait de bons souvenirs du vieux militaire, bien meilleurs en fait que ceux de Faith ; Charles les avait emmenés à plusieurs reprises, Jack et lui, chasser le chevreuil ou pêcher dans le lac. Naturellement, il ne lui était tout simplement pas venu à l'idée de convier Faith à participer à ces expéditions.

— Et puis, je voulais aussi te revoir, ajouta Brad. Comment vont tes filles ?

— Bien. Mais malheureusement elles ont toutes les deux quitté la maison. Eloise vit à Londres, et Zoe est en première année à Brown. Et tes fils, comment vont-ils ?

— Très bien. Ils sont partis passer un an en Afrique, dans une réserve. Ils ont décroché leur diplôme d'UCLA, en juin, et se sont envolés juste après. J'ai bien l'intention d'aller les voir un de ces jours, mais je n'en ai pas encore eu le temps.

Faith savait qu'il n'avait pas ménagé sa peine, ces dernières années. Il s'était investi dans une association offrant une assistance juridique à des mineurs condamnés pour des actes criminels lourds. Jack le lui avait dit peu de temps avant sa mort, et elle en avait parlé avec Brad après l'enterrement. Mais elle n'avait pas le temps de lui demander de nouvelles plus précises maintenant, car Allison lui faisait signe qu'il était temps de partir pour le cimetière. Faith répondit d'un signe de tête, indiquant qu'elle avait compris, et se tourna de nouveau vers Brad.

— Il faut que j'y aille... Tu viendras à l'hôtel tout à l'heure ? Au Waldorf...

Alors qu'elle lui rappelait le rendez-vous, on eût dit une petite fille, et il lui sourit, se retenant de la prendre dans ses bras et de la serrer contre lui. Quelque chose dans ses yeux lui disait qu'elle avait traversé des moments difficiles. Il ne savait pas si c'était à cause de

Jack ou d'autre chose, mais son regard était empreint d'une profonde détresse qui lui allait droit au cœur, comme quand elle était petite et qu'elle avait l'air triste. Il s'était toujours comporté en protecteur avec elle, et ce sentiment n'avait pas disparu.

— Je serai là, assura-t-il.

Faith hocha la tête, puis deux personnes vinrent s'interposer entre eux pour lui serrer la main et lui présenter leurs condoléances. Brad lui fit un petit signe de tête, avant de disparaître. Il avait quelques courses à faire, avant de la rejoindre à l'hôtel. Il venait rarement à New York, et souhaitait profiter de ce bref séjour pour se rendre dans quelques-uns de ses endroits favoris, et s'arrêter dans une ou deux boutiques qu'il affectionnait particulièrement. Il aurait volontiers accompagné Faith au cimetière, afin de lui offrir son soutien, mais il ne voulait pas s'imposer.

Il savait que l'enterrement proprement dit serait encore plus dur pour elle à cause de Jack. Les cimetières ne lui étaient que trop familiers, depuis quelque temps... Soudain, alors qu'il la regardait monter dans la limousine et franchir les grilles de l'église, il prit conscience de l'absence de son mari. Il se demanda s'il s'était passé quelque chose entre eux, s'ils s'étaient séparés, et si la tristesse qu'il avait lue dans ses yeux venait de là... Jack avait souvent abordé le sujet avec lui après le mariage de Faith. Ni l'un ni l'autre ne voyait d'un très bon œil son union avec un homme qu'ils avaient d'emblée trouvé froid et distant, voire franchement antipathique. Mais Faith avait toujours affirmé à son frère qu'Alex était un homme formidable, bien plus chaleureux qu'il n'y paraissait. Brad n'était plus assez proche de Faith à présent pour lui en parler ; il se contentait de trouver étrange qu'Alex ne fût pas près d'elle en un moment pareil.

Au cimetière, la cérémonie fut brève et sobre. Le pasteur lut plusieurs psaumes, et Allison prononça quelques mots, tandis que son mari se tenait silencieux à côté d'elle. Puis Faith et eux déposèrent une rose sur le cercueil, avant de s'éloigner rapidement. Ils s'étaient mis d'accord pour ne pas rester pendant que le corps serait descendu dans la terre. Ç'eût été trop triste.

Une poignée de gens seulement les avait accompagnés sur la tombe, et environ une demi-heure plus tard, tous avaient repris le chemin de la ville. Il faisait beau, et Faith s'en réjouissait : lors de l'enterrement de Jack, il tombait des cordes, ce qui n'avait fait qu'assombrir l'horrible journée. Non que le soleil eût pu rendre le drame plus facile à supporter… Jamais elle n'avait connu chagrin plus dévastateur.

Enterrer Charles ne lui inspirait pas une peine comparable. Elle se sentait à la fois triste et calme. Elle repensait à sa mère, au couple qu'elle avait formé avec Charles, à l'enfance que Jack et elle avaient passée à leurs côtés. A cause de son passé avec son propre père, Faith avait au départ redouté le nouveau mari de sa mère. Elle ne savait pas très bien à quoi s'attendre avec lui. Mais elle avait été soulagée de constater que son beau-père ne manifestait aucun intérêt sexuel pour elle. Dès lors, peu lui importait qu'il se montrât sévère et froid. Il s'était souvent emporté contre eux. La première fois, elle avait pleuré, et Jack lui avait pris la main. Leur mère, elle, n'avait pas levé le petit doigt pour la défendre. Elle détestait faire des vagues, et n'avait jamais pris leur parti, ce qui apparaissait comme une trahison aux yeux de Faith. Sa mère avait toujours voulu que les choses se passent sans heurt, à n'importe quel prix — même si elle devait payer de sa personne ou sacrifier ses enfants. Elle abondait toujours dans le sens de Charles, oubliant qu'il s'agissait de ses propres enfants.

C'était Jack qui avait toujours protégé Faith. Il avait été son héros, toute sa vie, jusqu'au jour de sa mort. Ces considérations la ramenèrent soudain à Brad. Elle était si heureuse qu'il soit venu... Elle se réjouissait à la perspective de le retrouver à l'hôtel. Peut-être cela l'aiderait-il à chasser ses sombres souvenirs. Mais ils étaient si nombreux...

La voiture s'immobilisa devant l'hôtel, et Faith et Allison indiquèrent au chauffeur qu'il pouvait disposer. Faith rentrerait à pied ou prendrait un taxi. Quant à Allison et Bertrand, ils avaient déjà commandé un taxi pour repartir à l'aéroport à six heures.

Alors qu'ils pénétraient dans l'hôtel, Allison tenait encore, plié dans sa main, le drapeau américain qui avait recouvert le cercueil et qu'elle avait récupéré au cimetière. On eût dit une veuve de guerre, songea Faith alors qu'ils traversaient le hall d'entrée pour gagner les ascenseurs.

La pièce qu'ils avaient louée pour l'après-midi était simple et élégante. Un piano à queue trônait dans un coin, tandis que de l'autre côté avait été dressé un buffet sans prétention mais parfait pour l'occasion, constitué de petits fours salés et sucrés. Un garçon en livrée se tenait prêt à offrir du café, des boissons fraîches et du vin.

Les premiers arrivants entrèrent alors que Faith accrochait son manteau, et elle fut soulagée de reconnaître Brad parmi eux. Elle eut envie de courir vers lui, comme quand ils étaient enfants, mais se contenta de lui adresser un sourire, tandis qu'il traversait la pièce à larges enjambées pour venir la rejoindre. Il l'avait toujours dominée de plusieurs têtes, et quand elle était vraiment petite, il la lançait en l'air, ou la poussait sur la balançoire si fort qu'elle craignait de tomber. Tant de souvenirs les unissaient... Il faisait partie intégrante de son enfance et de son adolescence.

— Comment ça s'est passé ? demanda-t-il alors qu'un serveur lui tendait un verre de vin blanc.

— Pas trop mal. J'évite autant que possible les enterrements, maintenant. Bien sûr, il fallait que j'assiste à celui-ci, mais je déteste les cimetières.

Son visage s'était brusquement assombri, et ils savaient tous les deux pourquoi.

— Je ne les aime pas beaucoup non plus. Au fait, où est Alex ?

Ils se regardèrent pendant un long moment. La question de Brad signifiait bien plus qu'elle n'en avait l'air...

Faith soupira, puis esquissa un sourire forcé.

— Il a dû aller à Chicago voir des clients. Il ne rentre que ce soir.

Il n'y avait pas la moindre trace de reproche dans sa voix. Pourtant, Brad songea que son mari aurait dû faire l'effort d'être là, pour elle. D'un autre côté, il était plutôt content qu'Alex soit absent. Cela lui permettait de passer un peu de temps seul avec son amie, de bavarder librement et d'échanger quelques nouvelles. Il y avait bien trop longtemps qu'ils ne s'étaient pas parlé.

— C'est vraiment dommage. Qu'il soit à Chicago, je veux dire. Comment va la vie, à part ça ?

— Ça va... C'est un peu étrange depuis que les filles sont parties. Je ne sais pas très bien quoi faire de mon existence. Je n'arrête pas de dire que je voudrais travailler, mais je n'ai aucune compétence susceptible d'intéresser un employeur. J'ai aussi pensé reprendre des études, seulement Alex trouve que c'est une idée stupide. Il dit que je suis beaucoup trop vieille pour retourner à la fac, et surtout pour passer l'examen du barreau.

— D'autres l'ont bien fait ! Pourquoi pas toi ?

— Il dit qu'à l'âge que j'aurai quand j'obtiendrai mon diplôme d'avocat, plus aucun cabinet ne voudra m'embaucher.

Brad sentit un sentiment de révolte monter en lui. De toute façon, il n'avait jamais aimé Alex.

— C'est ridicule. Tu ferais un excellent avocat, Fred. Tu devrais te lancer.

Elle lui répondit d'un sourire et renonça à lui expliquer qu'il était vain d'espérer convaincre Alex. C'était peine perdue.

— Alex pense que je devrais me contenter de rester à la maison, de me reposer, de prendre des cours de bridge ou quelque chose comme ça, dit-elle simplement.

Cette perspective lui parut soudain effrayante, et Brad n'en pensait pas moins... En la regardant, il se rappelait ses longs cheveux blonds d'autrefois, et il eut soudain envie de retirer les épingles qui retenaient son chignon pour retrouver le bon vieux temps. Il avait toujours aimé ses cheveux.

— Tu t'ennuierais à mourir ! répondit-il. Reprends tes études, c'est une excellente idée. En tout cas tu devrais y réfléchir sérieusement.

Faith savait que Jack lui aurait dit la même chose, et son enthousiasme en fut brusquement ravivé. Après tout, Brad avait peut-être raison...

Elle dut l'abandonner pour accueillir un groupe de personnes qui entraient dans le salon. Elle remercia tout le monde d'être venu, puis le rejoignit un peu plus tard.

— Et que fait Pam en ce moment ? demanda-t-elle. Est-ce que vous travaillez toujours ensemble ?

Brad et sa femme étaient tous deux avocats. Ils s'étaient rencontrés sur les bancs de la fac de droit, bien que Pamela fût de la promotion précédente. Jack avait été témoin à leur mariage, mais Faith n'avait rencontré Pam qu'une fois. Elle lui avait paru dure et un peu hautaine, mais indéniablement intelligente. Brad avait trouvé sa moitié.

— Mon Dieu, non, répondit-il avec un drôle de sourire. Elle travaille toujours dans le cabinet de son père, qui ne cesse de menacer de prendre sa retraite, mais qui est toujours là, à soixante-dix-neuf ans. Je doute qu'il parte un jour ! Je lui dis tout le temps de changer d'air, mais elle ne veut pas. Et de son côté, elle pense que je suis fou de faire ce que je fais.

— Pourquoi ? demanda Faith, surprise.

D'après ce qu'il lui avait dit la dernière fois qu'ils s'étaient vus, il défendait des mineurs accusés de crimes graves, ce qui lui semblait à la fois passionnant et noble.

— Pour commencer, ça ne rapporte pas d'argent. La plupart du temps, je suis commis d'office, et le reste du temps, je ne suis pas payé, ou pas assez, en tout cas d'après ses critères à elle. Elle estime que j'ai laissé tomber un poste en or dans la société de son père, pour aller traîner dans des prisons de seconde zone avec une bande de gamins réputés irrécupérables. L'aspect positif de ce travail, c'est que certains d'entre eux parviennent à s'en sortir, si on leur donne une chance... Je trouve cela intéressant. Et ça me convient mieux. Tu pourras venir travailler pour moi comme stagiaire si tu retournes à la fac ! A condition que tu acceptes de ne pas être payée, bien sûr. Tu devras peut-être même me payer moi, pour cette formation gratuite !

Ils rirent tous les deux et se rapprochèrent du buffet, où Allison les présenta à un couple que Faith n'avait jamais rencontré. La plupart des invités étaient repartis à présent, mais Allison pensait qu'elles se devaient de rester toutes les deux, au moins jusqu'à cinq heures, par politesse, au cas où d'autres personnes arriveraient en retard. Faith était ravie de profiter de l'occasion pour passer un peu plus de temps en compagnie de Brad.

— Et à part ça, Fred ? interrogea-t-il alors qu'ils retournaient s'asseoir, après avoir mangé des petits canapés, des fraises et quelques petits-fours sucrés. Tu as commis des infractions ? Des délits ? Des crimes ? Des adultères ? Tu peux tout me dire, je suis tenu au secret professionnel.

Elle éclata de rire, et il mesura soudain à quel point elle lui avait manqué au cours des dernières années. Il était si facile de s'éloigner à cause de la distance, des vies trop remplies comme la sienne... Et pourtant, alors qu'ils se retrouvaient, c'était comme si rien n'avait changé. Et l'absence de Jack les rapprochait encore un peu plus, créant entre eux un lien supplémentaire, plus fort que jamais.

— Alors, insista-t-il avec une sévérité feinte, qu'avez-vous à m'avouer ?

— Rien du tout ! jura-t-elle.

Ils étaient face à face, et en levant les yeux vers lui, elle ne put s'empêcher de remarquer qu'il était toujours incroyablement beau. Autrefois, toutes les filles avaient été folles de lui. Certes, c'était Jack qui avait séduit les plus jolies, grâce à son charme irrésistible, mais c'était parce que Brad était un grand timide... Faith avait toujours aimé ce trait attachant de sa personnalité.

— Tu serais très déçu, poursuivit-elle. Ni crime ni délit ! J'ai mené une vie plutôt monotone, en fait. C'est pour ça que je voudrais retourner à la fac. Je n'ai plus rien à faire, depuis que Zoe est entrée à Brown. Ellie est partie aussi, Alex est occupé toute la journée, et moi... Je fais un peu de bénévolat de temps en temps, j'organise des collectes, mais ça ne m'amuse plus beaucoup.

— Et les aventures amoureuses ? Tu es mariée depuis une éternité ! Ne me dis pas que tu as été sage pendant tout ce temps ?

Il faisait la même chose, quand ils étaient enfants. Avec son assurance tranquille de grand frère, il lui arrachait ses secrets, et ensuite il la taquinait à propos de ce qu'elle lui avait confié. Mais cette fois-ci, elle n'avait réellement rien à lui raconter.

— Je te l'ai dit, ma vie est parfaitement ennuyeuse. Et non, je n'ai jamais eu d'aventure. Je ne crois pas que j'en aurais le courage. C'est trop compliqué, et en plus, je n'ai jamais rencontré quelqu'un qui me plaise vraiment. Je me suis contentée de m'occuper de mes filles. Ça te semble sans intérêt, n'est-ce pas ?

Elle se mit à rire, et il sourit, ses yeux gris-vert braqués sur elle.

— Alors tu dois toujours être folle amoureuse de ton mari, conclut-il.

Elle détourna les yeux, puis les ramena vers lui. C'était étrange de retrouver cette intimité si familière, même après toutes ces années. Elle avait confiance en lui, en l'homme qu'il était à présent, en la personne qu'il avait toujours été pour elle. Il remplaçait un peu son frère. Par moments, en tout cas dans certaines circonstances, elle s'était même sentie plus proche de lui que de Jack. Brad et elle se ressemblaient beaucoup, au fond. Jack, lui, avait toujours été beaucoup plus extraverti qu'eux, plus provocateur même, parfois. Brad et elle avaient davantage de points communs. Et quand ils étaient enfants, elle lui avait confié des choses qu'elle n'avait jamais racontées à son frère.

— Non, dit-elle avec franchise. Je ne suis pas amoureuse de lui. En tout cas pas « follement », comme tu dis. Je l'aime beaucoup, c'est quelqu'un de bien, un bon père, un homme respectable. Nous sommes bons amis. Et encore, je me demande si nous le sommes toujours. Je crois que le travail est son seul véritable amour, et qu'il n'a pas réellement besoin de moi. Nous vivons dans la même maison, nous avons eu des enfants ensemble, nous allons à des dîners d'affaires ensemble, et nous voyons quelques amis de temps en temps, mais en général, nous menons notre vie chacun de notre côté, et nous n'avons plus grand-chose à nous dire.

Il comprit alors d'où venait la mélancolie qu'il avait lue dans ses yeux.

— C'est triste, Fred, dit-il doucement.

Et pourtant, sa vie n'était pas beaucoup plus heureuse. Il y avait des années que Pam et lui n'étaient plus que de simples connaissances, et depuis qu'il avait décidé de suivre sa propre voie professionnelle, ils ne s'entendaient plus du tout. Elle ne lui avait pas pardonné d'avoir quitté la société de son père, ressentant cette décision comme un abandon, voire comme une trahison envers elle. Elle n'admettait pas que ce qu'il faisait à présent lui convenait mieux. Gagner de l'argent, beaucoup d'argent, était bien plus important à ses yeux.

— Parfois, c'est vrai, je trouve ça triste, admit Faith.

Elle ne voulait pas lui dire qu'elle se sentait désespérément seule en permanence. Un tel aveu lui eût semblé trop pathétique, et trop injuste envers Alex.

— Alex est un solitaire, et nous n'avons pas les mêmes besoins, précisa-t-elle. J'aime être entourée, m'occuper de mes enfants... J'aimais bien passer du temps avec des amis, aller au cinéma, voir des gens le week-end, mais nous avons perdu l'habitude de tout ça. Pour Alex, ce qui n'est pas en rapport avec son travail est une perte de temps.

Même quand il jouait au golf, c'était avec des clients, ou avec des gens qu'il jugeait utiles pour ses affaires.

— Mon Dieu, soupira Brad en passant une main lasse dans ses cheveux.

Il s'adossa à son fauteuil, un voile sombre sur le visage. La voir réduite à cette vie sans relief le rendait malade. Elle méritait tellement mieux ! C'était ce que Jack avait toujours dit, et Brad partageait son avis.

— Ton mari me fait penser à Pam, reprit-il. Ce qui l'intéresse, c'est de savoir combien nous allons gagner. Et franchement...

Il adressa à Faith un sourire malicieux.

— Moi, je m'en fiche éperdument. Bien sûr, je ne voudrais pas que nous en soyons réduits à mourir de faim, mais ça n'est pas près d'arriver. Elle gagne une véritable fortune dans le cabinet de son père, elle a de très gros clients, et il lui laissera la totalité de son affaire quand il prendra sa retraite, ou qu'il quittera ce monde. Et même sans cela, nous avons largement assez d'argent de côté, nous vivons dans une belle maison, et nos enfants sont formidables. Que pourrions-nous donc désirer de plus ? Pourquoi gagner des sommes folles ? Notre situation me permet de m'offrir le luxe de faire ce que je veux, je n'ai pas besoin d'aller chercher des clients, ou de me compliquer la vie à m'occuper de leurs problèmes fiscaux. J'adore mon travail, et c'est très important pour moi. Je pense que Pam n'est pas heureuse de mon choix, parce qu'elle trouve que je ne gagne pas autant que je le devrais. Mais quelle importance ? Tout le monde s'en moque, sauf l'Etat au moment de la déclaration d'impôts ! Nous avons plus qu'assez d'argent à laisser à nos enfants, et nous vivons très confortablement. Je me suis dit qu'il était temps de mettre cette aisance au service d'autres personnes. Chacun son tour.

— Je comprends très bien, approuva Faith.

De son point de vue, Brad avait pris la bonne décision. Mais il semblait que ce choix ait créé un problème majeur entre lui et sa femme...

— Pour Pam, le plus important est le statut, le prestige. Qui on fréquente, ce que les gens peuvent penser de nous, à quels clubs nous appartenons, à quelles soirées nous sommes invités... Je ne sais pas, peut-être que je suis en train de devenir vieux, ou fou, mais je préfère passer des heures dans une prison sordide avec des jeunes délinquants qu'à un dîner mondain, assis à côté d'une vieille peau qui ne travaille pas et n'a absolument rien à raconter.

Il avait dit cela avec une telle animosité que le feu lui était monté aux joues, et Faith le regarda en souriant.

— J'ai l'impression que c'est mon portrait que tu viens de faire. Une vieille peau qui n'a rien à raconter... Il n'y a pas de meilleur argument pour me convaincre de reprendre mes études.

— Peut-être, dit-il avec franchise. Je ne sais pas... Je sais seulement que, pour ma part, je n'aurais pas pu passer ma vie à faire de la promotion immobilière, ou à écouter des gens se plaindre de leurs impôts. Je crois que j'aurais fini par tuer quelqu'un, si j'étais resté dans ce milieu.

Il gardait un souvenir épouvantable des années qu'il avait passées à travailler pour le père de Pamela.

— C'est tellement ennuyeux de ne rien avoir à faire de la journée, confessa Faith. J'ai l'impression de gâcher ma vie. Les filles ont la leur, à présent. Alex a son travail, et moi, je ne sais plus quoi faire de mes journées, maintenant que plus personne n'a besoin de moi. Je n'ai rien d'autre à faire que penser au dîner du soir. J'aurais le temps de visiter tous les musées de la terre, et de voir des centaines d'amis...

— Tu devrais vraiment retourner à la fac, déclara-t-il sérieusement. A moins que tu ne préfères trouver du travail.

— Dans quel domaine ? Je n'ai pas travaillé depuis la naissance d'Eloise, et je n'étais guère plus qu'une stagiaire à l'époque. C'est parfait à vingt-deux ans, mais à mon âge ce n'est plus possible. Ça n'aurait pas de sens. Le problème, c'est que j'ai l'impression que plus rien n'a de sens, en ce moment. Mais une chose est sûre : Alex ferait une crise d'apoplexie, si je retournais à la fac.

— Peut-être qu'il ressent cela comme une menace, hasarda Brad.

Faith réfléchit un instant, et Brad poursuivit son raisonnement.

— Peut-être qu'il se complaît dans l'idée que tu n'as rien à faire et que tu es dépendante de lui. C'est un peu le même problème avec Pam. Elle aimait que je travaille pour sa famille, alors que de mon côté, j'avais l'impression d'étouffer. J'ai préféré partir et suivre mon propre chemin, quitte à ne plus avoir un sou en poche.

— Je crois que tu es à l'abri de ce risque, observa Faith avec humour. Vous ne semblez pas manquer d'argent, ni l'un ni l'autre ! Et je suis sûre que tu as fait le bon choix, ou en tout cas un choix qui te convient.

Effectivement, ce changement de vie lui avait apporté une véritable bouffée d'air frais.

— L'argent est un vrai problème pour Pam, répondit Brad. C'est à cela qu'elle mesure sa réussite personnelle. Ce qui m'importe à moi, c'est d'avoir compté pour quelqu'un, d'avoir changé le cours d'une ou deux vies, d'avoir sauvé un jeune, d'en avoir empêché quelques autres de détruire leur existence... Je n'aurais jamais pu arriver à cela en restant dans le cabinet de mon beau-père.

— Peut-être Alex et Pam sont-ils jumeaux, suggéra Faith en souriant.

Elle avait toujours aimé ses valeurs et sa façon de voir les choses, même quand ils étaient plus jeunes. Et elle dut cacher sa déception à l'idée de le quitter, quand Allison lui rappela qu'ils devaient libérer le salon pour cinq heures.

— J'ai l'impression que ça s'est plutôt bien passé, dit-elle à Faith.

Effectivement, de nombreux amis de Charles étaient venus, et la journée avait été placée sous le signe du recueillement et de l'affection.

— C'était très réussi, confirma gentiment Faith en se demandant de nouveau si elles se reverraient un jour.

Même si elles n'avaient jamais été amies, imaginer qu'elles se voyaient pour la dernière fois la rendait mélancolique.

— Charles aurait été content, ajouta-t-elle.

— Oui, je le crois aussi, répondit Allison.

Les deux femmes allèrent chercher leurs manteaux, pendant que Bertrand signait la facture de l'hôtel. Il avait insisté pour payer le cocktail, mais Faith avait offert les fleurs de l'église, ce qui revenait à peu près au même.

Brad les accompagna jusqu'à l'ascenseur. Allison et Bertrand devaient monter pour récupérer leurs affaires dans leur chambre, tandis que Faith descendait pour sortir et prendre un taxi.

— Quand repars-tu ? lui demanda-t-elle.

— Demain matin.

L'ascenseur qui montait arriva le premier, et Allison et Faith s'embrassèrent sur les deux joues, pendant que Bertrand maintenait les portes ouvertes pour sa femme.

— Prends soin de toi, Faith, dit Allison avec sincérité.

Elle avait apprécié le dévouement de Faith au cours des deux jours précédents, et devinait comme elle que leurs chemins se croisaient peut-être pour la dernière fois.

— Toi aussi. Donne-moi de tes nouvelles de temps en temps.

Au ton de leur voix, on devinait qu'elles n'avaient pas grand-chose à se dire, mais qu'elles partageaient une histoire commune.

Allison et Bertrand montèrent dans l'ascenseur, et Faith leur fit un signe de la main alors que les portes se refermaient sur eux. Puis elle se tourna vers Brad, des larmes dans les yeux.

— Je suis tellement lasse de perdre des proches... De dire au revoir à des gens qui disparaissent de ma vie sans jamais revenir...

Il hocha la tête, et prit sa main dans la sienne tandis que le second ascenseur arrivait pour eux. Ils descendirent en silence jusqu'au rez-de-chaussée.

— Tu dois rentrer tout de suite chez toi ? interrogea-t-il alors qu'ils traversaient le hall d'entrée en direction de la sortie donnant sur Park Avenue.

— Je ne suis pas vraiment pressée... Nous sortons ce soir, mais pas avant huit heures. J'ai un peu de temps devant moi.

— Tu veux aller boire un verre quelque part ? proposa-t-il.

— Et si tu me raccompagnais plutôt jusqu'à la maison ?

Vingt-quatre blocs les séparaient de sa rue. C'était une promenade agréable, et elle éprouvait le besoin de prendre l'air. Brad trouva l'idée bonne, et ils franchirent les portes donnant sur l'avenue, qu'ils remontèrent en direction du nord, bras dessus, bras dessous.

Ils demeurèrent silencieux pendant un petit moment, puis prirent la parole tous les deux en même temps.

— Qu'est-ce que tu vas faire maintenant, Fred ?

— Sur quoi vas-tu travailler en rentrant ?

Ils se mirent à rire, et il répondit le premier.

— J'essaie de faire acquitter un môme qui a tué son meilleur ami accidentellement. Enfin... Peut-être pas vraiment accidentellement, en fait. Ils étaient tous les deux amoureux de la même fille. Il a seize ans, et il est accusé de meurtre... C'est un cas difficile, et c'est un gamin sympa.

Pour Brad, telle était la routine.

— Je ne peux pas rivaliser, constata Faith, impressionnée.

Ils marchaient côte à côte, au même rythme malgré les longues jambes de Brad. Il avait appris à ajuster son pas sur le sien, du temps où ils faisaient de longues promenades ensemble.

— Moi, je n'ai absolument rien à faire.

— Mais si, répliqua-t-il.

Elle le regarda, surprise.

— Il faut que tu appelles Columbia, et l'Université de New York, et toutes les facultés de droit qui te tentent. Tu dois récupérer le programme des cours, demander les papiers d'inscription, te renseigner sur les examens éventuels qu'il faudrait que tu repasses. Tu vas être débordée.

— Tu as tout prévu, on dirait !

Elle plaisantait, mais la perspective lui plaisait, et à lui aussi.

— Je t'appellerai la semaine prochaine, pour voir si tu as progressé dans tes démarches. Et si jamais tu as abandonné, je te promets que ça ira très mal. Il est grand temps que tu te prennes en main, Fred.

Il venait tout juste de refaire irruption dans sa vie, mais il se comportait déjà en grand frère protecteur, comme au bon vieux temps. Bien sûr, elle était d'accord avec tout ce qu'il lui disait. Mais elle ne savait pas comment faire accepter l'idée à Alex, si toutefois c'était envisageable. Et elle n'était pas certaine d'avoir le courage de lui tenir tête jusqu'au bout. Jusqu'ici, elle ne s'était jamais risquée à le défier. Le douloureux souvenir des critiques de son père lui avait enseigné la prudence à l'égard des hommes, et, au plus profond de son inconscient, elle avait peur d'Alex. Les seuls hommes qui ne l'avaient jamais effrayée étaient Jack et Brad.

— Au fait, as-tu une adresse e-mail ? demanda-t-il d'un ton léger alors qu'ils arrivaient dans le quartier de Faith.

La nuit tombait, et les gens rentraient chez eux. Park Avenue était illuminée de toutes parts.

— Oui ! Je viens juste d'acheter un ordinateur pour pouvoir échanger des courriers électroniques avec Zoe. Je commence à me débrouiller pas trop mal.

— Quelle est ton adresse ?

— FaithMom@aol.com.

— Tu aurais dû mettre Fred à la place de Faith, remarqua-t-il en la regardant avec un sourire. Mais je t'écrirai quand même, dès que je serai rentré à San Francisco.

— Ça me fera plaisir, dit-elle avec un entrain sincère.

Cette fois, elle espérait bien qu'ils feraient tous deux l'effort de ne plus perdre le contact. Il serait tellement agréable d'avoir des nouvelles de lui régulièrement ! Si toutefois sa vie bien remplie lui laissait le temps de correspondre avec elle...

— Merci d'être venu aujourd'hui, reprit-elle. Tu as rendu les choses infiniment plus faciles pour moi.

— J'ai passé de bons moments avec Charles, autrefois. Je lui devais bien ça.

Elle avait toujours du mal à se figurer cela, mais elle devait se rappeler que son beau-père s'était montré bien plus attentionné envers Jack et Brad qu'il ne l'avait jamais été avec Allison et elle.

— Et je voulais te revoir, ajouta-t-il d'une voix plus profonde.

Faith sourit en silence, touchée de cette attention.

Ils avaient maintenant parcouru la moitié du chemin qui les séparait de chez elle.

— Est-ce que tu réussis à t'accoutumer à son absence ? interrogea-t-il soudain.

Tous deux savaient qu'il faisait référence à Jack.

— Non, pas très bien, reconnut-elle en baissant les yeux.

Elle se remit à penser à son frère. Jamais elle n'avait rencontré quelqu'un d'aussi extraordinaire... Et jamais personne ne le remplacerait.

— C'est étrange, il m'arrive d'aller bien pendant plusieurs mois, et puis d'un seul coup, la douleur revient. Peut-être que ce sera toujours comme ça.

Elle avait passé beaucoup de temps à lutter seule contre le chagrin, depuis que Jack était mort. Cela n'avait fait que l'isoler encore davantage de ses amis. La douleur était quelque chose qu'on ne pouvait partager. Elle était souvent allée à l'église, aussi, afin de prier pour lui. Cela lui faisait beaucoup de bien. Elle avait essayé de dire à Alex à quel point son frère lui manquait, mais cela n'avait fait que le mettre mal à l'aise. Elle ne pouvait pas vraiment en parler avec lui, il n'aimait pas aborder le sujet. Un jour où le désespoir menaçait de l'engloutir, elle était allée voir un médium, qui l'avait « mise en relation » avec Jack. Alex avait bondi au plafond quand elle le lui avait dit, et il lui avait formellement interdit de recommencer, déclarant qu'il ne voulait plus entendre parler de cette histoire. Pour lui, ce charlatan avait abusé de la crédulité de Faith. Mais elle avait aimé cette expérience, et était retournée deux fois chez le spirite, en se gardant bien de le dire à Alex.

Tandis qu'ils marchaient, elle éprouva soudain le besoin de raconter tout cela à Brad. Il ne fut pas convaincu non plus par le procédé, mais n'y vit aucun danger particulier, du moment que cela pouvait l'aider à se sentir mieux.

— Il me manque aussi, Fred, dit-il avec douceur. C'est tellement étrange de songer qu'il est parti... Je n'arrive toujours pas à y croire. Parfois, j'ai le réflexe de prendre mon téléphone pour l'appeler, quand il m'arrive quelque chose, qu'un problème me tracasse, ou que j'ai besoin d'un conseil quelconque... Et puis je me souviens. Et ça me paraît toujours aussi incroyable. Comment quelqu'un comme Jack peut-il avoir disparu ? Un homme pareil aurait dû être immortel. As-tu Debbie au téléphone, de temps en temps ?

Pour des raisons qui demeuraient mystérieuses, Debbie s'était volatilisée. Elle n'avait gardé aucun contact avec la famille de Jack. Faith ne savait même pas où elle vivait exactement, sinon que c'était dans les environs de Palm Beach. Tout au moins était-ce là qu'elle avait élu domicile après l'enterrement.

— Je n'ai jamais eu aucune nouvelle, répondit-elle. Et je ne pense pas en avoir un jour. Je suppose qu'elle sait que je ne l'ai jamais aimée, même si j'ai essayé de me montrer aimable envers elle pour faire plaisir à Jack. J'estime qu'elle s'est vraiment mal comportée avec lui.

Elle n'avait jamais cessé de le menacer de le quitter, l'avait même abandonné plusieurs fois, et n'avait pas su apprécier l'homme extraordinaire qu'il était. Faith n'avait pu supporter cette injustice, malgré les efforts de Jack pour défendre sa femme en toutes circonstances.

— Je trouve que leur relation était malsaine, continua-t-elle. Je ne comprends pas pourquoi il était si amoureux d'elle. Elle m'a à peine dit deux mots à l'enterrement, et elle a quitté la ville deux semaines plus tard, sans même prendre la peine de dire au revoir. C'est l'avocat de Jack qui m'a dit plus tard qu'elle s'était remariée. Elle a utilisé l'argent de l'assurance vie pour s'acheter une maison, et puis elle a épousé quelqu'un d'autre... Je crois sincèrement qu'elle ne méritait pas Jack.

— J'ai toujours pensé la même chose, avoua Brad. Malgré tout, je regrette qu'ils n'aient pas eu d'enfant.

— Elle ne m'aurait probablement jamais laissé les voir, de toute façon, soupira Faith avec amertume.

Elle leva de nouveau les yeux vers Brad. C'était si bon de parler avec lui de Jack, de la vie, du bon vieux temps...

— Est-ce que tu me promets de m'envoyer des e-mails ? demanda-t-elle.

Et voilà, elle ressemblait de nouveau à une petite fille suppliante, et il avait envie de lui dire de lâcher ses cheveux pour retrouver la Fred qu'il avait toujours chérie. Elle était la sœur cadette qu'il n'avait pas eue, et il éprouvait toujours le même besoin instinctif de la protéger.

— Je t'ai promis de le faire.

Il entoura ses épaules de son bras et la serra contre lui tout en marchant. Ils étaient presque arrivés chez elle, à présent.

— Tu ne disparaîtras plus comme un voleur ? insista-t-elle. Tu me manques quand tu ne donnes pas de nouvelles. Plus rien ne me rattache au passé à part toi.

— Tu auras de mes nouvelles, Fred, je te le promets. Mais je veux aussi que tu te renseignes sur le moyen de reprendre tes études. Le monde a besoin d'avocats comme toi.

Il lui sourit avec un air malicieux, et ils se mirent à rire tous les deux.

Quelques minutes plus tard, ils arrivèrent devant la maison de Faith. Elle avait fière allure, avec sa belle façade en pierres sombres et sa porte laquée noire protégée par une étroite avancée sculptée.

— Merci encore d'être venu, déclara Faith en s'immobilisant devant le perron. C'est peut-être étrange de dire ça, mais j'ai finalement passé une très bonne journée.

Ces quelques heures en sa compagnie lui avaient fait un bien immense, et elle était plus heureuse qu'elle ne l'avait été depuis très longtemps. Elle se sentait bien, apaisée et surtout aimée, presque comme quand elle était petite fille et qu'elle passait ses journées avec Brad et Jack. Ces moments étaient les seuls de son enfance dont elle gardât un bon souvenir.

— Je crois que Charles aurait aimé cette journée aussi, dit Brad. Je suis heureux d'être venu. Et puis, il y avait trop longtemps qu'on ne s'était pas parlé, toi et moi. Prends bien soin de toi, Fred. Je me fais du souci pour toi.

Il la regarda avec une attention pleine de tendresse et teintée d'inquiétude. Mais elle eut un sourire courageux.

— Ne t'en fais pas pour moi. Rentre bien en Californie, et ne travaille pas trop.

— C'est pourtant ce que je préfère, dit-il comme s'il confessait une faute.

A part ses fils, son métier était la seule chose qui eût réellement de la valeur à ses yeux. Il n'avait plus grand-chose à partager avec Pam, et, en y réfléchissant, il se demandait s'il n'en avait pas toujours été ainsi.

Il serra Faith une nouvelle fois dans ses bras, puis héla un taxi. Elle le regarda monter dans la voiture et s'éloigner. Juste avant de tourner au coin de la rue, il baissa sa vitre et lui fit un dernier au revoir de la main. Elle n'était pas complètement sûre d'avoir de ses nouvelles. Il s'était déjà éclipsé de sa vie plusieurs fois... Après la fac, et une nouvelle fois après l'enterrement de Jack. Mais au moins ils avaient partagé cette délicieuse journée, et, d'une certaine façon, elle avait eu l'impression de passer ces moments non seulement avec lui, mais aussi avec Jack.

Un sourire flottait encore sur ses lèvres quand elle introduisit la clé dans la serrure. Elle entra dans la maison et devina tout de suite la présence d'Alex au premier étage. Elle accrocha son manteau dans la penderie et monta lentement les marches sans cesser de penser à Brad.

— Ça s'est bien passé ? demanda Alex alors qu'elle pénétrait dans leur chambre.

— Oui. Très bien. Allison avait réservé un salon au Waldorf et beaucoup de gens sont venus après la cérémonie. Des amis de Charles, de ma mère... Et Brad Patterson, aussi. Je ne l'avais pas vu depuis une éternité.

— Qui est-ce ? demanda distraitement son mari.

La télévision était allumée, et il regardait les informations, debout au milieu de la pièce, en caleçon, tout en achevant de boutonner une chemise blanche impeccablement repassée et amidonnée.

— C'est un ami de Jack, répondit-elle alors qu'il nouait sa cravate. Son meilleur ami, en fait. Nous avons grandi ensemble. Il habite à San Francisco. Tu l'as rencontré à l'enterrement de Jack, mais tu ne dois pas te souvenir de lui.

Il y avait eu tant de monde... Et puis Alex ne prêtait jamais attention aux gens qu'il ne connaissait pas.

— Non, ça ne me dit rien. Est-ce que tu seras prête à l'heure ?

Il avait l'air préoccupé. C'était une soirée importante pour lui, un dîner donné par l'un des patrons de sa société pour un gros client avec qui ils venaient juste de signer. Il ne voulait pas être en retard. Mais Faith n'avait pas l'habitude de se faire attendre.

— Il me faut juste une demi-heure, le temps de prendre une douche et de me faire un brushing. Comment s'est passé ton voyage à Chicago ?

— C'était fatigant mais indispensable. Je suis plutôt content.

Il ne lui posa aucune autre question sur l'enterrement, mais elle ne s'en étonna pas. Puisqu'il avait décidé de ne pas y aller, l'événement ne méritait pas son attention.

Faith disparut dans la salle de bains et en ressortit comme promis une demi-heure plus tard, coiffée et maquillée. Elle portait une robe de cocktail en soie noire agrémentée d'un rang de perles. On eût pu la prendre pour une des filles d'Alex, d'autant qu'Eloise et Zoe avaient les mêmes cheveux blonds que leur mère. Alex lui jeta un regard satisfait et hocha légèrement la tête. Mais il ne prononça pas un mot. Elle aurait aimé l'entendre dire qu'il la trouvait belle, mais il y avait si longtemps qu'il ne le faisait plus...

Ils quittèrent la maison cinq minutes plus tard, et il héla un taxi. Le dîner avait lieu à dix blocs de là, sur Park Avenue. Dans la voiture, il n'adressa pas la parole à sa femme, mais elle n'y prit même pas garde. Son esprit était à mille lieues de là, auprès de Brad. Elle avait passé un si bon moment avec lui cet après-midi... Il y avait des années qu'elle ne s'était pas confiée ainsi. En réalité, la dernière fois remontait à l'enterrement de Jack, et c'était encore Brad qui l'avait écoutée. Grâce à lui, elle avait soudain l'impression que quelqu'un s'intéressait à elle, à sa vie, à ses soucis, à ses peurs, aux choses qui comptaient pour elle. En quelques heures, elle avait trouvé près de lui la chaleur qui lui avait tant manqué au cours des dernières années. Et cela lui rappelait une sensation oubliée depuis trop longtemps : celle d'être importante pour quelqu'un. D'être aimée.

3

Alex retourna à Chicago la semaine suivante mais, contre toute attente, il fit l'effort de passer du temps avec Faith durant le week-end, après son retour. Ils se promenèrent le samedi dans Central Park et dînèrent dans un restaurant du quartier le dimanche soir. Alex avait passé toute la journée au bureau, et Faith avait été agréablement surprise quand il lui avait proposé de l'emmener dîner. Il passait rarement du temps avec elle le week-end, et elle était touchée de cette attention inattendue. Il avait prévu de retourner à Chicago la semaine suivante.

Le lundi soir, Faith téléphona à Zoe et lui demanda si elle avait un peu de temps libre. Zoe lui manquait beaucoup, et elle proposa d'aller la voir, ce qui enchanta la jeune étudiante. Zoe avait toujours été très proche de sa mère. Elle lui proposa de venir la voir à Providence le mardi soir, et décida qu'elle irait dormir avec elle à l'hôtel, même si elle aimait beaucoup ses colocataires. Quand Faith raccrocha, elle avait le sourire, et elle s'empressa de réserver une chambre.

Le mardi soir, en descendant de l'avion, elle prit un taxi et se rendit directement à l'hôtel, où Zoe la rejoignit une demi-heure plus tard avec un petit sac contenant ses affaires pour la nuit. A les voir bavarder, rire et s'embrasser, on eût dit deux sœurs et non une mère et sa fille. Plus tard ce soir-là, elles sortirent dîner, et Faith parla à Zoe de l'enterrement de Charles et de ses retrouvailles avec Brad. Elle avait raconté à ses filles une multitude d'anecdotes sur leur enfance commune, et Zoe voyait bien à quel point sa mère était heureuse d'avoir passé un peu de temps avec son grand ami.

— Je lui ai parlé de mon idée de reprendre mes études, annonça Faith au moment du dessert.

Elles en avaient déjà discuté avant le départ de Zoe, et la jeune fille avait vivement approuvé ce projet. Mais depuis, Faith n'avait plus jamais abordé la question ; aussi Zoe était-elle heureuse d'apprendre qu'elle n'avait pas totalement abandonné son idée.

— Il faut que tu fonces, maman, dit-elle avec conviction.

Elle savait à quel point sa mère se sentait seule depuis que sa sœur et elle avaient quitté la maison.

— As-tu commencé à faire des démarches ?

— Pas encore, mais je vais demander de la documentation et me renseigner sur les examens à passer. Une chose est sûre : je vais devoir préparer le LSAT[1]. Ce n'est pas facile du tout, et après ça il faudra encore que je sois acceptée en fac...

Elle paraissait à la fois anxieuse et excitée à la perspective de relever ce défi, et Zoe en était ravie. A vrai dire, cela faisait des mois qu'elle ne l'avait pas vue aussi épanouie.

— Je pourrais prendre quelques cours de droit à l'Université de New York pour rattraper les bases ; je sais qu'il existe une classe ouverte à tous. Je vais peut-

1. LSAT : *Law School Admission Test,* examen américain permettant, à l'issue d'un premier cycle à l'université, de poursuivre des études en faculté de droit. (*N.d.T.*)

être m'inscrire aussi à un cours de préparation au LSAT... Je n'ai encore rien décidé formellement, mais ça me plairait beaucoup, et ce serait beaucoup plus intéressant que les cours de bridge que ton père me recommande !

Elle échangea un sourire complice avec sa fille.

— Je suis contente pour toi, maman, bravo.

Cependant, le joli visage encadré de cheveux blonds s'assombrit tout à coup.

— Est-ce que tu en as parlé à papa ?

— Pas encore. En réalité, nous en avions déjà parlé il y a un moment, mais il n'était pas vraiment enthousiasmé par cette idée.

Zoe devina qu'il s'agissait là d'un doux euphémisme.

— Ça ne m'étonne pas... M. Iceberg n'a pas du tout envie de te voir prendre ton indépendance, ma pauvre maman. Il préfère que tu restes assise à la maison en attendant qu'il rentre, et que tu sois entièrement à sa disposition.

— Ce n'est pas très gentil de dire ça de ton père, répondit Faith dans un élan de loyauté envers son mari.

Mais toutes deux savaient bien que Zoe avait raison.

— En fait, il m'a suggéré de m'impliquer davantage dans des œuvres caritatives. Il aime bien que je m'occupe.

— A condition que tes occupations ne constituent pas une menace pour lui.

La jeune fille faisait décidément preuve d'une perspicacité étonnante.

— Franchement, je trouve que tu as fait assez de bénévolat, poursuivit-elle. Tu t'es occupée de nous tous, maintenant il est temps que tu penses un peu à toi.

Zoe était toujours prompte à prendre le parti de sa mère, ce qui lui avait valu maints affrontements avec son père, au fil des années. Elle n'hésitait pas à clamer que celui-ci ne s'intéressait qu'à son travail, et il fallait reconnaître qu'Alex avait été un grand absent dans sa vie, la plupart du temps. C'était Faith, et non son mari, qui avait toujours été là pour ses enfants, et Zoe s'était souvent disputée avec sa sœur aînée à ce sujet. Eloise prenait toujours, avec virulence, la défense de leur père, même si elle aimait beaucoup leur mère aussi. Zoe lui opposait sans ménagement la froideur de leur père, et pensait secrètement que Faith avait tiré la mauvaise carte.

— J'aimerais vraiment que tu te lances, maman. Et je te harcèlerai jusqu'à ce que tu te décides.

— Brad et toi, vous êtes intraitables ! s'exclama Faith en souriant. Et si je ratais les examens ? Peut-être que je ne serai jamais admise ! Tu crois plus que moi en mes capacités... Enfin, nous verrons.

Pour commencer, elle devait se résoudre à parler à Alex. C'était incontournable.

— Ne te cherche pas d'excuses, maman. Tu seras prise en fac, et je suis certaine que tu feras une avocate formidable. N'écoute pas papa, surtout. Lorsque tu auras pris ta décision, il ne pourra rien faire pour t'empêcher d'aller au bout de ton projet. Il n'aura plus qu'à s'y habituer.

— Peut-être que je devrais te laisser lui en parler, plaisanta Faith.

Mais elle était reconnaissante à sa fille de lui témoigner une confiance aussi indéfectible. Zoe était décidément sa plus fidèle alliée dans cette famille.

Faith lui posa des questions sur ses cours, ses amis, le campus... Et elles furent les dernières à quitter le restaurant. De retour à l'hôtel, elles parlèrent encore pendant des heures, avant de se coucher toutes les deux, côte à côte dans le grand lit. Faith sourit à sa fille endormie, savourant le bonheur de cet instant privilégié. Ses filles étaient le plus beau cadeau qu'Alex lui ait jamais fait. Elle avait hâte d'aller à Londres voir Eloise. Celle-ci avait promis de rentrer à la maison pour Thanksgiving, et Faith songea qu'elle lui rendrait visite à son tour, quelques jours après. Pour l'instant, elle avait largement le temps de voyager, puisqu'elle n'avait rien à faire de ses journées. Mais cela pourrait changer, si elle reprenait ses études.

Le lendemain matin, Zoe quitta l'hôtel à neuf heures. Elles eurent juste le temps de partager un petit déjeuner composé d'œufs brouillés, de quelques muffins et d'une tasse de thé, avant que la jeune fille ne se sauve pour regagner le campus. A dix heures, Faith était sur la route de l'aéroport, perdue dans ses pensées. Sur le chemin du retour, dans le taxi, elle demanda au chauffeur de la déposer à l'Université de New York. Elle se rendit au département de droit et prit une pile de papiers d'information, notamment sur les examens qu'il lui faudrait passer pour être admise. Ensuite, elle se rendit dans le service réservé aux adultes désirant reprendre leurs études, et prit également toute la documentation possible. Enfin, une fois de retour chez elle, elle téléphona à l'Université Columbia. Elle étala tous les prospectus qu'elle avait récoltés sur son bureau, et les contempla avec une pointe d'angoisse. C'était une chose d'aller chercher des papiers, c'en était une autre d'entrer réellement à l'université. Comment allait-elle s'y prendre pour convaincre Alex ? Zoe lui avait suggéré de le placer devant le fait accompli, mais Faith estimait que c'eût été maladroit et choquant. Il avait son mot à dire aussi. Cela représenterait un investissement personnel important, surtout si elle devait commencer les cours de droit tout de suite. Elle aurait du travail, des examens à préparer, des pages et des pages à apprendre... Elle ne serait plus aussi disponible, et son mari devrait faire un effort pour accepter un tel changement.

Elle songeait encore à tout cela quand, jetant un coup d'œil à l'écran de son ordinateur, elle s'aperçut qu'elle avait reçu un courrier électronique. Elle découvrit avec plaisir qu'il venait de Brad.

Salut, Fred. Comment vas-tu ? Quelles sont les nouvelles ? As-tu enfin ta documentation ? Si ce n'est pas le cas, lève-toi immédiatement et va la chercher ! Je ne veux pas entendre parler de toi tant que tu n'auras pas entrepris des démarches. Pas de temps à perdre. Peut-être que tu pourras commencer en janvier ? Alors dépêche-toi !

A part ça, quoi de neuf ? Ça m'a fait vraiment plaisir de te revoir la semaine dernière. Tu étais plus resplendissante que jamais. Est-ce que tes cheveux sont aussi longs qu'autrefois ? Je serais ravi de te faire une petite teinture verte à l'occasion, pour la Saint-Patrick par exemple. Ou alors rose, pour la Saint-Valentin ? Rouge et verte, peut-être, à Noël ? En tout cas, si mes souvenirs sont bons, le vert t'allait à ravir.

Je suis débordé depuis que je suis rentré. Je travaille surtout sur le cas dont je t'ai parlé. Le pauvre gamin est terrifié, et il faut absolument que je le sorte de là. Ce ne sera pas du gâteau... A propos, quel type de droit t'intéresse le plus ? Je pense que tu serais une excellente avocate pour les mineurs, à moins que tu n'aies l'intention de gagner beaucoup d'argent, bien sûr. Dans ce cas, il faudrait que tu t'adresses plutôt à Pamela. Le droit des affaires est intéressant aussi... Ça n'est pas ma tasse de thé, mais peut-être que tu y trouveras ton bonheur ?

Allez, il faut que je retourne bosser. Et toi, file à la fac.
Prends soin de toi, et donne-moi de tes nouvelles.
Je t'embrasse,
Brad.

Faith demeura assise un moment face à l'écran, un sourire aux lèvres, puis elle appuya sur l'icône « Répondre ». Elle était très fière d'avoir déjà obtenu tous les papiers de l'Université de New York, et de pouvoir lui en parler. Elle se mit à taper sa réponse avec un enthousiasme de petite fille.

Salut, Brad, je viens juste de rentrer de Providence. J'ai passé une soirée merveilleuse avec Zoe hier — un dîner, beaucoup de bavardages, des éclats de rire et des baisers, le bonheur ! Elle est tout à fait de ton avis en ce qui concerne mes études, et elle a tellement insisté qu'en rentrant à la maison je me suis arrêtée à l'Université de New York. Tu peux être fier de moi ! J'ai pris une bonne dizaine de brochures d'information, et tous les renseignements dont j'avais besoin. J'ai aussi appelé Columbia pour qu'ils m'envoient la documentation les concernant. Je vais lire attentivement les programmes cette semaine. Alex est à Chicago, et je ne lui ai encore rien dit. Il faut vraiment que je le fasse... Je ne sais pas comment il va réagir. Ou plutôt si, je le sais : il va grimper au plafond. Il ne sera sans doute pas d'accord, mais ça m'est égal. On verra bien.

Le droit des mineurs tel que tu me l'as décrit m'attire beaucoup. Pour l'instant, je n'y connais pas grand-chose, bien sûr, mais j'ai toujours eu un faible pour les enfants. Enfin, de toute façon, inutile de mettre la charrue avant les bœufs. Il faut d'abord franchir le barrage d'Alex, puis celui de l'admission, des examens... Est-ce que je serai seulement prise ? Et si je ne l'étais pas ??? J'ai l'impression d'être revenue trente ans en arrière !

L'année précédente, elle avait partagé l'angoisse de Zoe durant les longues semaines qui avaient séparé le dépôt de ses dossiers de candidature de son admission définitive en faculté. Brown était le premier choix de la jeune fille, et elle avait sauté de joie en apprenant qu'elle y était acceptée. Alex aurait préféré qu'elle entre à Princeton, Harvard ou Yale, et quand elle avait dédaigné les trois prestigieux établissements et opté pour Brown, il était entré dans une colère noire. Lui-même était allé à Princeton, et il voulait que sa fille suive le même chemin. Il n'avait pas hésité à qualifier Brown, connue pour son positionnement libéral et avant-gardiste, d'université « hippie ». Mais Zoe lui avait ri au nez et avait tenu bon. D'après elle, tout le monde rêvait d'entrer à Brown.

Faith se remit à taper.

A part ça, rien de nouveau ici. Je n'ai pas de nouvelles d'Eloise, je suppose qu'elle va bien. Elle se plaît beaucoup à Londres. Il faudra que j'aille lui rendre visite quand j'aurai le temps, mais si je reprends mes études, je serai beaucoup moins libre.

Le simple fait de parler de ce projet avec lui et avec Zoe le faisait paraître plus réel.

Si tu reviens à New York, appelle-moi. Et entre-temps, continuons à correspondre comme ça, c'est amusant — si toutefois tu trouves un peu de temps pour me répondre. Je sais que tu es très occupé, mais ne t'inquiète pas, j'attendrai patiemment !
Je t'embrasse fort, Fred.

Elle sourit en signant de son surnom.

Alors qu'elle feuilletait quelques brochures universitaires, son ordinateur émit un petit signal sonore, lui indiquant qu'elle avait de nouveau un message.

Ravie, elle cliqua sur l'icône du courrier. Brad était probablement devant son écran lorsqu'elle avait envoyé son mail, car il y avait déjà répondu.

Bravo ! Maintenant étudie toute cette documentation, et inscris-toi à des cours de préparation dès le trimestre prochain. Ça ne peut pas te faire de mal de te remettre dans le bain. Et envoie Alex au diable ! Il ne peut pas prendre de décision à ta place, Fred. Il n'a pas le droit de te barrer la route si tu es fermement décidée à reprendre tes études, et je crois que tu l'es. N'aie crainte, il finira par s'habituer. Si tu travaillais, tu serais occupée et moins disponible pour lui de la même façon. Tu ne peux pas te contenter éternellement de tourner en rond chez toi en attendant qu'il rentre. Toi aussi tu as besoin d'une vie ! Il a la sienne. Maintenant à ton tour !

Il faut que je file, mais je t'écrirai bientôt. Sois forte !
Bises, Brad.

C'était amusant d'avoir ainsi de ses nouvelles et de lui écrire. Néanmoins, elle effaça leur échange de son ordinateur, en particulier à cause de « Envoie Alex au diable »… Elle passa le restant de l'après-midi à compulser les brochures. Mais elle n'en parla pas à Alex lorsqu'il lui téléphona de Chicago ce soir-là. Un sujet aussi délicat ne pouvait être abordé à distance. Hélas, quand il rentra le vendredi soir, il avait l'air exténué ; il lui fit comprendre qu'il ne rêvait que de dîner rapidement et d'aller se coucher.

Faith devait effectuer une préinscription à l'université avant le 1er décembre. Les formulaires d'inscription aux examens d'entrée étaient à remettre le 1er février, et la réponse arriverait en avril. Pour préparer les examens, elle avait déjà prévu de s'inscrire à deux cours de droit général qui commençaient au mois de janvier, ainsi qu'à un cours de préparation au LSAT. Ce dernier commençait très bientôt, pour une durée de huit semaines, ce qui lui permettrait de passer le LSAT après Noël. Mais elle n'avait encore rien envoyé. Elle souhaitait vraiment parler à Alex d'abord.

Il passa tout le samedi à son bureau, et ne revint que tard le soir. Elle dut donc patienter jusqu'au dimanche pour aborder la question avec lui. Il lisait le *Times* tout en suivant d'un œil un match de football américain à la télévision. Elle lui apporta un bol de soupe et un sandwich ; il continua de tourner d'un geste nerveux les pages de son journal, sans lui adresser un mot ou un regard. Elle s'assit en face de lui.

— J'ai vu Zoe cette semaine, commença-t-elle.

Il prit la télécommande pour monter le son de la télévision.

— Elle est en pleine forme et se plaît beaucoup à Brown.

— Je sais, tu me l'as dit. Est-ce que ses notes sont bonnes ?

— Oui, oui. Elle a des examens bientôt.

— J'espère qu'elle travaille un peu et qu'elle ne passe pas son temps à s'amuser.

Zoe avait toujours été une excellente élève, et Faith ne se faisait aucun souci pour elle. Elle cherchait un moyen d'amener la conversation sur le sujet qui la préoccupait, mais ce n'était pas facile, entre la télévision et le journal... Alex semblait aussi absorbé par l'un que par l'autre, et il avait une pile de documents à lire en plus du *Times*. Elle allait devoir se jeter à l'eau : il ne lui accorderait son attention que si elle l'y forçait. Elle attendit encore quelques minutes, puis se décida.

— Il y a une chose dont je voudrais parler avec toi, dit-elle avec précaution.

Ses paumes étaient moites. Elle espéra qu'Alex ne réagirait pas trop mal... Il était vraiment difficile de lui parler, et elle commençait à se demander s'il ne vaudrait pas mieux attendre encore un peu quand il se tourna finalement vers elle en avalant une gorgée de potage.

— Très bonne, cette soupe.

— Merci. J'ai parlé à Zoe de l'Université de New York.

Elle avait l'impression de s'être jetée dans le vide, et d'atterrir à présent dans une cuve de ciment frais... Le surnom que donnait Zoe à son père lui semblait soudain parfaitement approprié. A elle aussi il apparaissait comme un homme de glace, par moments. Faith songea que ce n'était pas parce qu'il ne les aimait pas, mais simplement parce qu'il avait des choses plus importantes en tête. C'était ce qu'elle s'était toujours dit, ce qu'elle avait toujours répété aux filles. Alex était difficile à approcher pour toute sa famille, sauf peut-être pour Eloise qui semblait avoir avec lui un contact particulier.

— Elle envisage de changer d'université pour venir à New York ? demanda-t-il, sidéré. Tu viens de me dire qu'elle se plaisait beaucoup à Brown.

— Non, dit Faith calmement, ce n'est pas elle qui veut y aller, c'est moi.

— Comment ça, toi ?

Il avait l'air abasourdi. Mais soudain, elle eut l'impression de sentir la présence de Zoe et de Brad à son côté, et cela lui donna la force de poursuivre.

— Je voudrais suivre des cours à l'université.

C'était comme si elle avait lâché une bombe dans le salon.

— Quel genre de cours ? interrogea Alex d'un air suspicieux.

— Des cours de droit général. C'est un cursus proposé en priorité aux personnes qui, comme moi, recommencent des études à l'âge adulte. Le programme a l'air très intéressant.

Elle s'interrompit, gagnée par l'angoisse. Alex la fixait en silence, et il était évident que l'idée lui déplaisait profondément.

— C'est ridicule, Faith. Tu n'as pas besoin d'aller apprendre le droit. A quoi cela te servirait-il ? Inscris-toi donc à des conférences dans un musée, ce serait beaucoup plus intéressant pour toi.

Il essayait déjà de la décourager, avant même qu'elle ait eu le temps d'exposer son projet jusqu'au bout. Mais elle savait qu'il ne fallait pas renoncer maintenant. Elle devait à tout prix essayer d'obtenir son accord. Leur couple avait fonctionné de telle manière que, pendant vingt-six ans, Alex avait eu un droit de veto sur toutes ses décisions. Et il était trop tard pour changer cela. Au fil des années, il était devenu clair qu'Alex exerçait une véritable dictature sur son épouse. Il avait toujours le dernier mot, et c'était lui qui édictait les règles de la maison. Faith, notamment en raison de sa propre histoire psychologique, avait toujours accepté cet état de fait.

— J'ai déjà suivi des tas de conférences au Met[1], Alex. Je veux faire quelque chose de plus intéressant.

Elle venait de dégoupiller une grenade et n'avait plus le choix : elle devait la lancer.

— Je veux étudier dès la rentrée prochaine pour devenir avocate.

Elle s'était exprimée avec une force tranquille, sans l'ombre d'une excuse dans la voix. Elle retint sa respiration, en attendant la réponse d'Alex.

— C'est absurde ! Nous avons déjà parlé de ça. Une femme de ton âge n'a rien à faire à l'université, Faith.

---

1. Abréviation couramment utilisée pour désigner le Metropolitan Museum de New York. (*N.d.T.*)

Aucun cabinet d'avocat ne t'embauchera quand tu seras diplômée. Tu seras bien trop vieille.

— Je voudrais me lancer quand même. C'est un domaine qui me passionne. Et peut-être que quelqu'un voudra de moi. Je ne suis pas si vieille que ça, après tout.

Maintenant qu'elle avait enfin pris sa décision, elle était déterminée à atteindre l'objectif qu'elle s'était fixé, quoi qu'il pût en penser.

— Ce n'est même pas la question. Est-ce que tu imagines la quantité de travail qu'il te faudra fournir ? Tu passeras les trois prochaines années enfermée dans cette maison à étudier d'arrache-pied. Pour, dans le meilleur des cas, décrocher un emploi et travailler quatorze heures par jour. Tu ne pourras plus ni voyager, ni sortir le soir. Tu refuseras de faire quoi que ce soit avec moi, parce que tu devras préparer des examens. Si c'était vraiment ta vocation, tu aurais dû y penser avant la naissance des filles. Tu aurais très bien pu finir tes études à l'époque, mais je te rappelle que tu ne l'as pas fait. Maintenant il est trop tard, il faut te rendre à l'évidence.

— Il n'est pas trop tard. Les filles sont parties, Alex. Je n'ai rien à faire de mes journées. Je pourrai moduler mon emploi du temps pour travailler dans la journée, rien ne nous empêchera de sortir le soir. De toute façon, nous ne voyageons plus jamais ensemble, sauf pendant quelques semaines l'été. Je te promets de faire de mon mieux, pour que tu n'aies pas à souffrir de mon choix.

Elle posa sur lui un regard implorant, comme un appel à l'aide.

— C'est impossible ! explosa-t-il finalement. Ça n'a aucun sens ! Quelle vie de couple allons-nous mener si tu dois rester enfermée pendant trois ans ? C'est exactement comme si tu allais en prison ! Je n'arrive pas à croire que tu puisses te montrer aussi déraisonnable. Comment peux-tu ne serait-ce qu'envisager une chose pareille ? Qu'est-ce qui ne va pas chez toi ?

— Je m'ennuie à mourir. Tu as ton travail et ta vie, dit-elle en se remémorant les paroles de Brad. Moi aussi je voudrais avoir une vie. Mes amies ont toutes un emploi ou des enfants à la maison. Elles sont occupées. Je ne veux plus prendre de leçons de bridge ni de cours au musée, et j'en ai assez du bénévolat. Je veux faire quelque chose de réel, de concret. J'ai déjà passé une année à la fac de droit ; s'ils acceptent de la valider, je pourrai peut-être gagner un an d'université.

— C'est trop tard pour tout ça ! cria-t-il en reposant son bol d'un geste nerveux.

On eût dit que le projet de Faith constituait pour lui une véritable menace. Peut-être réalisait-il qu'elle aurait ainsi une vie bien à elle, et qu'en conséquence il perdrait un peu de son emprise sur elle...

— Il n'est pas trop tard. J'ai quarante-sept ans. J'aurai cinquante ans quand je passerai l'examen du barreau.

— Si tu réussis ! Figure-toi que ce n'est pas facile !

Il insinuait clairement qu'elle n'en était pas capable. Mais elle savait qu'elle devait tenir bon.

— Alex, c'est important pour moi.

La fermeté de son ton imposa silence à Alex pendant quelques instants. Mais il reprit rapidement la parole.

— Je vais y réfléchir, Faith. Mais je pense que c'est une idée aberrante.

Il avait l'air hors de lui. Là-dessus, il monta encore le son de la télévision, rendant toute conversation impossible. Mais au moins, elle avait pu lui faire part de son projet. A présent, elle savait qu'elle devait le laisser réfléchir. Que déciderait-il au final ? C'était une autre histoire... Mais Zoe avait promis de lui parler aussi. Elle voulait aider sa mère à le convaincre, puisqu'il était si important pour elle qu'il soit d'accord.

Faith se retira dans son bureau et ouvrit son logiciel de courrier. « Nouvelles d'Hiroshima », intitula-t-elle son mail à Brad.

J'ai lâché la bombe : j'ai parlé à Alex. Il est furieux. Il ne pense pas que je serai admise à la fac ou que je réussirai les examens, et il sait d'avance que même en cas de succès aucun cabinet ne voudra de moi. Il estime que tout cela est une perte de temps. A la fin de notre conversation il a dit qu'il réfléchirait, mais je pense qu'il ne sera pas d'accord. Je tiens vraiment à faire ces études, mais s'il y est opposé, je ne pourrai pas braver sa décision, ce serait injuste envers lui. Je suis mariée, après tout, et il a le droit d'attendre certaines choses de moi... Il pense que je serai trop occupée à travailler pour pouvoir sortir le soir, ou l'accompagner en voyage, et il a sans doute raison. Le combat promet d'être sans merci, mais on verra bien. Je finirai peut-être par m'inscrire à ces fameuses leçons de bridge... Je te tiendrai au courant. J'espère que tout va bien de ton côté. Je t'embrasse, Fred.

Elle ralluma son ordinateur un peu plus tard dans l'après-midi, mais ne reçut pas de réponse avant le soir. Alex ne lui avait plus adressé la parole de la journée, et ils avaient dîné dans un silence glacial. Peu après, il était allé se coucher sans un mot. Il quittait la maison le lendemain matin à quatre heures, pour s'envoler vers Miami où il avait programmé deux jours de réunions. De toute évidence, il estimait que Faith avait dépassé les bornes. Sa colère n'était que trop évidente ; il lui faisait payer son impertinence.

Il était presque minuit à New York quand l'e-mail de Brad arriva.

Chère Fred,

Pourquoi tiens-tu tant à te montrer juste envers Alex ? Fait-il des efforts pour te comprendre, lui ? Nous ne sommes plus au Moyen Age, que diable ! Tout cela me fait penser à Pam et aux discussions que nous avons eues quand j'ai décidé de changer de voie. Tu as le droit d'accomplir ton rêve. Il ne peut pas s'y opposer. Je comprends ses inquiétudes, mais je suis convaincu que tu t'en sortiras très bien. D'ailleurs, il s'en sortira très bien aussi. L'idée que tu puisses voler de tes propres ailes le déstabilise, c'est tout. Surtout ne cède pas ! En tant que grand frère par procuration, je t'interdis de prendre des leçons de bridge. Reprends tes études, comme une grande fille. Sois forte.

Je suis à mon bureau, je vais travailler tard. Nous avons une audience demain pour une nouvelle affaire. Un jeune de quinze ans accusé d'avoir violé une petite fille de huit. Je déteste les cas de ce genre, mais j'ai été commis d'office. Le jeune n'a pas l'air d'un monstre, mais il a visiblement de gros problèmes. Il a lui-même été victime d'abus sexuels dans sa famille. Les enfants apprennent par l'exemple, et reproduisent les comportements qu'ils ont vus autour d'eux...

Je t'appellerai dans la semaine, et tu pourras me dire comment les choses avancent pour toi.

A très bientôt, Brad.

Il avait raison, évidemment. Faith le savait très bien. Mais c'était facile à dire pour lui, beaucoup moins simple à vivre pour elle.

Manifestement, Alex était toujours en colère contre elle quand il se réveilla à trois heures du matin. Faith se leva aussi, comme elle le faisait toujours quand il partait en voyage, et lui prépara un café et des toasts. Mais à cause de l'heure, et de leur conversation de la veille, il ne lui adressa pas la parole, se contentant de lui jeter un regard noir avant de quitter la maison. Ils n'avaient pas reparlé des projets de Faith, mais il tenait clairement à lui indiquer qu'il avait pris ses propos comme une déclaration de guerre. Elle en fut affectée toute la matinée, et dans l'après-midi elle décida de téléphoner à Brad pour lui en parler.

Le simple fait d'entendre sa voix lui fit du bien. Il venait juste de rentrer du tribunal.

— Je suis content que tu m'appelles, dit-il en s'efforçant de ne pas sembler distrait.

Il avait mille problèmes en tête, mais il se souciait sincèrement de Faith, et tenait à l'aider dans sa démarche.

— J'ai pensé à toi toute la journée, ajouta-t-il.

— Je me sens coupable de te déranger, après tout ce que tu m'as dit hier de tes activités...

Mais elle était tellement heureuse qu'il soit de retour dans sa vie ! Elle lui téléphonait comme elle aurait appelé son frère, pour lui raconter ce qui la tracassait et écouter ses conseils.

— La réaction d'Alex est ridicule, Fred, tu le sais aussi bien que moi. Comment as-tu pu le laisser se comporter comme ça pendant toutes ces années ? Tu n'es pas son esclave, nom de Dieu ! Tu es sa femme. Il doit écouter et respecter tes désirs aussi.

— De toute évidence, personne ne lui a jamais dit une chose pareille, observa Faith en souriant.

— Eh bien, tu devrais le faire. Je ne connais pas une femme qui se laisserait traiter de la sorte. Pamela me tuerait si je me permettais de lui dicter sa conduite. Même si nous avons eu des disputes violentes et si nous nous sommes battus pendant des mois quand j'ai décidé de quitter la boîte de son père, elle a toujours respecté mon libre-arbitre. Elle désapprouvait mes choix, mais elle savait qu'elle devrait se résoudre à les accepter. Tu ne peux pas laisser Alex décider de ce que doit être ta vie, Fred.

— Il l'a toujours fait... C'est ainsi qu'il fonctionne, admit-elle, embarrassée par cet aveu.

— Alors ramène-le à notre époque, Fred. C'est ta mission. Il le regrette peut-être, mais l'esclavage a été aboli depuis belle lurette.

— Pas pour lui...

A peine avait-elle prononcé ces mots qu'elle se sentit coupable.

— Je ne devrais pas dire ça, se reprit-elle. Simplement, il est habitué à tout diriger dans son travail, et il s'attend à ce que les choses se passent de la même façon à la maison.

— Ecoute, j'aimerais être gouverneur de Californie, ou même président des Etats-Unis. Si c'était possible, nous aimerions tous être maîtres du monde. Mais ce n'est pas si simple de diriger la vie des autres. Quelle sera ton existence, si tu renonces à tes études ? Qu'est-ce que tu vas faire pendant les quarante prochaines années ? Rester à la maison et regarder la télévision ?

— Je pense que c'est à peu près ce que voudrait Alex, dit-elle d'une voix découragée.

Elle savait bien que Brad avait raison. Mais il ne connaissait pas Alex. Ce dernier lui rendrait la vie impossible si elle ne se soumettait pas à ses désirs. Il s'était toujours comporté ainsi.

— Il n'a pas le droit de te traiter comme ça. Tu ne dois pas le laisser faire. Je vais te surveiller. En fait, je sais pourquoi je suis allé à l'enterrement de Charlie : je pense que c'est Jack qui m'a envoyé te botter les fesses.

— Voilà une jolie façon de présenter les choses ! dit Faith en riant. Mais peut-être que tu as raison...

— Que dirait Jack si tu lui parlais de tout ça ? demanda Brad.

Il connaissait la réponse d'avance.

— Il serait fou de rage. Il détestait Alex. Et Alex le lui rendait bien. Ils ne cessaient de se disputer.

— Pas étonnant, si Alex se comportait déjà comme ça avec toi. Mais tu n'as pas vraiment répondu à ma question : qu'aurait dit Jack ?

Il voulait l'obliger à y réfléchir. Il savait que l'opinion de son frère importait terriblement à Faith.

— Il m'aurait dit la même chose que toi : « Reprends tes études. »

— J'en suis sûr !

— Mais on voit bien que tu ne vis pas avec Alex.

— Et peut-être que toi, tu as tort de continuer à vivre avec lui. S'il est incapable de se comporter en homme civilisé, en être humain sensé, il ne te mérite pas. Et je crois que Jack aurait dit la même chose sur ce point-là aussi.

— Probablement. Mais regarde avec qui il vivait, lui ! A côté de Debbie, Alex est un ange... Elle était encore plus étroite d'esprit que lui.

— Ecoute, tout ce que je souhaite, c'est que tu sois heureuse. Or, tu ne m'as pas semblé heureuse quand je t'ai revue l'autre jour. Au contraire. J'ai eu l'impression que tu étais triste, que tu te sentais seule, et que tu t'ennuyais. Si tu as vraiment trouvé ce que tu voulais faire, fonce ! Avant tout, tu as besoin d'un rêve. Nous en avons tous besoin. J'ai trouvé le mien ici. Je n'ai jamais été aussi heureux que depuis que j'ai changé de spécialité.

Il ne regrettait que de devoir rentrer chez lui le soir... S'il avait pu dormir au bureau, il l'aurait fait, pour éviter Pamela. Au fil du temps, leurs différences n'avaient fait que s'exacerber et leurs relations s'étaient dégradées de façon irrémédiable. Ils ne formaient plus vraiment un couple, se contentant de cohabiter. Ce n'était pas satisfaisant, mais il avait vu ses parents se déchirer pendant leur divorce quand il était adolescent, et il ne voulait pas reproduire le même désastre. Aussi avait-il appris à composer avec les différends qui l'opposaient à sa femme. C'était elle qui, depuis quelque temps, le harcelait sans cesse, l'accablant de critiques dès qu'il entreprenait quelque chose et lui reprochant de déserter la maison. Elle n'avait pas tort, d'ailleurs : il la fuyait au maximum. Mais il n'avait pas pour autant l'intention de quitter Pamela. C'était plus simple ainsi.

— Est-ce que j'ai vraiment l'air à ce point désespérée ? interrogea Faith d'une petite voix. Je ne suis pas si malheureuse que ça, tu sais. C'est juste que... Alex et moi sommes en désaccord sur certaines choses.

— Et il n'est jamais là. Tu l'as dit toi-même. Il n'est même pas venu à l'enterrement de Charlie avec toi. Qu'est-ce que ça signifie ?

Il insistait, car il en savait plus que quiconque en matière de problèmes conjugaux.

— Je te l'ai dit, il devait aller à Chicago. Il avait des réunions.

— Et alors ? Ça n'aurait pas pu attendre une journée de plus ? Charlie ne sera pas enterré une seconde fois. Il aurait dû faire l'effort de t'accompagner.

— Ça s'est bien passé... Et tu étais là.

— Je suis content d'avoir été là. Comprends-moi bien, Faith, je ne suis pas en train de faire le procès de ton couple, je suis bien mal placé pour ça. Tout ce que je dis, c'est qu'Alex ne te consacre pas beaucoup de temps, et qu'il doit faire quelques concessions en échange. Il ne peut pas jouer sur les deux tableaux à la fois. S'il passe l'essentiel de son temps à s'occuper de ses propres affaires, il n'a pas le droit d'attendre de toi que tu restes gentiment assise à la maison à l'attendre. Il a sa vie, tu devrais avoir la tienne.

— Ce n'est pas comme ça qu'il voit les choses, soupira-t-elle.

— Il changera si tu ne cèdes pas. Je te le promets. Il faut que tu tiennes bon.

— Ce n'est pas si simple, fit-elle valoir tristement.

Alex avait une volonté de fer et ne lui laisserait pas de répit tant qu'elle n'aurait pas cédé.

— Je sais que c'est difficile, Fred, mais ça vaut la peine de te battre. Et de toute façon, tu n'as plus le choix. Si tu ne restes pas ferme sur ce sujet, ta vie sera vide et triste, et tu ne tarderas pas à te sentir vieille et déprimée. Je crois que c'est ton bien-être et ta santé mentale qui sont en jeu.

— A t'entendre, on dirait que c'est une question de vie ou de mort, dit-elle en souriant.

Assise dans son petit bureau, elle pensait à lui, à la chance qu'elle avait d'avoir un ami aussi formidable.

— D'une certaine façon, c'est le cas. J'aimerais que tu y réfléchisses sérieusement.

— Je le ferai.

Tout ce qu'il lui avait dit lui paraissait sensé ; elle ignorait seulement comment elle parviendrait à persuader Alex. Mais peut-être qu'à force d'énergie et de conviction, elle y arriverait, comme l'avait prédit Brad. En tout cas, cela valait la peine d'essayer.

— Et toi, comment vas-tu ? demanda-t-elle pour changer de sujet.

— Je suis surmené. C'est de la folie. J'ai une douzaine de nouveaux cas à traiter, graves pour la plupart. Pardonne-moi l'expression, mais nous sommes dans la mouise jusqu'au cou...

— Je t'envie, répondit Faith. Au moins, c'est excitant.

— Très.

Ils continuèrent à bavarder pendant quelques minutes, puis il dut raccrocher, mais il promit de garder le contact, par e-mail ou par téléphone. A présent, elle savait qu'il tiendrait parole. Il s'était montré si bienveillant au cours des deux semaines précédentes... Grâce à lui, elle avait remis sa vie en question, défini un objectif, retrouvé son énergie vitale. Il lui avait apporté du soutien et de l'amour. Son regard attentif lui avait fait un bien immense. Et surtout, il lui avait donné la force d'affronter Alex... jusqu'au bout.

4

Quand Alex rentra de Miami, il était d'une humeur massacrante. Faith le connaissait suffisamment pour ne pas avoir besoin de lui demander pourquoi : ses rendez-vous s'étaient mal passés, c'était évident. Elle lui prépara un dîner en silence, et dès qu'il eut fini son assiette, il se leva, monta au premier étage, prit une douche et alla se coucher. Il ne lui avait pas adressé un seul mot pendant le repas. Ce n'est que le lendemain matin au petit déjeuner qu'il lui demanda comment elle allait.

— Bien, répondit-elle en lui servant une tasse de café.

Elle lui avait préparé des céréales, des fruits et des muffins, et il semblait de moins mauvaise humeur que la veille.

— Ton voyage a été difficile ?

Il acquiesça mais ne lui fournit aucune précision. Il était ainsi. Quand les choses ne se passaient pas comme il le souhaitait, il n'en parlait jamais. Et si tout allait bien, Faith le devinait à son attitude, mais il n'en discutait pas davantage.

— J'ai eu Eloise au téléphone, annonça Faith alors qu'il ouvrait le *Wall Street Journal*.

Il ne parut pas entendre ce qu'elle disait, et il s'écoula cinq bonnes minutes avant qu'il ne relève la tête de son journal.

— Comment va-t-elle ?

— Bien.

Faith le connaissait par cœur et devina sans peine ce qu'il désirait savoir.

— Elle viendra passer un long week-end ici pour Thanksgiving.

— Parfait.

Il reposa le journal, se leva, jeta un coup d'œil à sa montre et déclara :

— Je n'ai pas le temps d'en discuter maintenant, Faith, mais je tiens à te dire que j'ai réfléchi au problème que tu as soulevé l'autre jour.

— Lequel ?

— Ce fantasme absurde de reprendre tes études... Mets-toi bien dans la tête que je ne suis pas d'accord et que je ne changerai pas d'avis. Il faudra que tu te trouves un autre passe-temps.

Et sans lui laisser le temps de réagir, il tourna les talons et sortit de la pièce. Elle demeura seule au milieu de la cuisine, furieuse. D'ordinaire, une telle scène l'aurait affectée et attristée, mais aujourd'hui, elle était révoltée, et elle le rejoignit dans l'entrée alors qu'il enfilait son imperméable. Dehors, il tombait des cordes.

— Tu ne peux pas m'envoyer promener comme ça, Alex. Il ne s'agit pas d'un fantasme absurde, comme tu dis. C'est un projet raisonnable, j'y tiens beaucoup, et je ferai tout pour le mener à bien sans que tu aies à en souffrir.

Il lui décocha un de ces regards durs qui avaient suffi à la réduire au silence pendant tant d'années.

— Je croyais avoir été clair : je n'ai pas l'intention de vivre avec une étudiante et de supporter tout le stress et les contraintes que cela implique. Tu es ma femme, Faith, et tu as le devoir d'assumer certaines responsabilités.

— Et toi aussi, rétorqua-t-elle. Ce n'est pas juste. Pourquoi es-tu incapable de me respecter en tant que personne, de comprendre que j'ai besoin de faire quelque chose de ma vie maintenant que les filles sont parties, quelque chose d'intelligent ?

— Va voir un psychiatre si tu n'arrives pas à t'habituer au départ des filles, mais arrête d'inventer n'importe quoi pour essayer de rattraper ta jeunesse, ça ne sert à rien.

Elle fit un effort pour rester calme.

— Tu parles comme si j'avais cent ans. Ce n'est pas le cas.

— Je sais très bien quel âge tu as, Faith. Et tu n'es plus une enfant, alors cesse de te comporter comme telle. Ce projet est totalement puéril et immature. Essaie d'être adulte. Tes filles sont parties, tu es mariée, et tu as envers moi des devoirs incompatibles avec une vie d'étudiante.

Il se replaçait au centre du problème. Ce n'était pas nouveau : il avait toujours été au centre de tout.

— Qu'est-ce que tu crains exactement ? Que je ne puisse plus t'accompagner à tes dîners mondains à cause de mes études ? Je ne vais pas sur la lune, au nom du ciel ! Je vais rester là ! Je te l'ai dit, je me débrouillerai pour faire en sorte que tu n'aies pas à souffrir de ma décision.

Elle tremblait presque. Jamais il ne s'était montré aussi extrême dans ses propos. Mais c'était aussi la première fois qu'elle le défiait de la sorte.

— Tu ne sais pas de quoi tu parles, Faith. Les études de droit sont très exigeantes. Tu n'auras plus le temps de faire quoi que ce soit d'autre. Et j'ai mon mot à dire sur ce point.

— Et moi, est-ce que j'ai mon mot à dire ? demanda-t-elle, les yeux noyés de larmes.

— Pas dans ce cas précis. J'en ai assez entendu. Trouve-toi autre chose à faire.

Et sur ce, avant qu'elle ait eu le temps d'ajouter quoi que ce soit, il ouvrit la porte d'entrée et sortit sous la pluie. Faith demeura un moment sur le seuil, pétrifiée. Zoe avait raison : il était l'Homme de Glace. M. Iceberg.

Il claqua la porte derrière lui, et Faith retourna dans la cuisine, où elle se laissa tomber sur une chaise. La table du petit déjeuner n'avait pas encore été débarrassée, mais elle n'eut pas le courage de s'en occuper ; elle ne put qu'éclater en sanglots. Elle avait l'impression qu'on venait de la mettre en prison. Alex se comportait comme si elle lui appartenait, comme si ce qu'elle éprouvait et désirait n'avait absolument aucune importance à ses yeux. De sa vie, elle ne s'était jamais sentie si impuissante.

Elle pleurait toujours lorsqu'elle se décida enfin à se lever pour mettre les assiettes et les tasses dans le lave-vaisselle. Cela fait, elle monta dans leur chambre. Là, elle demeura debout un long moment devant la fenêtre, regardant la pluie tomber. Elle était infiniment déprimée. Elle ne répondit même pas à l'e-mail que Brad lui envoya dans l'après-midi. Elle avait l'impression de ne pas avoir été à la hauteur de la confiance qu'il avait placée en elle. Mais il ne connaissait pas Alex... Personne ne le connaissait. Pas sous cet angle, en tout cas. Les gens le considéraient comme un homme intelligent, sensé, attentif... Seules Faith et ses filles savaient à quel point il pouvait se montrer glacial. Tout devait se passer comme il le souhaitait. Zoe avait eu un nombre infini de disputes sur ce sujet avec lui, et avait finalement renoncé à discuter. Seule Eloise semblait parvenir à avoir une véritable discussion avec lui. Il considérait leur famille comme son royaume, et Faith éprouvait l'impression d'être son esclave. Brad avait eu raison d'utiliser ce terme.

Pendant les deux jours qui suivirent, Faith se sentit profondément déprimée, et elle échangea à peine quelques mots avec son mari. Finalement, Brad lui adressa un nouvel e-mail.

Salut, quoi de neuf ? Tu es devenue bien silencieuse. Est-ce qu'il y a quelque chose qui ne va pas ? Dis-moi que tu es toujours vivante ! A bientôt, Brad.

Avec un long soupir, elle entreprit de taper sa réponse. Il n'y avait pas grand-chose à dire.

J'ai perdu la guerre. Alex a déclaré qu'il était hors de question que je reprenne mes études. Il estime que c'est incompatible avec mes responsabilités envers lui. Il ne m'a pas adressé la parole de la semaine. Il a annoncé son verdict, et c'est sans appel. Depuis, je suis déprimée. En plus il a plu toute la semaine ici... Je me sens nulle et découragée. Je broie du noir, et je me demande ce que je vais faire du restant de mes jours. Je t'embrasse, Fred.

Brad se trouvait à son bureau quand l'e-mail de Faith arriva, et il le lut immédiatement. Ces mauvaises nouvelles l'affectèrent profondément ; il songea d'abord à téléphoner à son amie, puis il opta pour une réponse écrite.

Ça n'a pas l'air bien parti, mais il faut que tu persévères, Fred. Tu es déprimée parce que tu as l'impression de perdre le contrôle de ta vie, et c'est le cas. Je ne peux pas te dire quoi faire, c'est à toi de décider. Mais si tu laisses Alex te donner des ordres et poser des ultimatums, tu resteras déprimée toute ta vie. Crois-tu pouvoir reprendre le pouvoir, juste assez pour faire ce que tu veux ? Il est impératif que tu réagisses. Tu ne peux pas te laisser traiter comme une enfant. Ou pire, comme un objet. Ton mari doit être à l'écoute de tes besoins aussi. Et s'il en est incapable, tu dois te prendre en main, sans quoi tu paieras éternellement le prix de ton silence. Je sais de quoi je parle, je suis passé par là. Il est difficile de tenir tête à des gens comme Alex ou Pam, mais si tu ne le fais pas, c'est toute ta vie qui sera gâchée. Essaie de réfléchir à ce que tu pourrais faire pour t'imposer un peu plus, voire beaucoup plus. Et puis ferme les yeux et jette-toi à l'eau. Ça vaut le coup. Je t'aiderai du mieux que je pourrai. Maintenant prends ton parapluie et sors faire un tour. J'ai l'impression que tu as besoin d'air. Je suis là si tu as besoin de moi. Et si tu le tues, je te défendrai. Tu auras des circonstances atténuantes.

Je t'embrasse, Brad.

Un sourire aux lèvres, elle effaça immédiatement le message, pour que personne ne puisse le lire. Même s'il ne s'agissait que d'une boutade, la dernière remarque risquerait d'être mal prise par ses filles, si elles tombaient dessus.

Elle décida de suivre le conseil de Brad : elle enfila des bottes et un imperméable, et quitta la maison. Il avait raison, elle avait besoin d'air, et sa promenade lui donna l'occasion de réfléchir. Elle descendit Lexington Avenue, puis remonta par la Cinquième Avenue, le long du parc. Elle ne vit pas le temps passer, mais lorsqu'elle rentra chez elle, elle s'aperçut qu'elle avait marché deux heures, et que cela lui avait fait un bien fou. Brad avait parfaitement raison. Elle devait reprendre le contrôle de sa vie, d'une manière ou d'une autre. Alex la considérait comme un objet, et elle ne voulait plus se laisser traiter ainsi.

C'était un changement radical pour elle. Elle avait espéré qu'il se montrerait compréhensif et qu'il accepterait son projet, mais puisqu'il s'y opposait, elle savait maintenant ce qu'elle allait faire : elle continuerait ses démarches pour s'inscrire à ses cours de droit et à la préparation au LSAT. Elle pourrait toujours décider plus tard de postuler ou non à l'école de droit — au moins, elle se ménageait la possibilité de choisir.

Le cours de préparation au LSAT commençait la semaine suivante. Elle n'était pas obligée d'en parler à Alex ; elle s'y rendrait discrètement et cela lui donnerait trois mois supplémentaires pour essayer de convaincre son mari.

Elle envoya les formulaires l'après-midi même. Alors qu'elle venait de les glisser dans la boîte aux lettres, elle resta un instant debout sous la pluie, un sourire aux lèvres. Elle avait l'estomac noué, mais en même temps son cœur était plus léger et son esprit dégagé. Elle savait qu'elle avait pris la bonne décision. Elle courut jusque chez elle et téléphona à Brad. Il décrocha immédiatement sur sa ligne directe.

— J'ai réussi ! s'exclama-t-elle d'une voix enthousiaste.

Il devina instantanément de quoi elle parlait. On aurait dit une écolière se découvrant inscrite au tableau d'honneur. Avec les félicitations.

— Qu'est-ce que tu as fait exactement ? demanda-t-il avec un sourire en se carrant dans son fauteuil.

— J'ai suivi tes conseils. D'abord, je suis allée faire un tour sous la pluie. Une grande promenade. Et puis je suis rentrée à la maison, j'ai pris mes formulaires d'inscription, je les ai remplis, et je viens juste de les mettre dans la boîte aux lettres au coin de la rue. Je me sens en pleine forme. Les cours de préparation au LSAT commencent la semaine prochaine, et je vais y aller sans rien dire à Alex.

Elle éprouvait l'impression de tricher, mais aussi de reprendre le pouvoir, selon l'expression de Brad.

— Au moins, j'ai fait quelque chose pour récupérer le contrôle de ma vie, dit-elle. Je me sens renaître.

Elle était elle-même surprise de constater que sa décision avait déjà chassé sa déprime.

— Je suis heureux, Fred, je me faisais du souci pour toi. Tu avais vraiment l'air de ne pas aller bien.

C'était peu dire.

— Je suis fier de toi, ajouta-t-il.

— J'étais dans un état épouvantable depuis quelques jours, avoua-t-elle. Et toi, comment vas-tu ? Je suis désolée, nous n'avons parlé que de moi. J'étais si mal pendant une semaine que je n'ai vu que mon nombril.

— Ce n'est pas étonnant. Le petit discours de ton mari ne risquait pas de te faire sauter de joie. Je connais bien le problème, il m'est arrivé la même chose quand j'ai quitté la société du père de Pamela. Menaces, ultimatums, culpabilité, accusations... J'ai cru qu'elle me quitterait si je démissionnais. Mais au fond de moimême, je savais que je devais courir ce risque. Si je ne l'avais pas fait, j'aurais perdu toute estime de moimême, et ma vie aurait perdu son sens.

— Tu es plus courageux que moi, dit-elle, impressionnée par la bataille qu'il avait menée.

Pamela n'avait pas l'air facile...

— Tu t'en sors très bien toi-même, répondit-il. Je suis vraiment fier de ce que tu as fait aujourd'hui.

— Merci. Et merci de m'avoir poussée à agir. Si tu ne m'avais pas envoyé ce message, je serais encore assise ici à pleurer toutes les larmes de mon corps.

Il détestait l'imaginer dans cet état, et était heureux d'avoir pu l'aider.

— Merci, Brad, répéta-t-elle.

Elle n'avait encore rien fait de précis pour défier Alex, mais elle apprenait à déployer ses ailes, un tout petit peu, juste assez pour raviver son amour-propre.

— De rien, répondit-il gentiment.

Elle lui avait donné l'agréable sentiment d'être utile et important, et grâce à cela, il se sentait plus proche d'elle.

— Comment va ton travail ?

Elle semblait de nouveau enjouée et intéressée, vivante, en somme.

— C'est de la folie, comme toujours. Nous passons au tribunal pour le gamin accusé de meurtre la semaine prochaine. J'ai une tonne de choses à préparer.

— Tu crois que tu vas gagner ?

— J'espère. Il compte sur moi. Malheureusement, même si c'est un gosse bien, qui mérite qu'on lui laisse une chance, ce sera difficile. Il n'a rien prémédité, mais dès que tu mets une arme dans les mains d'un môme, de quiconque en fait, une catastrophe survient. C'est inévitable. Enfin, ne m'entraîne pas sur ce terrain, ça pourrait durer des heures ! Qu'est-ce que tu vas faire maintenant, Fred ? J'espère que tu n'as pas l'intention de dire à Alex que tu as envoyé les formulaires ?

— Pas pour l'instant.

Cela la rendait malade de mentir à son mari, mais c'était indispensable, au moins dans un premier temps. Et puis, elle se contenterait de disparaître tous les matins pendant trois heures, il n'en saurait jamais rien. Il téléphonait rarement dans la journée, sauf pour la prévenir d'un changement de programme. Et elle serait de retour à l'heure du déjeuner, tous les jours.

— Pour le moment, ça ne m'avancerait à rien de me battre avec lui. Nous ne ferions que nous exaspérer mutuellement. Si ça se trouve, peut-être que je me rendrai compte que le LSAT est trop difficile pour moi… On verra bien quand j'aurai commencé les cours.

— Tu t'en sortiras très bien, assura-t-il.

Il n'en doutait pas une seconde. Elle était l'une des femmes les plus brillantes qu'il eût jamais connues, et elle avait toujours eu de très bons résultats scolaires. De plus, elle avait déjà fait du droit dans le passé. Il était certain qu'elle serait de nouveau acceptée. Mais à ce moment-là il lui faudrait affronter Alex pour de bon, et prendre une décision...

Pour l'heure, Faith n'en revenait pas du bien-être qu'elle éprouvait depuis qu'elle avait renvoyé ses formulaires d'inscription. Elle ne se sentait plus déprimée du tout. Ni impuissante, ni sans défense.

— Tu as fait ce que tu devais faire, Fred. De mon côté, ajouta-t-il à regret, il va falloir que je me remette au travail... Je préférerais continuer à bavarder avec toi, mais le devoir m'appelle.

— Bien sûr. Merci encore, Brad. Je t'appellerai bientôt.

Elle papillonna dans la maison pendant le reste de l'après-midi, et accueillit le retour d'Alex avec une étonnante bonne humeur. Elle chantonnait en préparant le dîner quand il pénétra dans la cuisine, et il remarqua immédiatement cette gaieté inhabituelle.

— Qu'est-ce que tu as fait aujourd'hui pour être de si bonne humeur ?

Elle lui sourit. Il arqua un sourcil perplexe : il avait laissé sa femme tendue et au bord des larmes et il la retrouvait souriante et détendue.

— Rien de spécial. Je suis allée faire une longue promenade et quelques courses.

Elle détestait lui mentir, mais elle n'avait pas le choix.

— Il a plu toute la journée, observa-t-il d'un air soupçonneux, comme s'il ne la croyait pas.

— Je sais, j'ai fait une grande marche sous la pluie.

Elle apporta le plat sur la table, et se garda bien de mentionner sa conversation avec Brad. Pourquoi l'aurait-elle fait ? Brad était devenu son confident secret et son soutien principal, comme lorsqu'ils étaient enfants. Ça ne causait de tort à personne, et de toute façon, si elle avait voulu parler de lui à Alex, ce dernier l'aurait sans doute ignorée. Brad ne risquait pas de l'intéresser, puisqu'il n'était qu'un ami d'enfance de Jack, sans relations politiques ou industrielles.

Alex n'interrogea pas plus longtemps son épouse sur les raisons de sa bonne humeur. Il se contenta de manger en silence. Faith lui demanda des nouvelles d'Unipam. Il parut heureux de sa question, et lui dressa un rapide tableau des dernières évolutions de la société. Pour une fois, Faith eut l'impression qu'il discutait vraiment avec elle ; à la fin de la soirée, elle se sentait plus proche de lui et lui avait presque pardonné son attitude des derniers jours.

Ils se couchèrent tôt ce soir-là, et comme cela se produisait presque toujours lorsqu'il s'ouvrait un peu à elle, elle vint se lover contre lui, et ils firent l'amour. Leur étreinte fut rapide et dépourvue de passion, mais Faith apprécia son côté satisfaisant et familier. Si Alex avait daigné réfléchir un peu, il aurait réalisé que les choses se passaient bien mieux entre Faith et lui lorsqu'il se montrait plus attentif envers elle... Au prix de quelques efforts minimes, ils auraient même pu être vraiment heureux ensemble. Mais jamais il ne lui serait venu à l'idée de réfléchir à sa relation avec sa femme. Il considérait Faith comme acquise.

Le lundi suivant, Faith commença les cours de préparation au LSAT. C'était à la fois exaltant et angoissant. Il y avait quantité de connaissances à assimiler, et elle ne voyait pas comment y parvenir en huit semaines. Chaque jour, elle était de retour chez elle à une heure, après ses cours. Les semaines qui précédèrent Thanksgiving se déroulèrent sans incident entre Alex et elle. Elle se montrait particulièrement attentive à ne pas l'irriter, et il était satisfait, convaincu qu'elle était enfin revenue à la raison. D'une certaine manière, c'était le cas... mais pas dans le sens qu'il imaginait. Heureusement, il était si occupé qu'il ne s'apercevait de rien. Il se rendit à Boston, à Atlanta, puis retourna rapidement à Chicago. Faith, de son côté, se consacrait à son cours, les deux autres auxquels elle s'était inscrite ne commençant qu'en janvier. Elle s'occupait aussi de la préparation de Thanksgiving, et se réjouissait à l'idée de revoir Eloise et Zoe. Elle avait téléphoné à Brad une ou deux fois, et il lui avait envoyé quelques rares e-mails. Il était plongé jusqu'au cou dans son procès, et n'avait pas le temps de donner beaucoup de nouvelles.

Le procès s'acheva deux jours avant Thanksgiving. A la plus grande joie de Faith, et de Brad surtout, son client ne fut pas reconnu coupable de meurtre par le jury, qui ne retint que l'accusation d'homicide involontaire et le condamna à trois ans de mise à l'épreuve en liberté surveillée. Le juge prit en compte ses sept mois de détention préventive avant le procès pour alléger sa peine. C'était une belle victoire pour Brad.

— C'était serré, lui raconta ce dernier quand ils se parlèrent pour la première fois après le verdict. Le jury a délibéré pendant six jours. La mère du gamin était folle d'angoisse, complètement terrifiée. Moi aussi d'ailleurs. Impossible de prévoir de quel côté allait pencher le jury, il y avait des arguments solides à charge et à décharge... Enfin, tout est bien qui finit bien. Ils vont pouvoir fêter Thanksgiving dans la joie.

Il semblait profondément soulagé, ce que Faith comprenait aisément.

— Et toi, reprit-il, que vas-tu faire ? Vous serez en famille ?

— Les filles arrivent demain. Je suis tellement impatiente de les voir !

Ils ne seraient que tous les quatre ; les parents d'Alex étaient morts depuis longtemps, et maintenant elle n'avait plus de famille non plus.

— Et toi, demanda-t-elle, quels sont tes projets ?

Ils ne s'étaient pas parlé depuis plusieurs jours et elle était heureuse de renouer le contact. Au fil du mois précédent, elle s'était habituée à leurs conversations régulières, et il lui était devenu difficile de s'en passer. Elle avait du mal à imaginer qu'il avait été absent de sa vie pendant si longtemps. A présent, elle avait retrouvé un frère, et elle adorait parler avec lui. Ses conseils étaient toujours judicieux, et leurs échanges procuraient à Faith un véritable bien-être.

— Pamela donne un grand dîner, dit Brad, visiblement épuisé d'avance à cette perspective.

Il venait de passer quelques jours difficiles en attendant le verdict, sans parler des semaines de préparation qui avaient précédé le procès.

— Je crois qu'elle attend entre trente et quarante personnes, mais j'avoue que je ne me suis guère intéressé au sujet, ces derniers temps. Elle a invité une bonne partie de ses collègues, son père bien sûr, sa belle-mère, leurs enfants, de vieux amis... et un couple que je n'ai jamais rencontré, probablement des membres d'un conseil d'administration quelconque. Pamela adore être entourée de monde.

— Et toi ? interrogea doucement Faith.

Sa voix avait le don de l'apaiser. Elle était l'une des rares personnes au contact de qui il se sentait toujours bien. Elle possédait un côté maternel qui l'avait toujours touché, et en même temps une féminité charmante qui la faisait paraître plus jeune que son âge.

— Moi ? Je préférerais de loin rester dans l'intimité, avec quelques vrais proches. Mais Pamela serait incroyablement frustrée si elle ne pouvait pas profiter de l'événement pour organiser une soirée mondaine. Elle est comme ça… De toute façon, j'ai beaucoup de travail en retard à cause du procès.

— Tu vas travailler pendant le week-end de Thanksgiving ? Tu ne peux pas t'arrêter pour te reposer un peu ? Tu as l'air épuisé.

Il sourit à l'autre bout du fil.

— Je le suis, mais il y a d'autres gosses qui comptent sur moi. Je ne peux pas les laisser tomber sous prétexte qu'il y a des jours fériés. Il faut que je profite de ce temps libre, justement.

— Et tes fils ? Rentrent-ils à la maison ?

— Non, ils sont en Zambie, c'est trop loin. Je ne peux pas leur en vouloir. Je vais essayer d'aller les voir après le jour de l'an, si j'arrive à me libérer. Ça doit être extraordinaire, ils sont tellement heureux là-bas ! Y es-tu déjà allée ?

— Non. Alex a fait un safari avec des collègues, il y a quelques années, et j'aurais aimé y aller avec lui, mais aucune des épouses n'était invitée, alors je suis partie aux Bermudes avec les filles à la place.

— C'est un peu plus civilisé ! A quel moment allez-vous fêter Thanksgiving exactement ? interrogea-t-il en étouffant un bâillement.

Elle ne l'ennuyait pas, bien au contraire. Simplement, il était mort de fatigue, comme après tous les procès importants. Il ne rêvait que d'une chose : rentrer chez lui, prendre une douche, et se glisser dans son lit. Mais il avait d'abord tenu à lui téléphoner, pour partager sa victoire avec elle. Bizarrement, ces derniers temps, il s'inquiétait pour elle s'il n'avait pas de ses nouvelles pendant un jour ou deux.

— En général, nous faisons un grand repas au milieu de l'après-midi, vers trois heures. C'est un peu étrange, mais les filles y tiennent. Vers cinq ou six heures, on va au cinéma, ou elles rejoignent leurs amis pour sortir. Et vous ?

— Le dîner est prévu à sept heures, ce qui signifie qu'on passera à table vers huit heures. Je t'appellerai avant de partir du bureau. Tu auras sans doute terminé tes festivités, avant même que je sois rentré affronter les amis de ma femme !

A l'entendre, on eût dit qu'il se sentait étranger dans sa propre maison — ce qui, parfois, n'était pas loin d'être le cas.

— Comment se passent tes cours, à propos ? Toujours contente ?

Elle lui avait donné des nouvelles dans ses derniers e-mails, et semblait apprécier cette mise à l'épreuve.

— Très. Mais c'est terriblement stressant. Je ne me suis pas concentrée comme ça depuis des années.

Dès qu'Alex n'était pas dans les parages, elle travaillait.

— Je suis fier de toi, Fred, répéta-t-il comme il le faisait si souvent.

Et de fait, il était sincèrement fier d'elle.

Ils raccrochèrent quelques minutes plus tard. Faith s'en alla ensuite préparer les chambres des filles, qu'elle épousseta de fond en comble avant de les garnir de fleurs fraîches. Elle voulait que tout soit parfait pour les accueillir. Quand elle alla se coucher ce soir-là, elle se sentait heureuse et détendue. Elle ouvrit la bouche pour dire quelque chose à Alex, mais s'aperçut qu'il s'était endormi sur son livre ouvert, et éteignit doucement la lumière. Il paraissait si beau, si paisible quand il dormait ainsi... Elle se demanda comment il pouvait se montrer parfois si fermé, si dur envers ses filles et elle. Et soudain elle pensa à Charles Armstrong. D'un certain côté, Alex partageait sa vision des choses. Il attendait énormément de ses filles, exigeait d'elles qu'elles travaillent beaucoup, qu'elles obtiennent les meilleures notes, qu'elles réussissent... Exactement comme Charles avec Jack autrefois. Ils avaient les mêmes idées réactionnaires. Alex était aussi exigeant avec ses filles que si elles avaient été des garçons, et la traitait comme Charles traitait sa mère, c'est-à-dire comme si elle n'existait pas vraiment, comme si elle était incapable de comprendre ce qu'il faisait de ses journées, comme si elle lui était inférieure, en quelque sorte. Cette dévalorisation l'irritait déjà quand elle était enfant. Elle ne comprenait pas, à l'époque, comment sa mère pouvait laisser Charles la traiter ainsi. Et aujourd'hui, elle réalisait qu'elle avait reproduit le même modèle. Elle avait laissé Alex la rabaisser, la critiquer, la diminuer, l'ignorer même. Sa mère se serait sans aucun doute soumise à la volonté de son mari si celui-ci lui avait interdit de reprendre ses études.

En se glissant dans les draps à côté de lui, en l'écoutant ronfler doucement, elle fit le vœu solennel de ne pas se laisser faire de la même façon. Les cartes étaient en cours de redistribution.

Elle ne pouvait s'empêcher de se demander si elle avait épousé Alex parce qu'il ressemblait à Charles. Etaient-ce son silence et sa froideur, si familiers, qui l'avaient attirée ? Certes, au début de leur union, il avait réussi à dissimuler ces traits de caractère, mais elle avait dû les sentir, retrouver inconsciemment ses marques. A présent, elle était atterrée à l'idée d'être devenue comme sa mère, elle qui voulait précisément éviter à tout prix de lui ressembler.

Il y avait heureusement une différence, et de taille : sa mère avait toujours gémi et pleuré sur son sort, au point de devenir aigrie. Faith n'avait pas l'intention de tomber dans ce travers. Sa mère s'était montrée impuissante face au comportement dominateur de Charles, mais Faith ne souhaitait pas donner cet exemple à ses filles. Elle voulait au contraire incarner à leurs yeux la dignité, l'intégrité, la force de caractère, même s'il lui fallait, pour y parvenir, mener un rude combat contre Alex. M. Iceberg, comme disait Zoe...

Le pire, c'est qu'il n'était pas que cela. Il y avait en lui un fond de bonté, que Faith avait connu et aimé aux premiers temps de leur mariage. Mais au fil des années, ce foyer de chaleur humaine avait été enseveli sous des couches de glace, au point de devenir pratiquement inaccessible. Elle était la seule à en capter parfois de rares rayons...

En s'endormant ce soir-là, elle pria pour que Thanksgiving soit une belle fête. Il n'y avait pas de raison pour qu'il en fût autrement, surtout avec les filles. Auprès d'elles, elle retrouvait sa fonction, elle se sentait de nouveau utile. A la simple pensée qu'elles allaient rentrer, elle se sentait heureuse, comblée, aimée. Elle était triste qu'Alex fût incapable de lui faire éprouver un tel bonheur. Ses filles étaient vraiment sa plus grande joie.

5

Faith fut saisie de constater à quel point ses filles avaient mûri, depuis qu'elles avaient quitté la maison. Toutes deux étaient devenues de vraies jeunes femmes indépendantes. Eloise était arrivée à Londres en septembre, Zoe à Brown en août, et l'une comme l'autre avaient profondément changé durant ces quelques mois. Eloise avait à présent une allure distinguée et sophistiquée. Elle avait perdu du poids, et s'était constitué une nouvelle garde-robe dans les petites boutiques d'avant-garde londoniennes. Elle avait aussi un nouvel ami, un jeune Anglais qui travaillait avec elle chez Christie's. Malgré son bonheur de voir sa fille radieuse, Faith ressentit un pincement au cœur en réalisant que son nid était bel et bien déserté, et que plus rien ne serait jamais comme avant. Eloise parlait de rester à Londres au moins deux ou trois ans, et peut-être de trouver du travail à Paris ou à Florence par la suite. Elle adorait ce qu'elle apprenait et les gens avec qui elle travaillait. Tout allait pour le mieux dans son nouveau monde.

Quant à Zoe, elle était enchantée de sa vie à Brown, qui correspondait parfaitement à ses espérances. Elle s'était composé un cursus centré autour des beaux-arts et de l'économie. Plus tard, elle se voyait à la tête d'une galerie d'art, ou acheteuse pour de grands collectionneurs. A dix-huit ans, elle fourmillait de projets d'avenir.

Faith se délectait de leur présence. La maison s'emplissait à nouveau de rires et de bruits, les portes claquaient, les filles montaient et descendaient les escaliers... Le premier soir, elle les entendit parler dans la cuisine, jusque tard dans la nuit. Alex, lui, dormait depuis longtemps. Il avait eu une longue conversation avec Eloise dans son bureau, pendant que Faith et Zoe bavardaient de leur côté.

Faith se leva sur la pointe des pieds, et descendit sans bruit rejoindre ses filles.

— Ah, maman ! s'écria Zoe avec un sourire.

Elle était assise sur le plan de travail, et mangeait de la glace à même la boîte, tandis qu'Eloise buvait une tasse de thé, installée sur une chaise.

— C'est tellement bon de vous voir ici, mes chéries ! Cette maison est un vrai tombeau en votre absence.

Zoe lui offrit une cuiller de glace, qu'elle avala avec un sourire, avant de déposer un baiser sur les longs cheveux blonds de sa fille. Ils descendaient jusqu'à sa taille, maintenant, tandis qu'Eloise avait coupé les siens très court, ce qui lui allait à merveille.

— Quels sont vos projets pour le week-end ? demanda-t-elle en s'asseyant à côté d'Eloise.

Elle regarda sa fille aînée, si jolie, et lui adressa un sourire tendre. Elle était un tout petit peu plus grande que Zoe. Toutes deux avaient hérité de la silhouette élancée de leur père, des traits délicats de leur mère, et d'un teint de fleur. Elles s'étaient vu proposer à plusieurs reprises de devenir mannequins, mais ni l'une ni l'autre ne s'était montrée intéressée par cette possibilité, au grand soulagement de Faith qui aurait redouté de les voir tomber dans les filets d'un monde qu'elle voyait plein de dangers, de drogue et d'hommes prêts à les exploiter. Elle était bien consciente d'avoir eu beaucoup de chance avec ses deux filles.

— Je vais voir tous mes amis, déclara Zoe avec enthousiasme. Tout le monde est rentré pour le week-end.

— Moi aussi, renchérit sa sœur, j'ai des tas de gens à voir.

Même si certains de ses amis travaillaient dans d'autres villes ou poursuivaient leurs études, la plupart habitaient toujours New York. Eloise avait travaillé deux ans chez Christie's ici, avant de se faire envoyer à Londres.

— J'aimerais tant que vous puissiez rester plus longtemps, soupira Faith. C'est tellement formidable de vous avoir à la maison. Je ne sais pas quoi faire de mes journées, quand vous n'êtes pas là.

— Tu devrais trouver du travail, maman, dit Eloise, pragmatique.

Faith s'abstint de lui révéler qu'elle avait repris ses études, et qu'elle se préparait à passer le LSAT dans quelques semaines. Entre-temps, Zoe s'était lancée dans une grande conversation téléphonique avec une de ses amies, et elle n'entendait plus ce que sa mère et sa sœur disaient.

— Je le ferai peut-être un de ces jours, répondit Faith d'un ton détaché. Ton père pense que je devrais plutôt me consacrer au bénévolat ou apprendre à jouer au bridge.

— Ce serait bien aussi, déclara Eloise en buvant une gorgée de thé.

Elle ne voulait pas contredire son père, avec qui elle était systématiquement d'accord, par principe. Il en avait toujours été ainsi. Elle pensait que le soleil se levait et se couchait pour lui. Au contraire, Zoe critiquait tout ce qu'il pouvait dire ou faire. Elle avait l'impression qu'il ne s'était jamais occupé d'elle, alors qu'aux yeux d'Eloise il était un père parfait. L'aînée était plus critique à l'égard de sa mère, et s'était violemment opposée à elle durant son adolescence, alors que Zoe avait toujours été facile avec Faith. En dépit de leur ressemblance physique flagrante, les deux filles avaient des personnalités et des points de vue totalement différents.

Toutes trois restèrent dans la cuisine pendant une bonne heure, bavardant de tout et de rien, puis Faith mit les assiettes dans l'évier, éteignit la lumière, et elles montèrent à l'étage pour regagner leurs chambres respectives. Faith se glissa dans le lit à côté d'Alex, et, cette nuit-là, elle dormit comme un bébé, heureuse de savoir ses enfants près d'elle. Le lendemain matin, elle se leva à l'aube pour préparer la sauce, enfourner la dinde et finir tous les préparatifs avant que les autres ne se réveillent.

Ils prirent un petit déjeuner tardif et lurent les journaux en pyjama, tandis que Faith surveillait la dinde et mettait la table dans la salle à manger. Zoe proposa son aide, pendant qu'Eloise bavardait avec son père. L'atmosphère était chaleureuse et détendue, et tous savouraient ces moments précieux. Même Alex semblait heureux de passer du temps avec sa famille. Midi avait largement sonné quand ils montèrent s'habiller. Habituellement, le jour de Thanksgiving, ils se retrouvaient au salon vers deux heures, pour passer à table à trois.

Quand les filles descendirent, habillées et maquillées, aussi jolies l'une que l'autre, elles vinrent s'asseoir sur le canapé du salon à côté de leur père, qui regardait un match de football. Eloise était une grande supportrice de ce sport. Elle raconta à Alex qu'elle était allée voir quelques matches de rugby avec des amis, mais qu'elle n'avait pas apprécié le jeu de la même façon. Ensuite, Zoe aida sa mère à la cuisine, et à trois heures les bougies étaient allumées, la table magnifiquement dressée, et ils étaient tous prêts à déjeuner. Ils avaient l'habitude de faire un seul repas ce jour-là, se contentant d'avaler quelques restes le soir avant d'aller se coucher, tant le menu préparé par Faith était copieux. Elle faisait toujours les choses en grand, respectant parfaitement la tradition, et lorsqu'elle apporta la dinde dorée à point, accompagnée d'un assortiment de patates douces, d'épinards, de petits pois, de purée de pomme de terre et de marrons, le tout accompagné d'une sauce aux baies, la table prit des allures de photo de magazine. Pour tous, c'était le plus beau repas de l'année.

Faith dit le bénédicité comme elle le faisait toujours, Alex découpa la dinde, et la conversation fut gaie et animée. Une seule chose attristait Faith : le souvenir de ces mêmes moments partagés avec Jack, sa femme, leur mère et Charles. Il était étrange de penser qu'ils étaient tous partis, et que son mari et ses enfants constituaient à présent sa seule famille… Elle s'efforça de chasser ces sombres pensées en prenant part à la conversation. Ils abordèrent toutes sortes de sujets, de l'économie à la politique en passant par les études. Et ils avaient déjà commencé le dessert quand Alex regarda Faith et annonça à ses filles avec une pointe de dérision que leur mère avait envisagé de retourner à l'université. Il en parlait comme d'un projet absurde.

— Heureusement, elle est revenue à la raison, conclut-il. J'ai réussi à lui faire admettre qu'elle était un peu vieille pour retourner à la fac ! Sinon, l'année prochaine, nous aurions mangé des sandwiches pour Thanksgiving pendant qu'elle aurait révisé ses examens !

Eloise éclata de rire, tandis que Faith gardait le silence, blessée. Zoe fusilla son père du regard. C'était typiquement le genre d'attitude qu'elle détestait chez lui. Elle ne supportait pas qu'il rabaisse sa mère, et il ne se privait pas pour le faire.

— Je ne trouve pas que ce soit une idée stupide, papa, déclara-t-elle en le regardant droit dans les yeux.

Elle avait envie d'aller prendre sa mère dans ses bras, de la protéger de lui. Elle ne connaissait que trop l'effet dévastateur du comportement hautain de son père, dont elle aussi avait fait les frais bien souvent.

— Je pense même que c'est une très bonne idée.

Elle se tourna vers sa mère, qui semblait mal à l'aise.

— J'espère que tu n'as pas renoncé, maman ?

Elles en avaient parlé toutes les deux plusieurs fois, et elle voulait que son père sache qu'elle approuvait ce projet. Il paraissait irrité, mais elle n'en avait cure. Elle n'avait pas peur de lui.

— On verra, ma chérie, intervint Faith, conciliante. Papa pense que je ne serais plus assez disponible si je reprends des études. Je ne suis pas de cet avis, mais nous en reparlerons une autre fois.

Elle espérait qu'ils changeraient de sujet, mais Alex la fixait durement, de l'autre bout de la table.

— Il n'y a rien à dire de plus, Faith. Nous avons résolu la question. Je pensais que nous étions d'accord.

Elle ne savait pas quoi répondre. Elle ne voulait ni lui mentir, ni entrer en conflit avec lui le jour de Thanksgiving, justement quand les filles étaient à la maison. Et elle n'était pas prête à lui avouer qu'elle prenait déjà des cours de remise à niveau. Ce n'était ni le lieu, ni le moment. Hélas, il semblait vouloir discuter du sujet en présence de ses filles, pour bien leur montrer qu'il avait le dernier mot...

Elle n'eut pas le loisir de calmer le jeu, car Zoe saisit la balle au bond, avant qu'elle ait pu ouvrir la bouche.

— Je pense que maman devrait retourner à la fac de droit. Elle n'a rien d'autre à faire de ses journées que rester assise à t'attendre, papa. Ce n'est pas une vie pour elle. Et tu voyages beaucoup, de toute façon. Pourquoi ne deviendrait-elle pas avocate si c'est ce qu'elle souhaite ?

Faith était touchée de la voir prendre sa défense, mais elle aurait préféré abandonner le sujet avant que la conversation ne vire à la franche dispute, ce qui ne manquerait pas d'arriver...

— Votre mère est trop vieille pour devenir avocate, décréta Alex avec obstination. Et elle a déjà un travail, une mission à plein temps : elle est ma femme. Ça devrait lui suffire, et je crois qu'elle le sait très bien.

Son regard sévère se posa successivement sur Zoe, puis sur Faith, tandis qu'Eloise fixait son assiette, préférant rester en dehors de la discussion. Elle estimait que sa mère aurait dû chercher un emploi à temps partiel, ou faire du bénévolat. Les études de droit lui semblaient un peu trop exigeantes, à elle aussi.

— Alex, je préférerais que nous parlions de tout ça après le départ des filles, dit Faith d'un ton blessé.

Elle ne voulait pas gâcher le peu de temps qu'ils pouvaient passer tous ensemble, surtout le jour de Thanksgiving. Mais il la regardait toujours avec la même dureté, et sa voix était glaciale lorsqu'il répliqua :

— Le sujet est clos, Faith. Ton idée est ridicule, et tu le sais très bien. Je n'en ai parlé aux filles que pour les faire rire.

A ces mots, Faith se sentit si humiliée qu'elle ne put s'empêcher de lui renvoyer la balle, dans un élan de colère.

— Ce n'est pas ridicule, Alex. C'est une idée très sérieuse, et je n'ai pas l'intention de l'abandonner.

Alex demeura stupéfait, et Eloise se sentit encore plus mal à l'aise. Elle détestait que ses parents se disputent. Zoe, elle, partageait la colère de sa mère, et elle semblait sur le point d'exploser. Voyant cela, Eloise se décida à intervenir.

— Je crois que ce serait beaucoup de travail pour toi, maman. Mes amis qui sont en fac de droit détestent ça, ils sont débordés de travail et ont tous du mal à suivre. Papa a raison, si tu te lances dans des études pareilles, tu auras beaucoup de mal à trouver du temps pour lui.

L'argument lui paraissait raisonnable, mais il mit Zoe hors d'elle.

— Eh bien peut-être que papa pourrait faire un sacrifice pour maman, exceptionnellement ! s'écria-t-elle en regardant sa sœur, puis son père.

Faith était horrifiée par la tournure que prenait leur repas de fête. Elle lança à Zoe un regard empreint de reconnaissance, avant d'essayer de limiter la catastrophe.

— Je crois que papa et moi devons régler ce problème entre nous, et que ce n'est pas le moment. Mais merci, ma chérie, ajouta-t-elle.

Bien que révoltée par la façon dont Alex s'était adressé à elle, elle tenait comme toujours à apaiser les choses.

— Le problème est réglé, répéta-t-il, borné. Nous en avons déjà discuté.

— Tu aurais pu éviter d'en parler aujourd'hui, répondit Faith. Et non, il n'est pas réglé. Je me suis inscrite à des cours de remise à niveau à l'Université de New York. Je commence en janvier.

Elle s'abstint d'ajouter qu'elle s'apprêtait à passer le LSAT — elle regrettait déjà d'en avoir trop dit... Elle ne voulait pas se battre avec Alex le jour de Thanksgiving, devant leurs filles, mais il s'était montré tellement condescendant et méprisant à son égard qu'elle n'avait pu résister au besoin de lui faire comprendre qu'il ne décidait pas de tout.

Elle regretta tout à fait son aveu quand il abattit son poing sur la table, faisant dangereusement tinter les verres et l'argenterie. Les filles sursautèrent, saisies par

106

tant de violence, et Faith aussi… Qu'elle l'eût voulu ou non, la guerre avait bel et bien recommencé, une guerre de pouvoir qu'Alex n'entendait pas perdre.

— Annule immédiatement cette inscription, Faith. Appelle l'université. Ça n'a aucun sens. Tu n'iras pas à la fac, un point c'est tout. Je ne le tolérerai pas.

Elle voulait seulement suivre des cours pour se préparer à rentrer à l'école d'avocats à l'automne, se réhabituer au rythme des études…

— De quel droit dis-tu des choses pareilles ? hurla Zoe.

Son père se leva, hors de lui.

— Et toi, de quel droit me parles-tu sur ce ton ?

Les yeux de Faith se remplirent de larmes. Elle n'avait pas voulu cela… Au contraire, elle s'était arrangée pour que tout soit parfait pendant la visite de ses filles. Et maintenant, ils se disputaient à cause d'elle. Tout était sa faute.

— Zoe, s'il te plaît ! implora-t-elle gentiment. Calme-toi.

Mais Alex était ivre de rage, comme toujours lorsqu'il se disputait avec sa fille. Zoe s'était montrée très critique à son égard dès son plus jeune âge. Mais cette fois, elle avait exprimé son désaccord plus fort que jamais. Elle ne pouvait supporter la façon dont il parlait à sa mère, et elle éprouvait le besoin d'aider celle-ci à se défendre.

— Non, maman, répondit-elle, les yeux embués elle aussi, je ne me calmerai pas. Je ne sais pas comment tu peux le laisser te parler comme ça. Ça me rend malade. Et si tu ne lui dis pas d'arrêter, c'est moi qui vais le faire.

Sur ce, elle se tourna vers son père, tremblante de rage.

— Tu n'as vraiment aucun respect pour elle, tu n'en as jamais eu. Comment peux-tu la traiter de cette façon ? Tu ne peux pas la considérer comme un être humain, après tout ce qu'elle a fait pour toi et pour nous tous ? Combien de temps devra-t-elle attendre, avant que tu la respectes enfin ? Et si elle veut aller à l'école d'avocats, au nom de quoi veux-tu l'en empêcher ? Franchement, moi, je préférerais manger du pain sec l'année prochaine et savoir qu'elle est heureuse.

Faith eût donné n'importe quoi pour avoir une baguette magique et faire cesser le massacre, mais déjà Eloise prenait la parole à son tour, avec un air supérieur et courroucé.

— Il faut toujours que tu gâches tout ! lança-t-elle à sa sœur. Tu ne peux pas t'empêcher de provoquer papa.

— Au nom du ciel, regarde un peu comment il se comporte envers notre mère ! Ça ne te pose pas de problème ? Tu crois vraiment qu'elle mérite ça ? Papa n'est pas un saint, tu sais, c'est juste un homme, et il traite maman comme un animal !

— Ça suffit ! cria Faith.

Leur repas se terminait de façon abominable et aucun d'eux ne l'oublierait jamais, tout ça parce que Alex avait parlé du désir de Faith de reprendre ses études. Elle s'en voulait de lui avoir répondu, entretenant un conflit que les filles avaient ensuite repris à leur compte. Elle aurait dû faire attention, et se maudissait d'être à l'origine d'une situation qui attristait tout le monde. Mais il était trop tard…

Alex se leva sans un mot, quitta la pièce et alla s'enfermer dans son bureau.

— Bravo ! Regardez ce que vous avez fait ! cria Eloise à sa mère et à sa sœur. Vous avez gâché la journée de papa.

— N'importe quoi ! s'exclama Zoe à son tour. Tu lui trouves toujours des excuses, mais je te signale que c'est lui qui a commencé. C'est lui qui a humilié maman devant tout le monde. Est-ce que tu t'es demandé si ça ne lui gâchait pas sa journée à elle ?

— Tu n'aurais pas dû lui dire que tu t'étais inscrite, reprocha Eloise à Faith. Tu savais bien que ça le mettrait en colère. Pourquoi as-tu fait ça ?

Elle aussi était en larmes à présent...

— Parce que j'étais blessée, s'excusa Faith d'une voix faible.

Elle ne désirait plus qu'une chose : que ses filles se calment. Les voir se disputer lui était plus pénible que tout, surtout si c'était à cause d'elle. Dans ces cas-là, elle se sentait toujours coupable.

— J'aurais dû le lui dire à un moment ou à un autre, de toute façon. A moins que je choisisse de ne pas continuer. Je n'ai pas encore pris ma décision.

Elle avait quelques semaines pour renoncer à suivre les cours de mise à niveau.

— Tu dois t'accrocher, maman. Je ne te le pardonnerai pas, si tu arrêtes maintenant. Je sais que tu en as vraiment envie, et tu as autant le droit de faire ce que tu veux que papa, Ellie ou moi.

— Pas si ça met ton père dans un tel état, et si ça crée autant de tensions entre vous deux, répondit Faith tristement.

Elle était désespérée. Pourquoi un projet qui lui paraissait si enthousiasmant devait-il coûter autant à son entourage ?

— Il s'en remettra, dit Zoe en jetant un regard noir à sa sœur.

Elle détestait cette habitude qu'avait Eloise de se ranger systématiquement du côté de leur père, même quand il avait tort. Elle le défendait toujours, quoi qu'il pût dire ou faire.

— Maman aussi a le droit d'avoir une vie, lança-t-elle à sa sœur alors que celle-ci quittait le salon.

Sans aucun doute, elle allait consoler leur père.

Faith entreprit de débarrasser la table. De grosses larmes roulaient sur ses joues.

— Je déteste quand vous vous disputez toutes les deux, dit-elle d'une voix désespérée.

Zoe passa un bras autour de ses épaules et la serra contre elle.

— Et moi, je déteste quand papa te traite comme un chien, maman. Et il le fait tout le temps, comme si ça lui faisait plaisir de te torturer devant nous.

— Il ne me torture pas, objecta Faith en posant les assiettes pour prendre Zoe dans ses bras à son tour. Il est comme ça... Je te remercie de m'avoir soutenue. Mais si tout le monde doit se mettre dans des états pareils, c'est que ce n'est pas une si bonne idée.

Elle pardonnait à Alex plus facilement que Zoe, qui éprouvait le besoin impétueux de régler ses comptes avec son père. Il lui faudrait sans doute toute sa vie pour apprendre à l'accepter tel qu'il était... Il s'était montré trop dur avec elle pendant trop longtemps.

— Il est tellement froid et arrogant ! Et il n'a aucune considération, aucun respect pour les autres !

— Et toi tu n'es qu'une imbécile ! intervint Eloise qui revenait déjà, son père lui ayant signifié qu'il préférait rester seul.

— Ça suffit ! cria Faith. Je ne veux plus entendre un mot.

Elle rassembla les dernières assiettes et quitta la salle à manger.

Tandis qu'Eloise montait dans sa chambre pour téléphoner à ses amis, Zoe suivit sa mère à la cuisine. Le visage de Faith trahissait son chagrin. Ce qui aurait dû être l'un des plus beaux jours de l'année s'achevait de façon apocalyptique...

— Maman, je suis désolée. Je devais rejoindre des amis, mais je ne veux pas te laisser maintenant...

Il était déjà presque six heures.

— Ça va aller, ma chérie. De toute façon, je pense qu'il vaut mieux ne pas reparler de tout ça ce soir. Ça ira mieux demain.

— Il n'aura pas changé demain, maman. Il est comme ça.

— Il reste néanmoins ton père, et même si tu n'es pas d'accord avec lui, tu lui dois le respect.

— Il ne le mérite pas, rétorqua Zoe, campant sur ses positions.

Elle avait des principes et entendait s'y tenir. Pour l'instant, la seule personne envers qui elle éprouvait du respect était Faith. Son père avait perdu sa considération depuis longtemps.

Elle embrassa sa mère, s'habilla et sortit. Quelques minutes plus tard, Eloise descendait à son tour avec son sac et son manteau. Elle avait donné rendez-vous à ses amis, et était pressée de quitter l'atmosphère explosive de la maison pour aller les rejoindre.

— Je suis désolée que les choses aient pris cette tournure, lui dit Faith avec tristesse.

Elle s'était donné tant de mal pour que tout soit parfait... Jamais elle n'aurait pensé être au centre d'une telle polémique.

— Ça ne fait rien, maman, dit Eloise sans conviction.

Elle semblait encore tendue... Ils l'étaient tous.

— Je n'aurais pas dû répondre comme ça à ton père, s'excusa Faith.

Elle s'abstint de dire, comme Zoe l'eût fait à sa place, qu'il n'aurait pas dû la provoquer. Qu'Eloise l'admît ou non, il l'avait bel et bien humiliée à dessein.

— Ça va s'arranger, conclut Faith.

— Oui… J'espère que tu abandonneras cette idée de retourner à l'université, maman. Ça déplaît tellement à papa…

« Et moi, dans tout ça ? voulut crier Faith. Quel genre de vie vais-je avoir, si je renonce à mon projet ? »

— Nous réglerons le problème, ne t'inquiète pas. Va retrouver tes amis et amuse-toi. A quelle heure penses-tu rentrer ?

— Je ne sais pas, dit Eloise. Tard, sans doute. Ne m'attends pas.

Elle avait vingt-quatre ans, vivait seule dans son propre appartement à Londres, et n'avait plus l'habitude de rendre des comptes à sa mère.

— Je voulais seulement savoir à partir de quelle heure je devais commencer à me faire du souci, répondit Faith en souriant. Parfois j'oublie quel âge tu as.

— Va te coucher tranquille, conclut Eloise.

Zoe avait annoncé qu'elle rentrerait vers dix heures, et Faith n'aimait pas les savoir toutes les deux dehors le soir. Elles étaient jolies, insouciantes, et plus vulnérables qu'elles ne l'imaginaient.

Après le départ d'Eloise, Faith passa une bonne heure à débarrasser la table et à tout ranger. A sept heures, les restes étaient soigneusement mis de côté, la cuisine était impeccable, la table de la salle à manger avait repris son aspect quotidien, et le lave-vaisselle tournait à plein. Elle éteignit la lumière et alla frapper à la porte du bureau d'Alex. Elle n'obtint pas de réponse ; au bout d'un moment, elle ouvrit doucement la porte.

Il était assis dans un fauteuil, plongé dans un livre, et il leva vers elle un regard courroucé.

— Est-ce que je peux entrer ?

Elle se tenait sur le seuil, respectueuse de son intimité.

— Pour quoi faire ? Il n'y a rien à dire.

112

— Je crois que si. Je suis désolée que les choses aient pris une telle tournure, mais j'ai été blessée par ce que tu as dit.

— Tu étais d'accord pour abandonner cette idée stupide de reprendre des études, Faith. Tu es revenue sur ta parole. Sache que ça ne sert à rien que tu continues à prendre des cours de mise à niveau. Je suppose que ce sont des cours de droit ?

Elle acquiesça et il la regarda avec une colère froide mêlée de dédain. Elle avait l'impression que les hommes l'avaient regardée ainsi toute sa vie... Mais à présent, elle n'entendait plus se laisser faire.

— Nous ne nous sommes jamais mis d'accord. Tu m'as donné un ordre, c'est différent.

Et elle alla s'asseoir dans un fauteuil face à lui. La pièce était petite mais confortable et chaleureuse, avec ses boiseries, son canapé de cuir, et ses deux gros fauteuils club de part et d'autre de la cheminée. L'hiver, Alex allumait souvent un feu, mais pas aujourd'hui. Il n'était pas d'humeur à cela.

— Alex, j'ai besoin de donner un sens à ma vie. C'est important pour moi d'avoir un projet, un but, maintenant que les filles sont parties.

Elle espérait lui faire comprendre qu'il s'agissait de quelque chose de vital pour elle.

— Ta vie a déjà un sens, objecta-t-il. Tu es mariée avec moi. Tu es ma femme.

— J'ai besoin d'autre chose, Alex. Tu es très occupé. Tu as ta propre vie en dehors de la maison. Moi pas.

— C'est un triste constat pour notre vie de couple, dit-il d'un ton amer.

Faith soupira. Elle avait l'impression désagréable que ses arguments n'étaient que des bouteilles jetées à la mer.

— Peut-être, dit-elle doucement. Mais c'est un constat encore plus triste en ce qui concerne ma propre vie. J'ai besoin d'un but, d'une raison de vivre. Regardons les choses en face, j'ai été mère à plein temps pendant vingt-quatre ans, et je me retrouve sans emploi. C'est difficile pour moi.

— C'est la vie. Toutes les femmes passent par là quand leurs enfants partent faire leurs études.

— Mais nombre d'entre elles ont des métiers, des carrières ! Moi aussi j'ai le droit de me consacrer à quelque chose d'enrichissant. Je peux te promettre que je ferai tout pour que tu n'aies pas à en souffrir.

Elle avait beau plaider sa cause, il demeurait de marbre.

— Ça va vraiment mal se passer entre nous si tu t'accroches à cette idée grotesque, Faith.

— Ne me menace pas, Alex. C'est déloyal. Moi, je ne me permettrais jamais de te faire une chose pareille. Si tu avais un projet qui te tenait à cœur, quel qu'il fût, j'essaierais de te soutenir de mon mieux.

— Parfait. Alors sache qu'il est important pour moi que tu ne recommences pas à faire des études.

Il fallait se rendre à l'évidence, ils étaient dans une impasse, et Faith ignorait comment ils pourraient s'en sortir, ou comment elle pourrait obtenir ce qu'elle désirait. Pourtant, elle ne voulait pas renoncer. L'affaire avait pris de telles proportions, tout à coup, l'enjeu était tel... Ce n'était même plus une histoire d'études, c'était une question de respect, d'amour-propre, d'estime de soi. Et elle aspirait profondément à une nouvelle vie, tandis qu'Alex préférait se cantonner au confort familier de leur routine actuelle.

— Je crois qu'il vaut mieux arrêter d'en parler pour l'instant, conclut-elle, acculée.

Elle en était réduite à espérer qu'il finirait par céder avec le temps, quand il se serait habitué à l'idée.

— Je n'ai pas l'intention d'en reparler du tout, répliqua-t-il. Fais ce que tu veux, je suppose que tu le feras de toute façon, mais n'attends de moi aucun soutien. Que ce soit bien clair : je suis opposé à cent pour cent à ce que tu reprennes des études. Si tu le fais, ce sera à tes risques et périls.

Faith sentit son sang se glacer dans ses veines.

— Qu'est-ce que tu veux dire par là exactement ?

Comme Alex l'avait espéré, sa menace avait atteint son but : elle était effrayée, soudain.

— Tu m'as très bien compris.

Elle se demanda s'il allait la punir d'une manière ou d'une autre, si elle persistait dans son intention. Mais au plus profond de son cœur, elle savait que le jeu en valait la chandelle. Elle devait aller jusqu'au bout, quel que fût le prix à payer. Pour la première fois de sa vie, elle s'apprêtait à faire quelque chose pour elle-même.

— Est-ce que tu veux monter ? demanda-t-elle gentiment.

Après tout, il avait cédé, même si c'était de mauvaise grâce et en proférant d'odieuses menaces. Peut-être était-ce le mieux qu'il pût faire ? En tout cas, elle estimait que c'était déjà bien.

— Non, répondit-il sèchement en reprenant sa lecture.

C'était une manière à peine déguisée de la mettre à la porte. Tout au long de leur vie, il n'avait cessé de la mettre à la porte.

Elle se leva silencieusement et effleura son épaule en passant à côté de lui. Il ne réagit pas, et elle éprouva la désagréable sensation d'avoir touché une statue.

Un peu découragée, elle monta prendre un bain, puis s'installa dans son petit bureau pour attendre le retour de Zoe. Elle vérifia ses e-mails à tout hasard, mais Brad n'avait pas écrit. Elle fit alors le bilan de cette journée de Thanksgiving ; même si elle avait été éprouvante, elle lui avait permis de remporter une bataille décisive. Le prix en serait sans doute élevé, mais Alex lui avait dit de faire ce qu'elle voulait. Dans le silence de la maison, elle savourait cette victoire. Pour une fois, elle avait exprimé sa volonté et tenu bon pour obtenir gain de cause. Une nouvelle vie allait commencer. Le monde s'ouvrait à elle.

6

Le jour de Thanksgiving, Brad resta à son bureau jusqu'à cinq heures du soir. Les garçons étaient en Afrique, et Pam l'avait prévenu qu'elle jouerait au golf tout l'après-midi. Ils attendaient leurs amis à six heures, et ne passeraient pas à table avant sept ou huit heures. Pamela avait invité quarante personnes, qu'il ne connaissait pas pour la plupart. Il n'avait même pas pris la peine de protester. Pam faisait ce qu'elle voulait. Râler ne servait à rien : elle trouvait toujours mille arguments pour le convaincre. Ou plutôt, il finissait toujours par céder, par lassitude, et elle avait le dernier mot. Il préférait garder son énergie pour des choses plus importantes. Son travail, par exemple.

Il classa une foule de papiers et rattrapa une bonne partie du retard qu'il avait pris dans ses dossiers. Puis, dans un élan sentimental, il écrivit une longue lettre à ses fils, leur disant à quel point il était fier d'eux. Il admirait profondément leur décision de passer un an en Afrique. Ils travaillaient sur un projet de réserve destinée aux animaux blessés ou en difficulté dans le milieu sauvage. Et pendant leur temps libre, ils faisaient du bénévolat à l'église du village. Dylan donnait des cours d'alphabétisation à des enfants et à leurs parents, et Jason creusait des tranchées pour un nouveau système d'égout. Jusqu'ici, leurs lettres décrivaient tout ce qu'ils faisaient et voyaient avec un enthousiasme sans faille. Ils vivaient une expérience inoubliable. Ils avaient prévu de rester sur place jusqu'au mois de juillet, et il s'était promis, tout comme Pam, de dégager un peu de temps d'ici là pour leur rendre visite une semaine ou deux. Hélas jusqu'ici, il n'y était pas parvenu. Pamela non plus, d'ailleurs, mais elle était beaucoup moins emballée que lui par la perspective de se rendre en Afrique. Elle redoutait les maladies, les accidents, et tous les problèmes qui pouvaient ponctuer un tel voyage. Pour elle, partir à l'aventure se résumait à prendre l'avion pour Los Angeles. Brad et elle avaient pourtant voyagé plusieurs fois, au fil des années, mais ils avaient toujours évité les destinations exotiques, leur préférant l'Europe ou différents endroits des Etats-Unis. Ils logeaient dans des hôtels de luxe et prenaient leurs repas dans les meilleurs restaurants. Pam adorait se prélasser dans les centres de thalassothérapie, ou jouer au golf avec des associés ou des clients potentiels. Presque tout ce qu'elle faisait avait pour but d'assurer son ascension sociale ou professionnelle. Elle n'agissait jamais sur une impulsion, ou simplement pour le plaisir — tout était savamment orchestré. Brad, au contraire, n'avait aucune ambition particulière, et il n'éprouvait pas le besoin de voir couler l'argent à flots. Son travail était sa seule passion, rien d'autre ne l'intéressait vraiment. Pamela se moquait parfois de lui à ce propos, et avait essayé de lui enseigner les règles de la promotion sociale et du succès. Mais, à son grand désespoir, il ne s'était jamais beaucoup intéressé à ses leçons. Et depuis qu'il avait quitté le cabinet familial pour s'installer à son compte, elle avait complètement renoncé à le faire changer. La plupart du temps — presque tout le temps, en réalité —, chacun s'occupait de ses affaires, et Brad ne s'en portait que mieux.

L'énergie que Pamela déployait pour entretenir ses relations professionnelles et mondaines l'épuisait. Il se fichait éperdument de son image, de paraître dans les journaux ou d'impressionner les gens que fréquentait sa femme.

Brad cacheta la lettre qu'il venait d'écrire à ses fils, après leur avoir dit qu'il les aimait plus que tout au monde. Ils ne l'avaient appelé que deux ou trois fois, au cours des quatre derniers mois. Il n'y avait pas de téléphone dans la réserve, seulement des radios reliées aux fermes les plus proches et à la petite ville voisine. Pour contacter leurs parents, ils devaient aller en ville et faire la queue pendant des heures à la poste pour obtenir une ligne de téléphone. Brad avait l'impression qu'ils se trouvaient sur une autre planète... Mais ils écrivaient tout de même de temps en temps, et lui aussi. Pam, de son côté, préférait leur envoyer des paquets de vitamines et de produits antimoustiques qu'elle faisait acheter par sa secrétaire. Mais jusqu'à présent, les garçons n'avaient reçu que deux paquets, tous les autres avaient été volés ou perdus. Quelque part en Zambie, il y avait des employés de la poste ou des douaniers qui dévoraient les vitamines de Pamela et s'aspergeaient de son antimoustiques ! L'idée faisait sourire Brad. Pour lui, l'essentiel était que ses fils aillent bien.

Il envisagea d'appeler Faith avant de quitter le bureau, mais quand il jeta un coup d'œil à sa montre, il constata que les invités de sa femme étaient déjà probablement sur le point d'arriver. Il était tellement heureux d'avoir retrouvé Faith ! Elle symbolisait une part importante de son enfance, de son histoire, le souvenir d'une époque de bonheur. Après le lycée, les choses s'étaient compliquées pour lui. Ses parents avaient divorcé et il avait l'impression que les déchirements de la séparation les avaient tués tous les deux. Après avoir ruminé son ressentiment envers son père, sa mère était morte d'un cancer du sein à quarante-trois ans. Deux ans plus tard, son ex-mari avait succombé à une crise cardiaque. Entre-temps, ils étaient devenus amers, uniquement intéressés par le mal qu'ils pouvaient se faire l'un à l'autre. Son père avait refusé d'assister aux obsèques de sa mère, comme s'il voulait la blesser une dernière fois, alors qu'il n'avait fait qu'affliger son fils. A cette époque, Brad s'était juré de ne jamais se marier, et quand il avait rencontré Pamela, elle avait eu toutes les peines du monde à le convaincre de l'épouser. Quand elle y était enfin parvenue, au moyen d'un ultimatum radical, il l'avait prévenue qu'il n'accepterait jamais de divorcer. Il ne voulait pas que ses enfants connaissent le même calvaire que lui en voyant leurs parents se livrer une guerre sans merci. Quand il s'était engagé à demeurer auprès de Pam « pour le meilleur et pour le pire », il avait mesuré le poids de chacun de ces mots. Il savait que, quoi qu'il pût arriver, il était marié avec elle pour la vie.

Cette détermination l'avait rendu philosophe quand ils avaient commencé à s'éloigner l'un de l'autre et qu'il s'était mis à ressentir une désillusion croissante. Il savait qu'il la décevait tout autant. A ses yeux, il n'était pas assez ambitieux, ne s'intéressait pas aux mêmes choses. A l'époque où les garçons avaient quitté le lycée, il y avait déjà longtemps qu'ils ne partageaient plus aucun centre d'intérêt et qu'ils n'avaient plus beaucoup d'amis en commun. Les valeurs de Brad étaient radicalement différentes de celles de Pam, et seule la joie que leur apportaient leurs fils les réunissait encore.

Brad éteignit les lumières du bureau et regagna la Jeep qu'il prenait pour son travail. Il avait aussi une Mercedes, mais elle dormait dans son garage, car il ne l'utilisait plus guère. Il eût été déplacé pour un avocat commis d'office, qui assurait le plus souvent bénévolement la défense de gamins sans ressources, accusés de crimes violents, de s'afficher avec un tel véhicule. La Mercedes l'embarrassait, et il songeait même à la vendre. Pam, en revanche, venait de s'acheter une Rolls. Cette différence d'attitude par rapport aux voitures lui semblait emblématique de ce qui les opposait par ailleurs.

Il savait pertinemment qu'il n'était pas heureux avec sa femme. Et il n'avait jamais eu d'illusions sur l'issue de leur union. Mais il était déterminé à accepter le statu quo, tout comme Pam, d'ailleurs. Il se doutait qu'elle avait eu quelques aventures, et lui-même avait entretenu, pendant deux ans, une liaison avec une secrétaire mariée. Mais cette dernière avait fini par quitter son époux et exiger de Brad un engagement plus significatif. Or, il avait toujours été clair là-dessus : il n'était pas question qu'il divorce. D'un commun accord, ils avaient fini par se séparer et elle avait démissionné, pour finir par épouser quelqu'un d'autre par la suite. Brad, de son côté, n'avait plus jamais eu de relations extraconjugales, et cette histoire remontait à trois ans. S'il avait pris le temps de se pencher sur sa situation, il se serait sans doute senti un peu seul. Mais il limitait au maximum l'introspection. Il acceptait simplement sa situation telle qu'elle était, tout entier absorbé par son travail.

Au cours des deux derniers mois, cependant, ses discussions avec Faith avaient donné une nouvelle dimension à sa vie. Ce qu'il éprouvait pour elle n'avait rien à voir avec un quelconque désir amoureux. Elle était bien trop sacrée à ses yeux, et il tenait bien trop à leur amitié. Mais elle semblait le comprendre parfaitement, partageait bon nombre de ses opinions, et sa propre solitude lui donnait le droit de lui dire certaines choses qu'il n'aurait acceptées de personnes d'autre. Il la chérissait comme une petite sœur, et ce lien particulier leur donnait une complicité intense, tout en demeurant parfaitement chaste. Ce sentiment qu'il éprouvait pour elle lui réchauffait le cœur. Par ailleurs, il adorait l'aider, se sentir présent à ses côtés. Il était déterminé à faire tout ce qu'il pourrait pour l'encourager à reprendre ses études, et espérait profondément qu'elle irait au bout de son rêve. Il avait l'impression de lui être utile, et cela le réjouissait. Elle était son amie, dans tous les sens du terme.

Quand il s'engagea dans l'allée, il était un peu plus de dix-huit heures trente. Il avait prévu de rentrer pour dix-sept heures afin de se changer avant l'arrivée des invités, mais son rangement lui avait pris plus de temps que prévu. Il haussa les épaules : après tout, il ne lui faudrait que quelques minutes pour se doucher et se changer...

Mais quand il pénétra dans la maison, il se figea : la plupart des invités étaient déjà là, et par malchance, ils se tenaient dans le hall d'entrée, en smoking. Avec son jean et son sweat-shirt, il détonnait terriblement, et dès que Pam lui eut présenté une douzaine de personnes qu'il n'avait jamais vues, il s'éclipsa dans leur chambre. Ils partageaient encore le même lit, bien qu'ils n'eussent pas fait l'amour depuis au moins cinq ans. Il avait appris à s'en accommoder, et à oublier ses besoins sexuels au profit d'autres exaltations.

Pour l'heure, il devait s'adapter à la situation : tous les invités étaient en smoking. Pour Brad, Thanksgiving était synonyme de grandes tablées et de soirées au coin du feu, en famille ou avec des amis intimes. Pour lui, cette fête n'avait de sens que si elle était partagée avec des proches, de très bons amis, et non pas avec des étrangers en smoking et robe longue, buvant du champagne d'un air guindé. Mais il avait promis à Pam de jouer le jeu, par conséquent il se devait au moins d'essayer... La plupart du temps, il évitait les réunions mondaines où se rendait son épouse, soit intentionnellement, soit parce qu'il avait réellement trop de travail. Aussi s'imposait-il d'être présent pour les occasions que Pam jugeait importantes : Thanksgiving, la soirée qu'elle donnait toujours juste avant Noël, l'ouverture de la saison d'opéra, et le gala de charité annuel de l'orchestre symphonique — si personne d'autre n'acceptait de l'y accompagner. Bien sûr, il l'encourageait toujours à essayer de se trouver un cavalier...

Une demi-heure plus tard, il avait rejoint les invités au salon. Très élégant dans son smoking, il avait une allure incontestable, mais quiconque le connaissait bien aurait pu aisément deviner qu'il s'ennuyait à mourir. Son beau-père l'entretenait de deux nouveaux clients que la société venait de décrocher, deux grosses entreprises. Une belle performance pour Pam, disait-il. Il était extrêmement fier de sa fille. Elle lui devait tout, son sens des affaires, ses connaissances juridiques, ses valeurs, son ambition, sa capacité à obtenir ce qu'elle voulait en toutes circonstances ou presque, à tort ou à raison. Pam n'était pas une femme à qui il était facile de dire non, ou qui acceptait qu'on déclinât ses propositions. Elle était la personne la plus déterminée que Brad eût jamais connue. Il avait appris à éviter, autant que possible, tout conflit avec elle, et le reste du temps il s'efforçait de ne pas se laisser piétiner par ses assauts. C'était à ce prix que leur couple avait survécu si longtemps. Certes, leur amour n'avait pas résisté à leurs différences fondamentales, mais même si entre eux les sentiments étaient morts depuis longtemps, Brad s'efforçait coûte que coûte de maintenir intacte la façade dorée de leur mariage. A l'intérieur, il n'y avait plus rien depuis une éternité.

— Veux-tu que je te présente aux gens que tu ne connais pas ? demanda Pam à son mari avec un grand sourire, tout en glissant son bras sous celui de son père.

— Ça va, je te remercie. Ton père et moi étions en train de chanter tes louanges. D'après ce qu'il me dit, tu as fait un joli doublé dernièrement.

Elle parut heureuse du compliment. Même s'il ne faisait pas grand cas du milieu dans lequel elle évoluait, il s'efforçait de lui témoigner son admiration, chaque fois qu'il estimait qu'elle le méritait. Elle lui retournait rarement la pareille, et méprisait la plupart du temps ce qu'il faisait, même si c'était important à ses yeux ou aux yeux du monde. Par ailleurs, elle s'inquiétait de l'influence de Brad sur leurs fils. Leur expérience humanitaire lui paraissait dénuée d'intérêt, et elle tentait depuis des années de les convaincre de faire leur droit et d'entrer dans la société de leur grand-père. C'eût été une immense victoire pour elle. Mais jusqu'à présent, aucun des garçons n'avait cédé, au grand soulagement de Brad.

Pamela était une belle femme, quoique sa beauté manquât de féminité. Sa haute taille et sa silhouette athlétique lui donnaient une allure sportive. D'ailleurs, elle jouait beaucoup au tennis et au golf, et entretenait soigneusement sa forme physique. Elle avait les yeux bruns, et ses cheveux étaient aussi noirs que ceux de Brad. En fait, on eût pu la prendre pour sa sœur, et les gens disaient souvent qu'ils se ressemblaient.

Pam s'éloigna de l'endroit où se trouvaient Brad et son père, et Brad décida de faire un petit effort avant de passer à table. Il se présenta à quelques personnes, et but deux verres de vin pour rendre la soirée plus supportable. Il échangea quelques mots avec une femme qui jouait au tennis avec Pam. Elle dirigeait une agence de publicité dont Brad avait entendu parler, mais plus elle lui parlait, moins il l'écoutait, et il finit par la quitter pour aller rejoindre un petit groupe d'avocats près du bar. Brad les connaissait presque tous, et avait travaillé

124

avec plusieurs d'entre eux au sein de l'entreprise familiale. Ils étaient plutôt sympathiques, et la conversation fut agréable. Bien plus que celle des deux femmes entre lesquelles il se trouva assis à table... Toutes deux étaient de grandes mondaines, mariées à des hommes dont Brad n'avait jamais entendu parler. Il trouva épuisant d'avoir à entretenir une conversation avec elles durant tout le dîner, et fut profondément soulagé lorsqu'il put enfin s'échapper. Il rejoignit le salon, rempli de gens joyeux qui buvaient du brandy et ne semblaient pas du tout impatients de partir. Pam s'était lancée dans un débat animé sur une récente loi fiscale dont il se désintéressait totalement.

Brad se sentit soudain envahi par une profonde lassitude, et il se glissa dans son bureau. Là, il alluma la lumière et ferma doucement la porte. Il retira son nœud papillon de satin noir, le laissa tomber sur la table, puis s'assit à son bureau et poussa un soupir. La soirée avait été interminable, et il n'avait pensé qu'à une chose : ses enfants, qui lui manquaient plus que jamais. Il regrettait les fêtes de famille qu'ils partageaient quand les garçons étaient petits. A l'époque, Thanksgiving avait encore un sens pour lui, et n'était pas un prétexte pour inviter quarante étrangers à la maison. A présent, Pam ne fréquentait plus que des gens susceptibles de lui être utile, aux dépens de leurs amis proches. De toute façon, ces derniers se faisaient rares. Pam et lui n'avaient plus aucun ami en commun. Les siens étaient tous des avocats spécialisés dans la défense des causes difficiles, commis d'office la plupart du temps, alors que ceux de Pam étaient des relations mondaines, des gens bourrés d'ambition, des chefs d'entreprise dont elle espérait faire des clients. Brad savait qu'aucune soirée ne pouvait être réussie aux yeux de sa femme si elle n'avait pas « marqué des points ». C'était l'expression qu'elle utilisait pour désigner ses conquêtes professionnelles.

Il jeta un coup d'œil à son ordinateur, et regretta de ne pouvoir envoyer un mail à Jason et Dylan à l'occasion de Thanksgiving. Au lieu de cela, il tapa l'adresse de Faith dans la case réservée au destinataire. Il était presque deux heures du matin à New York.

Salut... Est-ce que par hasard tu es encore debout ? J'en doute, tu liras probablement mon mail demain matin. J'ai fini par réussir à m'échapper de la soirée. Quarante personnes à dîner, en tenue de soirée... Un véritable zoo. Mes fils m'ont beaucoup manqué. Enfin, ce sera désormais toujours comme ça... Et toi ? Est-ce que ça s'est bien passé ? Tu dois être heureuse d'avoir tes filles à la maison. Je t'envie. Je travaille demain : deux nouveaux gamins en prison, et un troisième que le comté va certainement me confier. Comment ces gosses ont-ils pu démarrer dans la vie pour se retrouver dans une situation pareille ? J'aimerais tellement qu'ils n'aient pas besoin de moi, qu'ils mènent des vies heureuses et sans histoire... Je me suis senti idiot ce soir, à passer la soirée avec une bande d'inconnus déguisés en serveurs. Pam, elle, a adoré, naturellement... Je ne peux pas en dire autant. Excuse-moi, je n'arrête pas de me plaindre ; la fatigue, sans doute. A très bientôt. Et profite bien de Thanksgiving. Je t'embrasse, Brad.

Il n'avait pas du tout envie de retourner se mêler aux invités, et tria quelques papiers sur son bureau, tout en projetant d'emprunter l'escalier de service pour monter se coucher. La journée du lendemain s'annonçait longue, et de toute façon Pam était habituée à ses désertions précoces. Il s'éclipsait toujours avec discrétion, de manière à ne pas déranger leurs hôtes et à leur éviter de se sentir poussés dehors. Il était certain que Pam et nombre d'entre eux s'attarderaient bien après minuit. Mais il était ravi de ne pas prendre part à leurs conversations.

Il était sur le point d'éteindre son ordinateur quand un signal sonore lui indiqua qu'il avait reçu du courrier. Il appuya sur le bouton et découvrit un e-mail de Faith. Il s'assit pour le lire, un sourire aux lèvres.

Hello ! Quelle bonne surprise de te lire. Je suis encore debout. D'après ce que tu m'en dis, ta soirée a dû être bien mondaine ! Nous, nous n'étions que quatre, mais ça n'a pas été facile. Tout avait pourtant bien commencé, l'ambiance était détendue, tout le monde semblait apprécier le dîner... et puis les choses ont dégénéré, et nous nous sommes violemment disputés à propos de mon projet de reprendre mes études. Zoe s'en est prise à son père, Alex était hors de lui, les filles se sont disputées entre elles... A la fin chacun est parti de son côté. Les filles sont sorties avec leurs amis, et Alex est monté se coucher. Zoe est rentrée, mais Ellie pas encore. Elles sont furieuses l'une contre l'autre, et Alex ne m'a pas adressé la parole après le dîner. C'est ma faute... Il ne voulait pas entendre parler de mon projet, mais j'ai perdu patience et je lui ai dit ce que j'avais sur le cœur. Ça l'a fait sortir de ses gonds, et sous le coup de la colère il m'a envoyé à la figure des choses très dures, si bien que Zoe s'est emportée en prenant ma défense. Si j'avais laissé tomber au lieu de réagir, tout se serait bien terminé. J'aurais dû en être consciente... Je suis adulte, nom d'un chien ! Mais il m'a blessée, et je n'ai pas su me contrôler. Finalement, il a dit que je pouvais faire ce que je voulais. C'est une victoire, d'un certain point de vue, mais à quel prix ! Si les filles doivent se déchirer entre elles... Pour une fois qu'elles se retrouvaient, alors qu'elles passent si peu de temps ensemble, le dîner s'est terminé en pugilat ! J'espère qu'elles se réconcilieront avant de repartir. Pourquoi les choses sont-elles toujours si compliquées ? Qu'est-il advenu des fêtes de famille joyeuses, où tout le monde s'aimait, où personne ne se disputait, où on ne se disait que des choses gentilles ? Enfin, les filles étaient là... Je suis heureuse de cela au moins. Désolée de pleurnicher comme ça... Je voulais simplement rester debout jusqu'au retour d'Ellie, pour m'excuser auprès d'elle. Mais tant pis, il est deux heures du matin, et je vais aller me coucher. Joyeuse fête de Thanksgiving à toi, grand frère. Je t'embrasse, Fred.

Il était heureux qu'elle lui ait répondu si vite, mais il se faisait du souci pour elle. Elle semblait avoir passé une soirée bien difficile Au moins, Pam et lui ne s'étaient pas disputés, pour une fois. Avec le temps, il avait acquis une certaine expérience, et s'efforçait désormais d'éviter les scènes.

Il se hâta de répondre à Faith, dans l'espoir qu'elle ne soit pas encore couchée.

A l'autre bout du pays, elle avait décidé d'attendre quelques minutes de plus, au cas où il lui répondrait tout de suite... Ces e-mails étaient pour eux un lien délicieux, aussi précieux pour l'un que pour l'autre.

Elle ne fut pas déçue.

Chère Fred, tu as l'air d'avoir vécu une journée difficile. Je suis désolé pour toi. Mais c'est aussi une victoire, si Alex t'a donné la « permission » (je déteste le terme, qui induit qu'il aurait un quelconque droit sur toi) de reprendre tes études. C'est tout de même une bonne nouvelle. Une lueur d'espoir ! Je suis triste pour tes filles, ça doit être dur pour elles aussi, si leur père les met dans cette situation. Te connaissant — tu te souviens, quand tu arbitrais les rares disputes entre Jack et moi ? —, tu dois être l'élément apaisant de la famille. Mais tu ne peux pas régler les problèmes de tout le monde, Faith. Ce n'est pas grave qu'elles soient en désaccord de temps en temps, et il est positif qu'elles prennent ta défense face à leur père. L'important est que vous ayez eu cette discussion tous ensemble, et que tu sois restée ferme. C'est bien que ta famille se rende compte que tu en es capable. Ce qui compte le plus, c'est qu'Alex t'ait donné son feu vert. J'en suis enchanté. Au moins, maintenant, tu n'as plus aucune raison de te sentir coupable. Je suis convaincu que tu dois entrer à l'école d'avocats de l'Université de New York l'année prochaine.

A propos, j'allais oublier de te dire que je dois venir à New York dans quelques semaines, juste avant Noël. Je suis invité à une conférence qui me semble intéressante. Je ne resterai que deux jours, et mon emploi du temps sera assez chargé, mais j'espère que tu pourras me consacrer un peu de temps pour que nous dînions ou déjeunions ensemble.

Il était si heureux qu'ils aient réussi à entretenir le contact ! Mieux, ils avaient recréé une relation plus forte que jamais. Cette fois, il était bien déterminé à ne plus la perdre de vue. Au nom du passé, au nom de Jack, et pour lui-même aussi.

Je t'enverrai mes dates et mon programme précis du bureau. Ça me fera plaisir de te voir. J'espère qu'il ne fera pas un temps trop épouvantable ! J'ai déjà eu beaucoup de mal à dégager deux jours, je ne peux pas me permettre de rester bloqué par la neige.

Bonne nuit, Fred ! Pense qu'il est bientôt l'heure de retourner à l'école ! !

Elle sourit en lisant ses derniers mots, et ne put s'empêcher de répondre.

Merci pour tes encouragements. Grâce à toi, la journée se termine moins mal. Je n'arrêtais pas de me torturer avec cette histoire. Je suis impatiente de te voir quand tu seras à New

York. Je ferai de mon mieux pour dénicher quelques minutes de liberté dans mon emploi du temps surchargé ! Je demanderai à ma secrétaire de te prévenir de mes disponibilités !

Sérieusement, je suis à ton entière disposition. Dis-moi simplement quand ça t'arrange que l'on se voie. Bonne nuit, et bon courage pour ta journée de demain. Je t'embrasse, Fred.

Il sourit à son tour après avoir lu ce message, puis il éteignit son ordinateur. La journée avait été longue, la soirée ennuyeuse pour lui, dure pour elle, mais au moins ils étaient là l'un pour l'autre. C'était important. L'amitié fraternelle qui les unissait n'avait pas de prix. Pour Brad, c'était précisément le sens que Thanksgiving aurait dû avoir pour tout le monde.

7

L'atmosphère ne s'était pas vraiment détendue entre les deux sœurs quand Zoe reprit son avion pour retourner à Brown, le dimanche matin. Pendant le petit déjeuner, pris en famille, les filles avaient fait un effort pour se parler normalement, mais Faith n'avait pu s'empêcher de remarquer qu'il n'y avait aucune chaleur dans leurs échanges. Elle en était désolée. Eloise devait reprendre l'avion pour Londres le soir même. Quant à Alex, il disparut avant l'heure du déjeuner, pour passer l'après-midi avec un ami. Il dit au revoir à Eloise avant de partir.

— Je suis désolée que les choses aient dégénéré, s'excusa Faith auprès de sa fille aînée.

Plus que tout, c'était la tension entre ses deux filles qui la faisait souffrir.

— Je continue de penser que papa a raison, et que tu ne devrais pas reprendre tes études. Ce sera très fatigant pour toi, et tu n'auras plus de temps à consacrer à papa.

Comme toujours, elle pensait d'abord à son père.

— J'ai besoin d'occuper mon temps, de faire quelque chose d'intéressant, plaida Faith. Le bridge ou les déjeuners avec des amies ne me suffisent plus.

Elle continuait à défendre sa position, mais Ellie n'était manifestement pas convaincue. Là, debout face à sa mère, grande et élancée, elle avait la beauté froide de son père, quand il était jeune. La même attitude distante et vaguement hautaine. On eût dit qu'elle avait érigé des barrières autour d'elle pour empêcher les gens de l'approcher de trop près sans invitation. Au contraire, à l'image de Faith, Zoe était naturelle, directe, presque trop vulnérable. Faith songea qu'il aurait fallu trouver un juste milieu entre ces deux personnalités.

— Papa ne sera pas heureux si tu fais ça, la prévint Ellie.

Faith hocha la tête.

— Je ferai de mon mieux pour qu'il n'ait pas à souffrir de ma décision. Et si je vois que ça ne marche pas, je pourrai toujours arrêter.

Faith tenait à garder une marge de manœuvre.

— Bien sûr, répliqua Eloise, mais il vaudrait peut-être mieux ne pas commencer du tout.

— Pour l'instant, je me contente de prendre quelques cours, tempéra Faith avec un sourire. Il n'est pas certain du tout que j'entreprenne de vraies études de droit.

De toute façon, il lui faudrait d'abord obtenir de bonnes notes au LSAT.

— Ne prends pas de décision hâtive, maman, recommanda Eloise comme si elle parlait à une enfant déraisonnable et non à sa mère. Essaie de penser un peu à papa aussi.

Faith brûlait d'envie de lui rappeler qu'elle n'avait fait que cela toute sa vie, et que le moindre de ses actes jusqu'à ce jour avait été dicté par son bien-être à lui... Mais à quoi bon argumenter ? Jusque-là, elle n'avait jamais rien fait pour que ses filles prennent conscience de son abnégation. Elle avait organisé sa vie autour de son mari, comme si c'était quelque chose de parfaitement naturel. Il n'était donc pas surprenant que ni Alex ni ses enfants ne lui reconnaissent aujourd'hui un quelconque mérite. Seule Zoe, d'un naturel plus sensible, mesurait les sacrifices qu'elle avait faits pour eux.

Eloise remonta terminer sa valise, pendant que Faith lui préparait un sandwich et un bol de potage. Malgré le tour qu'avaient pris leurs conversations et la tension qui avait régné durant tout le week-end, elle était heureuse que sa fille aînée soit venue, et elle la remercia au moment de lui dire au revoir.

— A très bientôt, ma chérie, dit-elle en la serrant dans ses bras.

Ellie avait prévu de revenir pour Noël. Elle avait insisté pour que sa mère ne l'accompagne pas à l'aéroport, arguant qu'elle était parfaitement capable de prendre un taxi ; en réalité, elle préférait y aller seule. Alex aurait réagi exactement de la même façon, alors que Faith et Zoe préféraient la compagnie à la solitude. Eloise était décidément très différente d'elles.

Après le départ des deux filles, la maison sembla étrangement silencieuse à Faith. Elle sentit une vague de déprime la submerger lorsqu'elle pénétra dans leurs chambres vides pour défaire les lits et laver les draps. La femme de ménage qui venait trois fois par semaine aurait pu s'en charger, mais Faith préférait le faire elle-même. C'était un geste maternel qui lui donnait l'impression de s'occuper encore un peu de ses enfants. En traversant la maison, les bras chargés de linge, elle n'entendit que l'écho de ses pas sur les parquets, et cela lui rappela cruellement à quel point sa vie était vide sans ses filles.

Elle fut même soulagée de voir rentrer Alex, ce soir-là. Il avait passé l'après-midi dans un musée maritime avec un ami de Princeton qui voulait le faire entrer au comité de direction. Alex déclara qu'il avait passé une bonne journée, et, à la grande surprise de Faith, il sembla presque heureux de la retrouver. Elle se demanda si les filles lui manquaient à lui aussi. L'éclatement de la famille pesait à tous ses membres ; Zoe disait même qu'elle avait l'impression d'être fille unique, quand elle rentrait en l'absence de sa sœur. Mais c'était incontestablement Faith qui en souffrait le plus.

Faith et Alex passèrent une soirée tranquille tous les deux. Il lui parla du musée qu'il avait visité, et de ses projets pour la semaine. Ils n'avaient pas eu une conversation aussi longue depuis des mois, et Faith en fut stupéfaite, compte tenu de leur dispute et de la véhémence avec laquelle il s'était opposé à son idée de reprendre des études. Elle en profita pour lui confier sa détresse d'être séparée de ses filles.

— Tu savais que cela finirait par arriver, observa-t-il, apparemment surpris que cela puisse autant l'affecter.

Il avait du mal à se rendre compte que, pendant ces vingt-quatre années, les filles avaient non seulement occupé son cœur, mais aussi le plus clair de son temps. Exactement comme un travail.

— Il faut que tu trouves d'autres activités. Mais reprendre des études me semble une solution extrême. Et tellement dépourvue de sens ! La plupart des avocats rêvent de partir à la retraite à nos âges, Faith, pas de commencer une carrière.

— Cela me donnera une véritable perspective, répondit-elle doucement, attentive à ne pas laisser la conversation s'embraser de nouveau. Tout le reste me semble sans intérêt, aussi dérisoire qu'un sparadrap sur une plaie profonde. En reprenant mes études, j'ai l'impression de commencer une nouvelle vie. Et qui sait sur quoi cela peut déboucher... Je n'en ai aucune idée moi-même.

Il semblait toujours ne pas comprendre, mais il se sentait de toute évidence moins agressé personnellement par ce projet, ce qui constituait pour Faith un réel soulagement. Le fait qu'il lui en eût reparlé spontanément et sans animosité lui fit un bien immense, et l'aida à surmonter l'absence de ses filles. Ce fut une soirée comme ils n'en partageaient presque plus, un moment privilégié entre eux. Pour l'instant tout au moins, il semblait avoir cessé de lui en vouloir ; en tout cas, il taisait son ressentiment. Peut-être cela ne durerait-il pas, mais ce répit suffisait à créer entre eux une douceur aussi salutaire qu'inattendue.

Au cours des deux semaines qui suivirent, Faith s'occupa activement des préparatifs de Noël, et choisit des cadeaux pour Alex et les filles. De son côté, Alex voyagea beaucoup pour son travail, si bien qu'ils se virent très peu et n'abordèrent plus une seule fois le sujet de ses études. Entre deux déplacements, Alex se contentait de manger, de lui dire quelques mots et d'aller se coucher. Parallèlement à la préparation des fêtes de fin d'année, Faith avait accepté de participer à l'organisation d'une kermesse de charité prévue au printemps. Elle avait prévenu les autres bénévoles qu'elle ne pourrait les aider que pendant les quelques semaines à venir, car lorsqu'elle commencerait les cours en janvier, elle n'en aurait plus le temps. Mais ils lui étaient reconnaissants du temps qu'elle pouvait leur consacrer, fût-il limité.

Brad et elle correspondaient toujours de façon régulière, mais après Thanksgiving, leurs mails s'étaient faits plus courts. Avec deux procès à préparer et plusieurs nouveaux dossiers en attente d'examen, Brad n'avait pas beaucoup de temps.

Deux semaines après Thanksgiving, alors qu'elle ouvrait son courrier dans la cuisine tout en avalant un yaourt avant de se rendre à une réunion de préparation de la kermesse, elle trouva parmi les lettres la confirmation de son inscription aux deux cours de droit qu'elle avait choisis. Le premier portait sur le droit institutionnel, le second était plus général. Tout cela demeurait encore très abstrait dans l'esprit de Faith, mais cette confirmation rendait soudain son projet plus palpable. C'est avec une joie enfantine qu'elle l'annonça à Brad, lorsqu'il lui téléphona ce jour-là. Il promit de l'emmener fêter la nouvelle au champagne quand il passerait à New York. Faith laissa éclater sa joie. Elle avait presque oublié sa visite imminente. Entre ses activités caritatives, la préparation de Noël et ses cours de révision pour le LSAT, elle n'avait pas vu passer le temps.

— Quand viens-tu exactement ? demanda-t-elle avec enthousiasme.

— Dans une semaine, du 14 au 16. J'espère que tu vas me consacrer un peu de temps...

Il lui avait déjà communiqué ses dates auparavant, mais sans lui dire précisément quand il pourrait la voir, car il n'était encore certain de rien. Mais une chose était sûre : il voulait passer autant de temps que possible avec elle.

— Je vais vérifier avec Alex, mais je crois que nous n'avons rien de prévu. Il a beaucoup de travail en ce moment. Peut-être que nous pourrions aller dîner tous les deux, ou au moins déjeuner ?

— J'espère bien ! Je ne tolérerai pas que tu me dises que tu es trop prise pour me voir !

— J'ai le temps, répondit-elle en riant.

Ils bavardèrent encore quelques minutes avant de raccrocher, et Faith se remit au travail pour préparer son examen avec plus d'ardeur que jamais. Les deux jours suivants, elle travailla d'arrache-pied, priant pour être à la hauteur... Elle avait toujours douté de ses capacités, et Alex n'avait jamais été d'un grand secours à cet égard. Il ne cessait de la dévaloriser, parfois sans y prendre garde, parfois intentionnellement.

— Quand annonceras-tu à papa que tu vas vraiment commencer les cours de droit en janvier ? demanda Zoe quand Faith lui dit que son inscription était confirmée.

La jeune fille s'inquiétait pour sa mère, car elle savait à quel point il était important pour cette dernière d'obtenir l'approbation de son mari avant d'entreprendre quoi que ce soit. Zoe redoutait que, face à la réaction négative d'Alex, Faith finisse par se décourager et sombrer dans la dépression.

— Je lui en parlerai ce week-end, en espérant qu'il ne sera pas de trop mauvaise humeur.

— Je croiserai les doigts pour toi, maman. Respire un grand coup, et fais de ton mieux. Et dis-toi bien que, quoi qu'il te réponde, tu as fait le bon choix. C'est ce que tu me dirais, si j'étais à ta place.

— Oui, je suppose que tu as raison, répondit Faith sans grande conviction.

La conversation eut lieu le week-end suivant ; elle se révéla plutôt moins pénible que Faith ne l'avait redouté. Alex et elle s'étaient à peine vus le samedi ; il avait passé la journée au bureau, à essayer de mettre à jour des dossiers qu'il devait conclure pour la fin de l'année, et ils s'étaient ensuite rendus à un dîner, où ils étaient arrivés en retard. En rentrant, Alex était épuisé. Il s'était couché tout de suite, et s'était endormi. Faith avait donc attendu le lendemain après-midi pour aborder le sujet.

Alex lisait des documents qu'il avait rapportés du bureau, assis près de la cheminée du salon. Faith lui apporta une tasse de thé et s'assit à ses pieds.

— Alex, commença-t-elle d'une voix timide.

Le moment n'était pas idéalement choisi, mais elle savait qu'elle devait se jeter à l'eau. Il devait être au courant de ce qu'elle avait l'intention de faire. Elle ne voulait pas lui mentir.

— Est-ce que je peux te parler une minute ?

Au regard qu'il lui lança, elle comprit qu'il était irrité d'être interrompu dans sa lecture.

— Qu'est-ce qu'il y a ?

Il aurait tout aussi bien pu dire « Vite, je n'ai pas que ça à faire ». Il n'était décidément pas d'humeur à parler...

Elle se résolut à aller droit au but.

— Je me suis inscrite à deux cours de droit à l'Université de New York. Je commence en janvier. Tu sais à quel point c'est important pour moi...

Elle lui avait déjà parlé des formulaires de demande d'inscription qu'elle avait envoyés, mais à présent le processus était bel et bien enclenché : elle reprenait ses études.

Un silence interminable suivit son annonce. Sans cesser de la considérer avec une froideur hautaine, Alex avala une gorgée de thé fumant. Mais il ne disait toujours rien, et Faith se sentait de plus en plus mal à l'aise.

— Je sais que tu désapprouves le fait que je reprenne mes études, mais je ne suis pas encore inscrite à la faculté de droit proprement dite. Ces premiers cours nous permettront de nous faire une idée, de voir comment nous nous en sortons tous les deux. Je n'ai que deux cours pour l'instant, et si je n'arrive vraiment pas à tout concilier, nous aviserons à la fin du semestre. Mais, Alex... Je tiens vraiment à essayer. Je ferai de mon mieux pour que cela ne change rien pour toi.

Elle estimait qu'elle devait l'associer à sa décision, en priant pour qu'il l'accepte sans trop de difficultés.

Il la regarda longuement, le visage dur.

— Ne compte pas sur moi pour te donner ma bénédiction, dit-il finalement.

Faith sentit son estomac se nouer.

— Mais je ne veux pas non plus prendre la responsabilité de te dire non. Je vais m'en remettre à toi, Faith. Je pense que c'est une aventure insensée, et je ne vois pas très bien comment tu vas pouvoir te lancer dans cette histoire sans que cela change rien pour nous. A mon avis, c'est illusoire. Si tu t'investis vraiment dans ton projet, tu auras forcément moins de temps libre, pour moi comme pour les filles quand elles rentreront.

Mais Faith avait envisagé cet aspect des choses, et, après mûre réflexion, elle avait conclu que le jeu en valait la chandelle. Elle s'efforcerait seulement de s'organiser le mieux possible pour travailler.

— Je voudrais essayer, répéta-t-elle calmement.

Ses grands yeux implorants auraient fait fondre le cœur de n'importe quel homme… Mais Alex résistait sans difficulté, imperméable à ce qu'il considérait comme un simple caprice féminin.

— Alors fais ce que tu veux. Mais quand bien même tu t'en sortirais avec ces deux cours, cela ne prouvera rien du tout. La faculté de droit, c'est une autre histoire. Elle exigera tout ton temps, et cela aura forcément des répercussions sur notre vie de famille. Sois honnête avec toi-même sur ce point, et n'attends de moi aucun effort pour compenser tes absences.

Sur ce, il se replongea dans ses papiers. Le sujet était clos. Il n'ajouta aucun commentaire, et ne lui souhaita même pas bonne chance. Il n'approuvait pas son projet, mais ne s'y opposait pas non plus ; il se contentait de rejeter la responsabilité sur elle. Elle décida de s'en contenter et quitta la pièce en silence pour se précipiter dans son bureau. Là, elle décrocha le téléphone et composa le numéro de la résidence étudiante de Zoe. Lorsqu'elle lui annonça qu'elle allait retourner à la faculté, l'euphorie faisait vibrer sa voix.

— Est-ce que papa a dit oui ? demanda Zoe, incrédule.

— Plus ou moins. Pas aussi nettement que cela, tu le connais. Il a seulement dit qu'il ne s'y opposerait pas, qu'il pensait que c'était une mauvaise idée, mais qu'il me laissait me débrouiller.

Zoe poussa un cri de joie. Elle n'en revenait pas. Faith non plus, d'ailleurs. C'était une réelle victoire pour elle.

Tout de suite après, elle écrivit un e-mail à Brad pour lui expliquer qu'Alex ne s'était pas mis en travers de son chemin. Elle n'aurait pas pu espérer mieux de sa part. Il n'était pas du genre à la féliciter, et encore moins à revenir sur ce qu'il avait dit. Elle se contenterait donc de cette semi-autorisation. Peu importait qu'il ne fût pas enthousiaste, pourvu qu'il ne lui interdît pas de mener à bien son projet.

Ensuite, elle redescendit préparer le dîner. Durant le repas, Alex n'aborda pas une fois le sujet de ses études. Il passa ensuite une soirée tranquille, à lire des documents de travail sur la table de la salle à manger. Avant de quitter la pièce, il annonça qu'il devait se rendre à Los Angeles dans la semaine. Il partirait mardi, et resterait quatre jours sur place. Il ne donna pas beaucoup de détails à Faith sur son voyage, mais lui assura qu'il serait de retour samedi, suffisamment tôt pour assister à la soirée de Noël de sa société, à laquelle ils se rendaient chaque année. Elle ne lui posa aucune question, se contentant d'enregistrer ce qu'il lui disait. Elle ne voulait surtout pas le contrarier.

Ce soir-là, elle se trouvait dans son bureau quand la réponse de Brad arriva.

Désolé, Fred, je jouais au tennis quand ton mail est arrivé. Bravo ! ! Que lui as-tu fait ? Qu'a-t-il exigé en échange de son accord ? Mais peut-être vaut-il mieux que je n'en sache rien… En tout cas, je suis très heureux pour toi. C'est génial ! Je suis impatient de te voir. J'arriverai mercredi soir, pour repartir vendredi après-midi. Est-ce qu'il te semble possible d'organiser un dîner mercredi soir ? Je serai peut-être libre également jeudi soir, mais il faut d'abord que je vérifie le programme du congrès. Je te tiendrai au courant dès que je saurai. Et je t'appellerai à mon arrivée à l'hôtel. Mon avion atterrit à cinq heures, je devrais être en ville vers six heures. A très bientôt, et encore toutes mes félicitations ! Je suis fier de toi, Fred. Je t'embrasse, Brad.

Il avait décidément l'art de se montrer chaleureux et encourageant, et elle avait hâte de le revoir. Le voyage d'Alex à Los Angeles tombait vraiment bien. Non qu'elle voulût cacher à son mari son rendez-vous avec Brad ; simplement, si Alex avait été à New York, elle aurait eu plus de mal à se libérer.

Elle fut très occupée pendant les jours qui suivirent. Dès le lundi, elle informa le comité des bénévoles qu'elle ne serait disponible que jusqu'à la mi-janvier, et qu'elle serait ensuite contrainte de démissionner. Ils se montrèrent compréhensifs, et elle resta avec eux jusqu'au soir pour les aider. Le lendemain, elle courut les magasins pour finir ses courses de Noël. Elle n'aurait décidément pas le temps de s'ennuyer cette semaine, car juste après le départ de Brad, Zoe devait arriver pour le week-end. Faith décida qu'elles iraient acheter le sapin ensemble. Quant à Ellie, elle ne savait pas encore quand elle allait rentrer, car elle ne lui avait communiqué aucune date précise.

Justement, la jeune fille téléphona ce soir-là.

— Bonsoir ma chérie, quelle bonne surprise de t'entendre !

Elle ne lui avait pas encore parlé de son inscription à la faculté, préférant attendre qu'elle soit de retour à la maison.

— J'espère que je ne vous réveille pas, dit Eloise.

— Non, je terminais nos cartes de vœux.

Elle avait choisi une belle photo d'eux quatre, prise l'été précédent sur un voilier à Cape Cod, et en avait fait une carte de vœux. A l'occasion des fêtes de fin d'année, elle avait l'habitude d'envoyer des photos d'eux, mais il était de plus en plus difficile de rassembler toute la famille pour une séance de pose.

— Quand rentres-tu, ma chérie ?

Un bref silence suivit sa question.

— Je... Euh...

Le cœur de Faith se serra en entendant la suite.

— En fait, j'appelle parce que je voudrais te parler de quelque chose, je ne sais pas ce que tu vas en penser... Je suis invitée à aller faire du ski à Saint-Moritz.

Faith connaissait bien sa fille, et, au timbre de sa voix, elle devinait aisément qu'Ellie redoutait sa réaction.

— Voilà qui me semble très tentant. C'est une station réputée. Avec qui irais-tu ? Des gens dont tu m'as parlé ?

— Les parents de Geoffrey louent un chalet là-bas tous les ans, et ils m'ont proposé de les accompagner.

Geoffrey était le garçon qu'elle fréquentait depuis trois mois. Faith n'avait pas l'impression que leur relation fût très sérieuse — tout au moins, Ellie ne lui avait pas dit qu'elle l'était —, mais ils semblaient passer de bons moments ensemble.

— On dirait que je vais être obligée de prendre un avion pour venir faire sa connaissance ! s'écria-t-elle avec malice. Est-ce que vous faites des projets d'avenir, tous les deux ?

Eloise éclata de rire.

— Maman ! Ce n'est pas parce que je vais skier avec lui qu'on va se marier !

— Bon, je préfère, tout au moins pour le moment.

Eloise était encore très jeune, bien trop jeune pour s'engager. Mais elle était raisonnable, tout comme sa sœur, et Faith n'avait pas à redouter de la voir perdre la tête au bout de trois mois. Quoique... On ne savait jamais, songea-t-elle.

— Où veux-tu en venir, ma chérie ? poursuivit-elle gentiment.

Il y eut un nouveau silence.

— Je... euh... En fait, ils m'ont invitée du 21 décembre au 1er janvier.

C'était dit.

— Pour Noël ? articula Faith, stupéfaite. Ça signifie que tu ne rentreras pas à la maison ?

— Je n'ai pas vraiment le temps. Je ne peux prendre qu'une semaine de vacances, plus les week-ends, donc si je rentre à la maison, je ne pourrai pas aller skier. C'est cette semaine-là ou pas du tout. Je pensais que ça ne vous poserait pas trop de problèmes... Enfin... Ça m'ennuie de vous demander ça, mais j'ai tellement envie d'y aller !

Ce serait la première fois que les deux filles ne seraient pas réunies à la maison pour Noël.

— Tu sais, ma chérie, je me réjouissais de ton retour. Noël ne sera pas vraiment Noël, si tu n'es pas là. Tu ne pourrais pas venir à la maison un tout petit peu plus tôt, et rejoindre Geoffrey à Saint-Moritz le 26 ?

Elle avait conscience d'en demander beaucoup, mais la simple idée de ne pas avoir Ellie à Noël lui faisait monter les larmes aux yeux.

— Je ne peux pas prendre plus de congés, répondit la jeune fille d'une voix tendue. Tant pis si tu ne veux pas, maman. Je comprendrai...

Mais elle semblait infiniment déçue. De toute évidence, elle préférait aller à Saint-Moritz avec Geoffrey plutôt que venir passer Noël avec eux... Et maintenant, c'était Faith qui se sentait monstrueuse à l'idée de lui refuser ce bonheur.

— Est-ce que je peux réfléchir quelques jours ? Papa est parti à Los Angeles ce matin, et j'aimerais lui en parler.

— Je lui en ai déjà parlé.

Pour la seconde fois, Faith demeura stupéfaite. Alex ne lui en avait pas soufflé un mot. Il y avait toujours eu une profonde complicité entre ces deux-là, songea-t-elle non sans amertume. Ils étaient alliés contre le reste du monde.

— Vraiment ? Et qu'a-t-il dit ?

— Qu'il était d'accord.

La nouvelle choqua profondément Faith. Il avait donné son autorisation sans même en parler avec elle ! C'était vraiment odieux de sa part, d'autant qu'il savait très bien le prix que Faith accordait à la présence de ses deux filles pour Noël. Maintenant, évidemment, si elle refusait, ce serait elle qui aurait le mauvais rôle.

— Je suppose que je n'ai rien à dire, dans ce cas, conclut-elle d'une voix triste. Je préférerais que tu viennes, je t'attendais avec impatience. Mais je ne veux pas t'empêcher de faire ce qui te fait plaisir. C'est à toi de voir, ma chérie.

— Je voudrais y aller, dit Eloise sans hésiter.

Faith en eut le souffle coupé.

— Très bien, je comprends. Mais je ne veux pas que ce soit comme ça tous les ans. J'aimerais que Noël reste un moment privilégié pour nous tous, et que ta sœur et toi vous vous organisiez toutes les deux pour être à la maison. Passe pour cette année, mais l'année prochaine je veux que tu sois là. Si tu le souhaites, tu pourras inviter Geoffrey, s'il est toujours dans les parages.

144

— Ne t'inquiète pas pour ça, maman, dit Eloise avec un soulagement manifeste. Et merci beaucoup... Il faut que je file, maintenant.

Quelques secondes plus tard, elle avait raccroché. Faith demeura assise dans son bureau, abasourdie, des larmes roulant sur ses joues. Elle les perdait, il ne servait à rien de se voiler la face. Et cela ne ferait qu'empirer... Petits amis, maris, travail, amis, voyages... Mille choses viendraient emplir leurs vies et les séparer d'elle. Elle avait le cœur brisé, non seulement par la défection d'Ellie, mais aussi à l'idée qu'Alex avait été informé du projet et avait accepté sans lui en parler. Il l'avait purement et simplement ignorée, comme si son avis ne comptait pas.

En éteignant la lumière du bureau pour monter se coucher, elle se demanda comment faire parvenir ses cadeaux à Ellie... Ils n'arriveraient jamais à temps. Elle espérait, par ailleurs, que tout cela ne donnerait pas de mauvaises idées à Zoe, lorsqu'elle l'apprendrait... Peut-être la décision d'Ellie avait-elle un rapport avec leur dispute pendant le week-end de Thanksgiving ? C'était difficile à dire, mais Faith ne pouvait s'empêcher d'y penser. Ou alors, était-ce simplement le cours normal des choses ? Dans ce cas, Faith n'avait qu'à se faire une raison. Mais cette évolution, pour naturelle qu'elle fût, lui était douloureuse.

Ce ne fut qu'en éteignant sa lampe de chevet qu'elle se rappela que Brad venait le lendemain. Elle avait attendu ce moment avec impatience, mais le coup de téléphone d'Eloise avait altéré sa joie. Elle était heureuse de le voir, bien sûr. Il lui rappelait tant son frère Jack... Mais sa visite ne pouvait remplacer la présence d'Eloise à Noël. Rien ne pouvait remplacer ce bonheur-là, ni apaiser le vide que laissait en elle l'éloignement de ses enfants. Lorsqu'elle se glissa dans son lit, son cœur était lourd de chagrin.

8

Le lendemain matin, Faith pensa appeler Zoe pour lui raconter les projets de sa sœur, mais elle renonça. Zoe devait travailler pour préparer des examens, et puis, égoïstement, Faith ne voulait pas prendre le risque de lui donner des idées. Et si elle se mettait en tête d'aller faire du ski dans le Vermont, ou de rejoindre des amis sur la côte Ouest ? Heureusement, Zoe n'avait que dix-huit ans, et Faith avait encore un peu d'influence sur elle. Elle décida qu'elle l'informerait de la décision d'Eloise plus tard dans la semaine, à moins que, pour une raison ou pour une autre, les filles ne se parlent avant. C'était peu probable, car elles se téléphonaient rarement. Le décalage horaire compliquait les choses, et elles vivaient dans des mondes très différents.

Faith demeurait blessée du fait qu'Ellie ait parlé à son père avant de l'appeler, et qu'il ait donné son accord sans même la consulter. On eût dit qu'elle ne comptait pas ou, pire, qu'Alex et Ellie étaient ligués contre elle. Ce n'était pas loin d'être le cas, d'ailleurs. Cet accord dans son dos était caractéristique de leur personnalité, et de la relation particulière qui les unissait. Tous deux étaient réservés et secrets, et ni l'un ni l'autre ne savait communiquer. Faith songea soudain qu'elle avait oublié de dire à Ellie que son inscription à l'Université de New

York était confirmée. En apprenant que sa fille ne viendrait pas passer Noël avec eux, elle avait été perturbée au point d'oublier tout ce qu'elle avait en tête. Peut-être Alex avait-il annoncé lui-même la nouvelle à Eloise ? Faith en doutait. Si elle avait été au courant, Eloise aurait sans doute fait un commentaire, ne fût-ce que pour manifester sa désapprobation. Elle était décidément la fille de son père, et venait de le prouver une nouvelle fois...

Durant le reste de la journée, mille petites choses occupèrent Faith. Elle acheta du papier cadeau pour envelopper les paquets de Noël, diverses douceurs et gourmandises, ainsi que plusieurs petites choses que Zoe lui avait commandées. A quatre heures, elle était de retour, et lorsque Brad téléphona deux heures plus tard, elle prenait un bain.

Elle sourit en reconnaissant sa voix au bout du fil. Elle éprouvait la même joie qu'autrefois lorsque Jack l'appelait.

— Salut, Fred ! Je suis à l'hôtel, je viens juste d'arriver. Quel est le programme pour ce soir ?

— Rien de spécial, je suis à ton entière disposition. Ton voyage tombe particulièrement bien, Alex est à Los Angeles. Veux-tu que je te prépare un dîner ?

Elle avait acheté quelques provisions supplémentaires, au cas où... Mais il éclata de rire.

— Quelle sorte de grand frère serais-je, si je n'emmenais pas ma petite sœur préférée dîner dehors ? Que dirais-tu d'un restaurant à SoHo, ou quelque chose de ce genre ? A moins que tu ne préfères rester dans ton quartier ?

— Tout ce que tu voudras, répondit-elle, ça m'est égal, pourvu que je sois avec toi.

C'était si bon d'entendre le son de sa voix et de le savoir si proche !

— Je vais réserver quelque part, et je viendrai te chercher vers sept heures et demie. Autrefois, il y avait un restaurant italien que j'aimais bien dans East Village, je vais demander à la réception de l'hôtel s'il existe toujours.

— J'ai hâte de te voir, conclut Faith.

En raccrochant, elle souriait encore. Elle se rendit compte que la perspective de retrouver Brad suffisait à atténuer la peine que lui avait causée Ellie. Elle songea aussi que Brad vivait la même chose avec ses fils en Zambie. C'était triste, mais il fallait s'y faire. Le temps du père Noël et des chaussettes accrochées à la cheminée était bien révolu, et prévoir de passer le réveillon avec ses enfants devenait illusoire.

Quand Brad sonna à sa porte à sept heures et demie, Faith avait résolument chassé Ellie de son esprit. Elle portait un pantalon et un pull en cachemire noir, avec des bottes en daim de la même couleur ; au moment de sortir, elle se drapa dans un long manteau rouge. Ses cheveux d'un blond lumineux étaient ramassés sur sa nuque en une queue-de-cheval impeccable, et elle portait pour seul bijou une paire de boucles d'oreilles en or.

— Fred ! Tu es superbe ! On dirait la fiancée du père Noël !

Brad la saisit dans ses bras et la serra très fort, la soulevant du sol, comme lorsqu'ils étaient enfants. Quand il la reposa, il recula d'un pas pour la regarder de nouveau avec un sourire approbateur.

— Tu es magnifique. Tous les garçons de l'université vont tomber amoureux de toi.

— Arrête de dire des bêtises ! Je suis assez vieille pour être leur mère.

Elle le trouvait beau, elle aussi. Son léger hâle, héritage de ses matchs de tennis en Californie, accentuait l'éclat de ses yeux verts. Il avait aussi la chance d'avoir conservé malgré les années sa belle chevelure sombre et épaisse, et l'on devinait, même sous son costume, qu'il était mince et musclé.

— Tu n'as pas l'air d'une mère ce soir, Fred, je t'assure. Tu es prête ? J'ai fait une réservation dans un restaurant que m'a recommandé le concierge de l'hôtel. D'après sa description, j'ai pensé que ça pourrait te plaire.

— Ça me serait égal de manger un hot dog dans le métro, tellement je suis contente de te voir, dit-elle en verrouillant la porte d'entrée.

Un taxi les attendait devant la maison, et Brad prit la main de Faith pour l'aider à monter à l'arrière. Il se sentait d'excellente humeur et était enchanté de la voir.

Ils bavardèrent pendant tout le trajet jusqu'à SoHo, où ils devaient dîner. Faith raconta le coup de téléphone d'Eloise et confia sa déception à Brad.

— C'est dur, hein ? dit-il avec franchise. Ça m'a rendu malade de passer Thanksgiving sans Dylan et Jason. C'était la première fois qu'ils n'étaient pas là pour une fête importante. Et Noël s'annonce pire encore. En plus, Pamela a inventé une nouvelle forme de torture : un repas de Noël avec cent personnes. Avec un peu de chance, je pourrai m'éclipser pour rendre visite à un de mes clients en prison. Je ne sais pas où seront les enfants l'année prochaine, mais une chose est sûre, j'irai les voir. J'aurais déjà dû prévoir un voyage, cette année. Tiens, c'est une idée, ça : peut-être que vous devriez tous aller à Saint-Moritz et faire la surprise à Eloise !

Faith se mit à rire en imaginant la scène.

— Je suis sûre qu'elle serait enchantée, et son petit ami aussi ! Enfin, au moins, Zoe sera avec nous.

Mais Zoe était plus jeune. A dix-huit ans, Faith pouvait encore exiger qu'elle rentre à la maison. A l'âge d'Eloise, c'était plus difficile, surtout si son père acceptait qu'elle s'absente.

— Elle a téléphoné à Alex avant de m'appeler, dit-elle avec amertume, et, apparemment, il lui a dit que ça ne lui posait pas de problème. Je ne voulais pas insister trop lourdement, alors j'ai donné mon accord. Tu te rends compte ? Il n'a même pas daigné m'en parler...

Ce n'était pas la première fois que Brad l'entendait se plaindre d'Alex. Depuis deux mois, elle lui avait maintes fois confié ses griefs à l'encontre de son mari. Il trouvait que ce dernier lui menait la vie dure, et se doutait qu'il en avait toujours été ainsi, mais jusqu'à présent il s'était gardé de formuler ouvertement ses critiques. Il ne voulait pas la blesser davantage. Néanmoins, son point de vue rejoignait largement celui de Jack, qui n'avait jamais caché son antipathie pour son beau-frère.

— L'attitude de nos enfants est parfois difficile à admettre, n'est-ce pas ? Et celle de nos conjoints aussi... Une année, Pam a dit aux garçons qu'ils ne devaient pas se sentir obligés de revenir pour Noël, parce qu'elle avait envie de partir en croisière sans eux. Elle ne m'a même pas prévenu, elle s'est contentée d'acheter les billets, et quand je l'ai appris, les garçons s'étaient déjà organisés de leur côté. Pendant les deux semaines de croisière, j'ai eu un mal de mer épouvantable et je lui ai dit que si elle s'avisait de me refaire un coup pareil, je demanderais le divorce.

Mais pour autant que Faith pût en juger, cela n'avait pas empêché Pamela de continuer à n'en faire qu'à sa tête...

— Les garçons étaient enchantés, observa Brad, ils sont allés chez un de leurs copains à Las Vegas et ont passé toutes leurs vacances avec des danseuses de revue. Ils en parlent encore comme de leur meilleur Noël...

150

Il grimaça un pauvre sourire, et Faith ne put s'empêcher de rire avec lui. Le simple fait de passer un peu de temps en sa compagnie lui rappelait mille bons souvenirs. Le voir en chair et en os était tellement plus agréable que de correspondre avec lui par e-mails ! C'était le plus beau cadeau de Noël qu'il eût pu lui faire. Il s'était montré remarquablement fidèle au cours des deux derniers mois, et cette fois, ni l'un ni l'autre ne voulait perdre le contact. Leur amitié était devenue pour eux quelque chose de vital.

Ils continuèrent à bavarder sur le chemin du restaurant. Brad raconta ses derniers cas et, alors que le taxi passait devant l'Université de New York, il rappela à Faith qu'elle y serait bientôt étudiante. Faith sourit. C'était si simple d'être avec lui, si bon de bavarder de choses et d'autres. Elle finit par lui confier combien elle avait été blessée quand Ellie lui avait annoncé qu'elle ne viendrait pas pour Noël.

— Je sais que c'est dur, Fred, dit-il en la regardant avec douceur. Il faut être fort pour voir grandir ses enfants et accepter qu'ils s'éloignent. Tu ne peux pas imaginer à quel point mes fils m'ont manqué cette année. Mais il est naturel qu'ils apprennent à voler de leurs propres ailes, et notre devoir est de les laisser libres. Plus facile à dire qu'à faire, je sais, ajouta-t-il en lui prenant la main.

Il ne la lâcha pas jusqu'au restaurant, que Faith trouva d'emblée tout à fait à son goût. Dans la petite salle aux lumières tamisées régnait une atmosphère chaleureuse qui évoquait l'Italie. Le serveur leur donna une table dans un coin tranquille. Faith quitta son manteau mais le garda sur le dossier de sa chaise, au cas où elle aurait froid. En la regardant faire ce simple geste, Brad ne put s'empêcher de la trouver belle.

151

— Parfois, j'oublie ton visage d'aujourd'hui, dit-il en souriant. Quand je lis tes e-mails, je te revois à dix ans, quatorze tout au plus. Et là, je te retrouve soudain adulte, ça fait un drôle d'effet.

— C'est curieux, dit Faith, il m'arrive la même chose. Pour moi, tu as toujours quatorze ans, et moi douze. Tu te souviens du jour où on avait mis la grenouille dans le lit de Jack ?

Le souvenir de la scène la fit éclater de rire, et Brad l'imita.

— Oh, que oui. Il a failli me tuer à cause de ça, et quand je suis allé chez vous la fois suivante, il avait mis une couleuvre dans mon lit, pour se venger. Je détestais ces saletés de serpents qu'il dénichait toujours...

— Moi aussi, renchérit Faith en riant de plus belle.

Ils commandèrent ensuite leur repas, ainsi qu'une demi-bouteille de vin blanc. C'était l'endroit rêvé pour leurs retrouvailles, un havre de paix et de charme. Alex était loin, ils avaient tout leur temps, Faith était heureuse.

— Alors, raconte-moi un peu, demanda Brad avec curiosité lorsqu'ils eurent terminé leurs entrées, comment envisages-tu les choses à partir de janvier, quand tu commenceras tes cours de droit ? Est-ce que tu penses qu'Alex va s'habituer, ou qu'il fera de la résistance ?

— Je pense qu'il se plaindra mais, pour être honnête, nous ne nous voyons déjà presque jamais en temps normal. Il me parle à peine. Quand il rentre, il dîne et va se coucher, et il part en déplacement pour son travail au moins deux jours par semaine. Il a beaucoup moins besoin de moi qu'il ne l'imagine.

Elle avait bien réfléchi à toutes ces questions, et était parvenue à cette conclusion pragmatique.

— Et toi ? demanda Brad. Qu'est-ce que tu attends de lui, Fred ?

C'était typiquement le genre de question que Jack lui aurait posée, et à laquelle elle ne pensait jamais elle-même. Faith était une femme qui exigeait très peu des autres, et qui n'exprimait quasiment aucun besoin. D'un point de vue affectif, elle avait pris l'habitude de ne rien espérer de quiconque, s'efforçant de se suffire à elle-même, comme lorsqu'elle était enfant. Seul Jack avait représenté une exception.

— Je n'attends pas grand-chose, dit-elle doucement en baissant les yeux sur ses mains. J'ai tout ce qu'il me faut.

Elle jeta un coup d'œil furtif à Brad, comme pour sonder sa réaction.

— Je ne parle pas d'un point de vue matériel, dit-il. Que voudrais-tu qu'il fasse pour te rendre heureuse ?

C'était une question qu'il s'était lui-même posée récemment.

— Ma vie me convient très bien comme elle est. Et heureusement, parce que Alex n'est pas quelqu'un de très attentif aux besoins des autres.

Elle s'était depuis longtemps habituée à son caractère renfermé et individualiste.

— Comme il a de la chance de s'en tirer aussi facile-ment ! Qui pense un peu à toi, dans tout ça, Faith ?

La question était si pertinente que Faith tressaillit. Pour de multiples raisons, elle s'était isolée du reste du monde, depuis quelques années. Il lui avait fallu du temps pour surmonter la disparition de Jack, et elle avait reporté toute son affection sur ses filles, pour profiter des derniers moments qu'elles avaient passés à la maison. De son côté, Alex, accaparé par son travail, ne s'était pas beaucoup intéressé à elle. Et elle s'était elle-même éloignée de ses amis, surtout depuis la mort de

Jack. Elle était devenue très solitaire, et la présence chaleureuse de Brad à ses côtés n'en avait que plus de prix. Il lui était plus facile de se confier à lui qu'à quiconque, parce qu'il appartenait à son enfance et qu'il avait été proche de son frère.

— Je n'ai vraiment besoin que de mes enfants, reprit-elle. Je sais qu'elles seront toujours là pour moi.

Voilà à quoi elle avait réduit sa raison d'être. Ses filles étaient tout ce qui comptait pour elle, à présent.

— Vraiment ? Je n'ai pas l'impression que ta dernière conversation avec Eloise te donne raison... En passant ses vacances à Saint-Moritz, elle satisfait ses propres aspirations, sans se soucier des tiennes. Même si c'est naturel.

Il était attristé par le tableau que Faith peignait de sa vie, et peiné de constater qu'Eloise se rangeait en permanence du côté de son père et se montrait si dure envers sa mère.

— Elle est jeune, répondit Faith, désireuse de trouver des excuses à sa fille.

Elle agissait ainsi avec tout le monde, et ce depuis toujours. Elle était animée d'une telle générosité que celle-ci en devenait presque un défaut.

— La vérité, Faith, c'est que la plupart du temps nos enfants ne sont pas là pour s'occuper de nous. Ce n'est pas leur mission. Ils sont bien trop occupé à essayer de construire leur propre vie, dit Brad avec philosophie. Mais, du coup, on se sent parfois un peu abandonné. Pour tenir le coup, il faut une famille nombreuse, des frères et des sœurs, un conjoint attentionné. Lorsque l'on n'a pas ça, que reste-t-il ? je ne cherche pas à te piéger, Faith, je ne connais pas la réponse moi-même. Je pensais simplement à cela dans l'avion, en venant ici. Pam est tellement occupée par sa propre vie, ses propres soucis, que je me demande souvent si elle répondrait présente, si j'avais besoin d'elle. C'est un constat difficile à faire. Je suis allé à l'hôpital il y a quelque temps, pour un simple bilan, et dans le formulaire d'entrée, ils m'ont demandé qui appeler en cas d'urgence. Après réflexion, j'ai fini par donner le nom de ma secrétaire. Cette expérience a été une sorte de déclic pour moi.

— Et qu'est-ce que tu as décidé de faire pour réagir ? interrogea Faith, alors que le serveur apportait sa sole grillée et l'entrecôte de Brad.

— Rien, absolument rien, avoua-t-il honnêtement. Mais de temps en temps, ça fait du bien de regarder la réalité en face. Autrefois, j'avais toutes sortes de fantasmes sur le mariage et ce qu'il devait être. En vérité, ce n'étaient que des illusions. Regarde nos couples respectifs, ceux de nos parents… Les miens se sont détestés pendant des années, avant de se décider à divorcer. Ils se sont alors faits les pires horreurs, et se sont à peine adressé la parole pendant les années qui ont suivi. J'ai toujours voulu que mon expérience soit différente de la leur, et, Dieu merci, j'ai à peu près réussi : Pam et moi ne nous détestons pas. Mais je ne sais pas quels sentiments nous éprouvons l'un pour l'autre, si toutefois nous en éprouvons encore. J'ai l'impression que nous ne sommes que des amis. Voire des étrangers qui habitent à la même adresse.

C'était un aveu douloureux, mais il s'était résigné à cet état de fait, des années plus tôt. De son côté, Faith avait accepté le comportement d'Alex envers elle, son indifférence. Elle espérait tout de même qu'il serait là, si elle venait à tomber malade, mais elle devait admettre qu'il lui offrait très peu d'attention et de soutien au quotidien. Il était plus intéressé par sa propre vie. Elle aurait été bien incapable de dire depuis combien de temps il en était ainsi, ou si même il en avait jamais été autrement dans le passé. Probablement pas. Elle-même s'était consacrée à ses filles, et n'avait pas eu le temps de remarquer à quel point Alex était absent. Même quand il était là physiquement, son esprit et son cœur étaient ailleurs.

— Tu sais, observa-t-elle d'un air songeur, au fond, c'est un constat qui nous parle de nous plus encore que d'eux. Leurs besoins sont satisfaits, leur vie est sans doute conforme à ce qu'ils en attendaient au départ. Ni ta femme ni mon mari ne semblent attendre beaucoup de nous, ni s'investir dans nos vies. C'est nous qui voyons les choses différemment, et qui désirons plus dans l'absolu, je suppose. Mais s'il en est ainsi, c'est que nous l'avons accepté. A ton avis, quelle conclusion devons-nous en tirer ?

— Pendant longtemps, je me suis dit que mon refus de divorcer prouvait que j'étais quelqu'un de bien. Mais, à présent, je n'en suis plus si certain. Je crois qu'accepter le statu quo est une forme de lâcheté, en réalité. Je ne veux pas faire de vagues, ni provoquer de conflit avec ma femme. Je ne veux en aucun cas d'une séparation. Je veux finir ma vie comme je l'ai commencée, suivre le chemin que je me suis tracé, dans la même maison, avec la même femme. Je crois que j'abhorre le changement, à cause de ce qui s'est passé dans mon enfance. Mes parents ne cessaient de se menacer l'un l'autre, ils parlaient toujours de partir, de se quitter, si bien que j'ai grandi en redoutant l'avenir en permanence. Je ne veux pas reproduire ce schéma-là. Je ne veux plus de rebondissement de ce genre dans ma vie.

— Moi non plus, acquiesça Faith avec sérénité.

Elle aimait bien parler de tout cela avec lui. Autrefois, elle le faisait avec Jack, mais depuis sa mort elle n'avait pu se confier à personne.

— Nous payons ce choix au prix fort, cependant, reprit Brad en reposant ses couverts sur son assiette.

Faith n'avait mangé que la moitié de son poisson, mais elle avait un petit appétit, comme en témoignait sa silhouette gracile.

— Les compromis imposent toujours des sacrifices, surtout si tu acceptes que ce soit l'autre qui dicte ses règles, reprit-il. Mais je crois que j'ai décidé que le jeu en valait la chandelle.

Il était remarquablement honnête, et elle l'admirait pour cela. Il savait très bien à quoi il avait renoncé, et semblait l'accepter. D'une certaine façon, elle était dans une situation semblable, même si Alex se montrait plus autoritaire avec elle que Pam avec Brad. Ces derniers avaient résolu leurs problèmes conjugaux en menant chacun leur vie, tandis qu'Alex et elle continuaient à former un vrai couple, même s'ils ne communiquaient pas beaucoup et ne partageaient plus grand-chose.

— Parfois, on se sent tout de même un peu seul, remarqua Faith du bout des lèvres, comme si la réflexion l'effrayait.

C'était quelque chose qu'elle avait du mal à s'avouer, mais qu'il lui était curieusement plus facile de dire devant Brad. Avec lui, elle se sentait en confiance, et il en avait toujours été ainsi.

— C'est vrai, admit-il.

Et il reprit sa main dans la sienne. Il adorait être avec elle.

— Est-ce que Jack te manque autant qu'à moi, Fred ? demanda-t-il au bout d'un moment.

Elle acquiesça, et leva vers lui des yeux embués de larmes.

— Oui, surtout à cette époque de l'année. Je ne sais pas pourquoi.

— En revanche, Debbie ne me manque pas, déclara Brad avec une franchise qui fit rire Faith.

— Mon Dieu, à moi non plus ! Quelle peste ! Nous parlions de faire des sacrifices pour préserver la paix dans un couple ; eh bien, je crois que Jack détenait la palme d'or. Je ne sais pas combien de fois elle l'a quitté, ou a menacé de le faire... Elle me rendait folle. Au moins, Alex fait ses affaires de son côté, et j'ai l'impression que Pam aussi, alors que Debbie harcelait constamment ce pauvre Jack.

— Il était fou d'elle, pourtant, lui rappela Brad. Je n'ai jamais compris pourquoi. Je suppose que c'est pour cela que nous nous voyions moins, vers la fin. Elle me détestait, et je le lui rendais bien. Elle s'est en quelque sorte interposée dans notre amitié.

Faith s'adossa à sa chaise. Son manteau rouge, posé derrière elle, la faisait ressembler au cœur d'une fleur sur fond de pétales écarlates.

— Tu sais, elle est partie sans jamais plus donner signe de vie, dit-elle. Son avocat nous a appris qu'elle s'était remariée, et qu'elle avait quitté la région. Elle n'a jamais téléphoné ni écrit. Je n'ai plus entendu parler d'elle.

— C'est pitoyable, commenta Brad.

Faith approuva d'un signe de tête.

— Même si je ne la portais pas dans mon cœur, je regrette que Jack n'ait pas eu d'enfants avec elle. Ou avec quelqu'un d'autre, d'ailleurs. J'aimerais tellement avoir des neveux et nièces pour continuer à le chérir à travers eux... Alors que là, il ne reste rien de lui. Des souvenirs, voilà tout.

Elle s'interrompit, chassant les larmes qui revenaient, et Brad serra sa main dans la sienne.

— Il y a nous deux, Fred. C'est ça qu'il nous a laissé. Tous les bons moments que nous avons partagés, tous les souvenirs, toutes ces années d'enfance vécues ensemble.

Elle acquiesça tristement, incapable de parler pendant un long moment.

Ils décidèrent de se passer de dessert et de commander des cappuccinos.

— Crois-tu qu'il existe des mariages heureux ? demanda soudain Brad en la regardant dans les yeux avec intensité. Parfois, je me le demande...

Faith le considéra sans répondre, et il poursuivit.

— Quand je regarde les couples autour de moi, je n'envie personne. C'est peut-être pessimiste de voir les choses ainsi, mais j'ai l'impression que le bonheur conjugal est une illusion, un rêve irréalisable. Nous nous trompons tous sur l'avenir quand nous nous engageons, et nous finissons toujours, comme toi et moi, par faire des compromis qui nous pèsent, et par remercier nos enfants d'exister et nos vieux amis d'être fidèles.

— C'est effectivement une triste façon de voir les choses, Brad. Je préfère penser qu'il y a des gens heureux. J'ai des exemples autour de moi. Tout au moins, je le crois. Et je ne peux pas dire que je sois malheureuse. La vie avec Alex est différente de ce que j'avais prévu au départ, c'est tout.

Elle ne le dit pas, mais sa foi chrétienne lui était également d'un grand secours. Elle ajoutait une autre dimension à sa vie. Comme Jack, elle était très croyante ; Brad les avait toujours admirés pour cela, leur enviant cette ferveur qu'il ne partageait pas.

— Je crois que tu te mens, Fred. Nous ne passerions pas notre temps à nous envoyer des e-mails si nous trouvions ce dont nous avons besoin auprès de nos conjoints. Nos enfants ne seraient pas le centre de nos vies à l'exclusion du reste, en tout cas, pas à ce point. Nous serions peut-être même heureux de les voir grandir et prendre leur envol. Que partages-tu avec Alex, Fred ? Que représente-t-il pour toi, honnêtement ? Longtemps, ma femme a été pour moi une associée et une amie. Elle n'est maintenant plus qu'une amie, puisque nous ne

159

travaillons plus ensemble. Nous sommes colocataires, en réalité, à peine plus.

Ce n'était guère réjouissant, mais il semblait accepter la situation avec philosophie. Il savait se montrer incroyablement honnête, envers elle comme envers lui-même. Il n'avait plus beaucoup d'illusions, et aucun rêve.

— Je crois qu'Alex et moi sommes amis aussi, dit-elle après quelques instants de réflexion.

Brad la trouvait bien généreuse dans son analyse, vu le tableau qu'elle lui avait dressé de la situation. Au moins, elle ne se leurrait pas au point de s'imaginer que son mari et elle s'aimaient encore. Elle savait bien que non. En fait, elle n'était plus très sûre qu'Alex fût capable d'éprouver des sentiments.

— Nous nous soutenons l'un l'autre. Non, ce n'est pas vrai, rectifia-t-elle instantanément. Je le soutiens, et il me nourrit. C'est un bon père pour les filles, il a le sens des responsabilités. Et c'est quelqu'un de droit.

Elle se creusait la cervelle pour lui trouver d'autres qualités, mais avait du mal à décrire ce qu'il représentait pour elle. Il était fiable, elle pouvait compter sur lui. Mais il ne lui donnait plus aucune affection, et ce depuis des années.

— Tu vois ce que je voulais dire ? reprit doucement Brad. Ce n'est pas exactement l'idée que tu te faisais de la vie de couple, n'est-ce pas, Fred ? Et quand je fais le bilan de mon côté, j'arrive à peu près à la même conclusion. Il faut se contenter de ce que l'on a, et en tirer le meilleur parti. Mais pour être honnête, cela laisse beaucoup de vides. On peut essayer de les combler grâce aux enfants, aux amis, au travail, mais quoi qu'on fasse, les carences seront toujours là.

— Encore une fois, je te trouve très négatif, répondit Faith, un peu secouée par ses paroles.

Pourtant, elle ne pouvait pas vraiment le contredire.

— Je préfère ne pas me voiler la face. Avant, j'étais malheureux comme les pierres, je m'escrimais à essayer de transformer ma relation avec Pam en quelque chose d'inaccessible. J'espérais la changer, elle, en faire quelqu'un qu'elle n'était pas. Ce n'est qu'une fois que j'ai accepté les choses telles qu'elles étaient — et ma femme telle qu'elle était aussi — que j'ai finalement trouvé la sérénité.

— Y a-t-il quelqu'un d'autre dans ta vie ? demanda Faith sans ambages.

C'était une question qu'elle avait posée à Jack quelques années plus tôt, et il lui avait répondu par la négative. Il était bien trop obsédé par Debbie pour envisager de la tromper, bien qu'elle l'eût fait de son côté. Il avait été anéanti lorsqu'il l'avait découvert ; mais malgré tout, il ne l'avait jamais repoussée. Faith avait toujours admiré la loyauté de son frère et sa capacité à pardonner, même si elle les trouvait parfois excessives.

— Il y a eu quelqu'un d'autre, répondit Brad avec sincérité, aussi posément que son frère l'eût fait. Je pense que Pam s'en est doutée, mais elle n'a jamais abordé le sujet. Elle préfère ne pas savoir. De toute façon, les aventures de ce type ne mènent nulle part. C'est une source de frustration pour tout le monde, surtout si l'on refuse d'envisager le divorce. C'était mon cas, et je n'ai pas changé d'avis sur ce point. Résultat, tout le monde a souffert. Je me suis senti minable après cette expérience, et je ne l'ai jamais renouvelée. C'est plus facile comme ça.

Il semblait décidément s'accommoder très bien de sa situation.

— Accepterais-tu de divorcer, si tu tombais vraiment amoureux de quelqu'un d'autre ? demanda Faith, enhardie par la curiosité.

Il la surprenait tellement, depuis le début de la soirée, qu'elle avait envie d'en savoir plus. Il était d'ailleurs tout aussi intrigué par elle, par ce qui la faisait réagir, par sa vie d'adulte qu'il découvrait, pleine de compromis si proches des siens.

— Jamais, déclara-t-il avec une conviction apparemment inébranlable. Quand j'ai épousé Pamela, je savais que je m'engageais pour le meilleur et pour le pire, jusqu'à ce que la mort nous sépare. Je ne répéterai pas l'erreur de mes parents. Même si mes enfants sont grands maintenant, ils n'ont pas besoin d'assister au sinistre spectacle de parents qui se déchirent et détruisent tout ce qu'ils ont construit ensemble. Je refuse tout simplement l'idée du divorce. Et je ne tomberai pas amoureux de quelqu'un d'autre. Pour rien au monde je ne laisserai une chose pareille se produire.

— Moi non plus, dit doucement Faith.

La question ne s'était jamais posée, mais même si une occasion s'était présentée, elle ne l'aurait pas saisie. Par conviction religieuse, d'une part, mais surtout par respect pour son mariage.

— Je ressens exactement la même chose que toi, ajouta-t-elle. De toute façon, cela ne reviendrait qu'à reporter les mêmes problèmes dans un autre contexte. Comme tu le disais tout à l'heure, il n'existe pas de vie de couple parfaite.

— Nous faisons une belle paire de désabusés ! constata Brad en riant.

Il régla discrètement l'addition, puis il releva la tête vers elle et la considéra gravement.

— Je suis heureux que nous nous soyons retrouvés, Faith. Tu es un vrai cadeau dans ma vie. Grâce à toi, elle vaut de nouveau la peine d'être vécue. Tu sais, j'ai l'impression de retrouver, après des années, une pièce d'or perdue au fond d'un tiroir. Et non seulement elle

162

est toujours aussi brillante, mais elle a encore plus de valeur qu'autrefois. J'adore parler avec toi, t'écrire, te lire… Tu illumines mes journées.

Elle lui sourit, touchée par son aveu. Elle éprouvait exactement la même chose de son côté.

— Et moi, je me dis que c'est ta faute, si je reprends mes études ! lança-t-elle en plaisantant. C'est toi que je maudirai quand je peinerai sur mes devoirs à trois heures du matin, en me disant que je dois me lever à l'aube le lendemain !

— Quand tu auras réussi l'examen du barreau, tu pourras quitter Alex et venir travailler pour moi ! répliqua-t-il en riant.

— Histoire de confirmer toutes ses craintes ! s'exclama-t-elle.

Ils quittèrent le restaurant en riant, bras dessus bras dessous. Il était onze heures passées, et Brad devait se lever tôt le lendemain matin.

— Est-ce que tu auras un peu de temps à me consa-crer demain ? demanda-t-il alors qu'ils descendaient Prince Street.

Il héla un taxi.

— Bien sûr, répondit Faith. Alex est à Los Angeles jusqu'à la fin de la semaine, et Zoe n'arrive que ce week-end. Je suis une femme libre, et en plus j'ai terminé mes courses de Noël, dit-elle en affectant une fierté enfantine.

Brad esquissa une grimace.

— Et moi, je n'ai pas encore commencé les miennes… Il faudra que je m'y mette dès mon retour.

Il ferait une halte chez Tiffany pour Pam. Elle adorait les bijoux, et pour lui faciliter la tâche, elle l'informait toujours très exactement de ce qu'elle avait repéré et qui lui plaisait. Quant aux garçons, il était trop compliqué de leur envoyer quelque chose. Il leur apporterait des cadeaux lorsqu'il irait les voir au printemps. A part ça, il voulait offrir une montre à sa secrétaire. Ses courses de Noël s'avéraient typiquement masculines : une ou deux boutiques, une ou deux heures, la veille de Noël, et voilà !

— Veux-tu que nous allions dîner ensemble, demain soir ? Je crois qu'il y a un repas prévu dans le cadre du congrès, mais je devrais pouvoir m'échapper. Si je passe te chercher vers six heures, nous aurons plus de temps pour bavarder. Je vais demander au concierge de l'hôtel s'il a d'autres adresses, celle-ci n'était pas mal du tout.

— C'est vrai, renchérit Faith. Mon poisson était succulent, et j'ai beaucoup aimé le vin.

Brad se mit à rire, car elle avait à peine trempé les lèvres dans son verre.

— Tu as toujours un appétit d'oiseau, Fred. Je m'étonne que tu ne sois pas encore morte de faim !

Mais il en avait toujours été ainsi, même quand ils étaient adolescents. La plupart du temps, elle se contentait de picorer à table, pour avaler ensuite, à la surprise générale, deux hot dogs et un banana split si l'occasion se présentait. Les banana split étaient son péché mignon, quand elle était petite.

Une fois dans le taxi, il passa son bras autour de son épaule, et elle se blottit confortablement contre lui jusqu'à l'arrivée. Elle était bien ainsi, sereine et en sécurité. Il comblait en elle le vide laissé béant par la mort de Jack.

Brad descendit du taxi et demanda au chauffeur de patienter pendant qu'il raccompagnait Faith jusqu'à la porte de la maison. Il attendit qu'elle ait désactivé l'alarme pour pénétrer à sa suite dans le hall d'entrée.

— A demain, dit-il avec chaleur. Je t'appellerai avant de venir, et je te dirai où nous allons. Préférerais-tu un endroit plus à la mode ?

Elle secoua la tête énergiquement.

— Pas la peine de t'embêter. Je suis prête à manger des pizzas, des pâtes, des burritos ou des hamburgers, n'importe quoi pourvu que nous soyons tous les deux.

Il sourit en la serrant dans ses bras une dernière fois, puis il regagna le taxi. Elle n'aurait pu rêver d'une soirée plus délicieuse.

— A demain ! répéta-t-il en agitant la main par la vitre alors que la voiture s'éloignait.

Elle referma la porte et la verrouilla soigneusement.

En montant se coucher ce soir-là, elle se sentait plus apaisée et sereine qu'elle ne l'avait été depuis des années.

9

Comme promis, Brad vint la chercher à six heures, le lendemain soir. Au téléphone, il s'était contenté de lui dire qu'ils iraient dîner dans un endroit sans prétention, et de lui recommander de s'habiller chaudement, car il s'était mis à faire très froid. Faith avait donc enfilé un long manteau sur un pull à col roulé du même vert que ses yeux, un pantalon de velours noir, et des bottes doublées de fourrure.

— Alors, où allons-nous ? demanda-t-elle en montant à côté de lui dans le taxi.

Il avait donné l'adresse au chauffeur avant son arrivée.

— Tu verras bien, répondit-il avec un petit air mystérieux.

Ils s'arrêtèrent au niveau du magasin Saks, sur la Cinquième Avenue, et traversèrent la rue à pied. C'est à ce moment qu'elle devina qu'ils se rendaient au Rockefeller Center, pour dîner au bord de la patinoire. Ils prirent effectivement place juste derrière la baie vitrée qui donnait sur l'esplanade, et s'amusèrent à regarder les gens évoluer sur la glace, certains effectuant des figures avec aisance tandis que d'autres s'agglutinaient sur les bords ou perdaient l'équilibre. Tout le monde avait l'air de beaucoup s'amuser, et il y avait de nombreux enfants au milieu des adultes.

— Tu te souviens, quand nous étions allés patiner tous les trois à Central Park ? demanda Faith avec une joyeuse nostalgie.

Brad avait pensé à l'y emmener, mais il avait finalement opté pour cet endroit, craignant qu'un pèlerinage au Wollman Rink de Central Park ne ravive des souvenirs trop émouvants, pour lui comme pour elle. Ils avaient vécu tant d'aventures ensemble... Ils avaient eu une enfance privilégiée pour des petits New Yorkais, tout au moins d'un point de vue matériel. Ils vivaient alors dans le même quartier, l'un des plus jolis de l'Upper East Side, juste au-dessus de Yorktown, et Jack et lui fréquentaient la même école.

— Evidemment, je m'en souviens, dit-il d'un air faussement dédaigneux. C'est pour ça que nous sommes là ! Et je me disais qu'après le dîner, nous pourrions peut-être faire quelques tours de piste... sur des patins, ou sur les genoux, à voir, car je n'ai pas mis les pieds sur la glace depuis à peu près vingt ans ! Le patinage n'est pas un sport très répandu en Californie...

Quand ils étaient enfants, ils allaient patiner tous les trois au moins une ou deux fois par semaine. Jack avait même fait partie de l'équipe de hockey sur glace de leur école.

— Vraiment ?

Elle semblait à la fois incrédule et ravie, comme une petite fille. En fait, cette idée lui plaisait énormément.

— Oh oui, ce serait drôle ! s'exclama-t-elle en riant.

— Je suis content que ça t'amuse aussi. Comme ça, tu pourras me ramasser quand je tomberai.

— Ne compte pas sur moi ! Je n'ai pas mis les pieds sur la glace depuis notre enfance !

Elle avait emmené ses filles assez souvent à la patinoire, quand elles étaient petites, mais en se contentant de rester assise au bord de la piste pour les regarder.

— Génial. Nous serons donc parfaitement assortis.

Ils commandèrent leurs plats, et Faith se rendit compte qu'elle était pressée de finir le sien pour pouvoir aller patiner. Mais Brad avait tout prévu : il avait volontairement réservé leur table très tôt, si bien qu'à huit heures précises ils avaient terminé de dîner, juste à temps pour s'inscrire à la nouvelle session de patinage qui commençait. Ils se rendirent au vestiaire pour louer des patins pendant qu'un employé nettoyait la glace, et quand ils furent prêts, la session venait de commencer. Faith s'aventura sur la piste la première. D'abord incertaine, elle se demanda si elle n'avait pas été trop téméraire ; mais au bout de quelques tours, elle se surprit à prendre de l'assurance. Brad l'avait rejointe, et patinait à côté d'elle, un peu hésitant lui aussi au départ, puis, comme elle, de plus en plus rapide. Autrefois, tous deux étaient d'assez bons patineurs, et au bout d'une demi-heure, ils évoluaient avec aisance autour de la piste, se tenant par la main, ravis.

— Je n'arrive pas à croire que je suis encore capable de ça ! s'écria Faith qui se sentait pousser des ailes, les joues roses de plaisir et les cheveux au vent.

Elle se félicitait de s'être habillée chaudement, selon les recommandations de Brad, et d'avoir apporté des gants. Lorsqu'il l'avait appelée, elle ignorait ce qu'il avait en tête, et s'était figuré qu'il avait prévu une promenade ; jamais elle n'avait imaginé une chose pareille ! Elle était ravie qu'il ait eu cette idée. C'était comme s'il l'avait emmenée en voyage dans le passé.

— Tu te débrouilles encore très bien, Fred.

A peine avait-il prononcé ce compliment qu'elle perdait l'équilibre, déstabilisée par une irrégularité de la glace. Il attrapa sa main et l'aida à se relever, tandis que tous deux éclataient de rire et repartaient de plus belle.

Deux heures plus tard, ils étaient aussi épuisés qu'enchantés de leur soirée. Ils rendirent les patins à regret, mais Brad convint qu'il n'aurait sans doute pas survécu à une heure supplémentaire.

— Je suis devenu vieux, se plaignit-il sans parvenir à éveiller la pitié de Faith. Je vais avoir mal partout demain !

— Moi aussi, mais je ne regrette rien ! répondit-elle en souriant.

Elle ne s'était pas amusée comme cela depuis son enfance. Il avait vraiment eu une excellente idée.

— Tu te souviens de toutes les fois où nous sommes allés patiner avec des amis, et où vous m'avez laissée tomber pour aller courir après les filles, Jack et toi ? Je m'arrangeais systématiquement pour tout faire rater parce que j'étais amoureuse de toi ! Je devais avoir douze ou treize ans.

— Vraiment ? Alors comment se fait-il que je ne t'aie pas épousée toi, au lieu de Pam ? Quel idiot !

Ils en parlaient d'autant plus ouvertement qu'il n'y avait plus eu la moindre ambiguïté entre eux, une fois les premières années de leur adolescence passées.

— Je crois que je me suis remise de mon amour pour toi vers l'âge de quatorze ans, plaisanta Faith.

En réalité, elle en avait seize. A ce moment-là, Brad était entré à l'université, et elle avait rencontré d'autres garçons. Mais jusqu'alors, pendant à peu près huit ans, elle n'avait eu d'yeux que pour lui.

Ils remontèrent lentement la Cinquième Avenue à pied, pincés par le froid et courbatus par l'exercice physique mais heureux et détendus. Alors qu'ils s'arrêtaient à un coin de rue pour guetter un taxi, Faith regarda dans la direction de la cathédrale Saint-Patrick et eut une idée.

— Et si nous allions allumer un cierge pour Jack ?

Le regard qu'elle leva vers Brad le fit fondre.

— Bien sûr, dit-il avec douceur.

Faith allumait régulièrement des cierges pour son frère, mais Brad n'avait pas mis les pieds dans une église depuis des années. Enfant, il accompagnait pourtant Jack, Faith et leur mère à la messe. Il faisait partie de l'Eglise épiscopalienne, mais aimait le rite fastueux du catholicisme. Une ou deux fois, il avait même communié avec ses amis du et avait constaté avec surprise que rien n'était vraiment différent de ce qui se pratiquait dans son propre culte. L'Eglise catholique lui avait pourtant toujours paru mystérieuse et impressionnante. Un jour, Jack avait réussi à le convaincre de venir se confesser avec eux, et il avait été très surpris de la gentillesse du prêtre. Le catholicisme l'avait toujours attiré, même s'il s'était éloigné de la religion au fil des années.

Faith, elle, continuait d'aller régulièrement à la messe, mais Alex n'était pas pratiquant et avait toujours refusé qu'elle emmène ses enfants avec elle. Elle y allait donc seule. Depuis la mort de son frère, elle était plus fervente que jamais : au lieu d'une fois ou deux, elle se rendait maintenant à l'église plusieurs fois par semaine. Ces visites l'apaisaient, lui donnaient l'impression de communier avec Jack. C'était le seul moyen qu'elle avait trouvé pour lutter contre la douleur.

Brad traversa l'avenue à son côté, en silence.

Il était un peu plus de dix heures du soir, et les portes de la cathédrale étaient encore ouvertes. Celui qui les franchissait n'était pas déçu : l'édifice tout entier était orné de décorations de Noël, et magnifiquement éclairé. Brad et Faith demeurèrent un instant immobiles, regardant autour d'eux. De part et d'autre des allées latérales, des autels dédiés à différents saints étaient illuminés d'une multitude de cierges. Et au bout de l'allée centrale, se dressait l'autel principal, droit devant eux. Faith fit le signe de croix, et ils avancèrent côte à côte jusqu'aux premiers rangs. Elle avait presque l'impression que Jack marchait près d'eux.

Ils se glissèrent dans une travée en silence, et y demeurèrent un moment. Faith s'agenouilla et se mit à prier, pour Jack, pour leur mère, pour Charles, pour ses filles ; puis, toujours à genoux, elle se tourna vers Brad et lui sourit. Jamais il ne l'avait trouvée aussi belle.

— Je sens sa présence entre nous, murmura-t-elle.

Ils savaient tous les deux de qui elle parlait, et Brad acquiesça, les larmes aux yeux, avant de s'agenouiller à côté d'elle.

— Moi aussi.

Puis il inclina la tête et ferma les yeux. C'était comme au bon vieux temps, quand ils patinaient ensemble et allaient à la messe. Seul manquait Jack, mais à cet instant il semblait tout aussi présent qu'eux.

Il s'écoula un long moment avant qu'ils ne se lèvent. Face au grand autel, Faith fit une génuflexion, avant de se diriger vers les statues des saints devant lesquelles brûlaient les cierges. Brad la suivit jusqu'à l'autel de saint Jude, qui avait toujours été le saint préféré de Faith. Elle glissa un billet de cinq dollars dans la fente du tronc, alluma un cierge, puis en tendit un autre à Brad afin qu'il pût l'allumer lui-même. Pour lui, ce rituel avait toujours eu quelque chose de magique. Il en émanait une telle force... Cela ne pouvait qu'être positif.

Ils se tinrent côte à côte pendant un moment, pensant à Jack et priant en silence. Puis Brad prit la main de Faith, et ils s'éloignèrent lentement. Juste avant de sortir, Faith effleura de sa main l'eau bénite et se signa une dernière fois.

— Merci d'être venu avec moi, murmura-t-elle en lui souriant.

Elle s'était déjà rendue à l'église une fois cette semaine, mais cette visite avait infiniment plus de valeur à ses yeux, parce que Brad était à ses côtés. Elle avait l'impression que leurs prières conjuguées avaient plus de pouvoir.

En la suivant à l'extérieur, Brad garda le silence, profondément ému. Il y avait des années qu'il n'était pas entré dans une église, et il était surpris de ce qu'il venait d'éprouver. Peut-être était-ce le simple fait d'avoir partagé ce moment avec Faith… ou la force des souvenirs que cette démarche avait ravivés…

— As-tu toujours ton chapelet ? demanda-t-il alors qu'ils redescendaient main dans la main les marches du parvis.

Il se sentait encore plus proche d'elle à présent, comme si elle était sa sœur de sang, et non simplement son amie.

— Oui.

— Est-ce que tu dis encore ton rosaire ?

Il avait toujours été fasciné par sa dévotion quand elle était enfant. Il aimait cette fidélité dans la pratique religieuse. Jack se moquait souvent de lui à ce propos, lui conseillant de se convertir et de devenir prêtre.

— Parfois… A vrai dire, de plus en plus souvent, depuis la mort de Jack. Il m'arrive de m'arrêter dans une église et de prier pour lui.

Brad approuva d'un signe de tête, trop respectueux pour lui demander ce qui la poussait à agir ainsi, ce que cela lui apportait. Si elle en avait envie, songeait-il, c'est qu'elle y trouvait un sens. Elle avait toujours eu la foi, et avait même parlé, petite, de devenir religieuse. Mais au fil des années, elle s'était mise à désirer des enfants et une vie de famille, ce qui semblait plus sain à Brad.

— Est-ce que Pam et toi allez parfois à l'église ? demanda-t-elle alors qu'ils se retrouvaient sur le trottoir de la Cinquième Avenue.

Brad savait qu'il était l'heure de la ramener chez elle, mais il n'avait aucune envie de la quitter.

Sa question le fit sourire.

— Pam est une athée convaincue. Elle est persuadée que Dieu n'existe pas.

Il le dit simplement, sans aucune forme de jugement. Elle était ainsi, il respectait ses convictions. Mais de son côté, même si sa foi demeurait vague, il croyait en Dieu.

— Comme c'est triste, dit Faith.

Brad la regarda en souriant. Il y avait tant de pureté chez elle, et ce depuis toujours...

— Et tes garçons ?

— Je ne pense pas qu'ils aient des convictions très arrêtées, ni qu'ils cherchent vraiment à en avoir. Je ne me suis pas beaucoup occupé de leur éducation religieuse... J'ai toujours pensé qu'ils trouveraient leur voie eux-mêmes, le jour venu. Quant à moi, avant aujourd'hui, je n'étais pas entré dans une église depuis des années. Et toi, vas-tu à la messe avec Alex ?

— Alex est membre de l'Eglise épiscopalienne comme toi, et il n'est pas pratiquant du tout. Je ne pense pas qu'il soit athée, mais il déteste aller à l'église. Il considère que c'est une perte de temps, un truc de bonnes femmes... Et à cause de son influence, les filles ne veulent jamais y aller non plus, sauf pour allumer un cierge de temps en temps.

— Je trouvais ce rituel formidable, quand nous étions enfants. Pour moi, c'était exactement comme de faire un vœu... Je croyais que toutes les prières étaient exaucées. Ta mère m'avait dit qu'elles l'étaient.

La mère de Faith et Jack était très pieuse, ce qui l'avait aidée à surmonter beaucoup d'épreuves, pendant ses premières années de mariage avec Charles et auprès de son premier mari — même si elle n'avait jamais admis avoir été malheureuse avec l'un ou l'autre. A cette

173

époque, le secret et le déni avaient tenu beaucoup de place dans la famille de Faith.

— Moi aussi, je croyais que les prières étaient toutes exaucées, dit Faith avec une pointe de tristesse.

Au moins les prières des autres, sinon les siennes...

— Et maintenant ? interrogea Brad en posant sur elle un regard intense.

— Parfois, je le crois encore... Mais je n'en suis plus si sûre.

— A cause de Jack ? demanda-t-il doucement.

Ils se regardaient dans les yeux, et leur haleine formait un nuage de buée dans la nuit glacée de décembre.

Elle acquiesça lentement.

— Tu sais, reprit-il, c'est curieux, je ne suis pas pratiquant, je ne l'ai jamais été. Je ne suis allé à l'église qu'avec ton frère, ta mère et toi quand nous étions enfants. Mais je continue à croire ce qu'elle m'a dit à propos des prières exaucées.

— J'aimerais en être aussi sûre que toi, répondit Faith avec retenue.

La vie n'était plus aussi simple qu'à l'époque... Mais même dans les pires moments qu'elle avait traversés, Faith s'était toujours ressourcée grâce à sa foi.

— Je suis certain que c'est vrai, répondit Brad.

Un très léger tremblement altérait sa voix, et Faith ne sut dire si les larmes qu'elle voyait briller dans ses yeux étaient dues au froid ou à autre chose.

— Et je crois que Jack penserait la même chose, ajouta-t-il doucement.

Faith se contenta d'approuver, sans répondre. Puis elle glissa sa main sous son bras, et ils remontèrent lentement la Cinquième Avenue, sans prononcer un seul mot.

10

Brad quitta New York le vendredi après-midi, le lendemain de leur soirée à la patinoire. Il l'avait appelée le matin, pour lui dire que ses courbatures lui faisaient souffrir le martyre et qu'il avait eu toutes les peines du monde à sortir de son lit, mais qu'il avait passé la veille avec elle l'un des plus beaux moments de sa vie. Il aurait aimé s'arrêter chez elle pour lui dire au revoir, mais finalement il n'en eut pas le temps, car il dut se dépêcher pour ne pas rater son avion. Il la rappela donc de l'aéroport.

— Je voulais t'embrasser et te souhaiter un joyeux Noël de vive voix, Fred, dit-il d'un air désolé.

Il était très déçu de n'avoir pas pu la revoir une dernière fois.

— J'ai tellement apprécié notre soirée d'hier ! Je n'en ai jamais passé de meilleure. Il faudra recommencer la prochaine fois que je viendrai.

Mais il n'avait aucun autre voyage à New York en vue. Il n'y venait qu'exceptionnellement, toujours pour des congrès comme celui-là. Alors qu'à l'époque où il travaillait pour son beau-père, il faisait très fréquemment l'aller-retour…

— Moi aussi j'ai passé une soirée merveilleuse, dit Faith avec nostalgie.

Ç'avait été si bon de le revoir ! Maintenant qu'il repartait pour la Californie, elle avait l'impression de se séparer une fois de plus de son frère.

— Je suis contente que nous soyons allés à Saint Patrick ensemble, ajouta-t-elle.

— Moi aussi. Peut-être que j'irai mettre un cierge pour Jack, de temps en temps, à San Francisco. J'y crois toujours aussi fort.

— Je sais, dit-elle doucement. Et moi, j'en allumerai un en pensant à toi pendant la messe de minuit, à Noël. En général, j'arrive à convaincre Zoe de m'accompagner.

Brad songea soudain qu'il devrait lui aussi aller à la messe plutôt que d'assister au dîner mondain de Pam. Le soir de Noël proprement dit, ils ne faisaient en général rien de spécial ; ils dînaient chez le père de Pam, puis ils rentraient se coucher. Cette année, en l'absence des garçons, ils avaient même renoncé à acheter un sapin.

— Quand Zoe rentre-t-elle à la maison ?

Il avait oublié la date exacte de son retour, mais savait qu'il était imminent. Quant à Alex, elle l'attendait le lendemain. Brad était entré quelques minutes dans la maison, le soir précédent, en déposant Faith, et elle lui avait montré le bureau où elle consultait ses e-mails et lui écrivait. C'était une petite pièce chaleureuse, pleine de photographies et de ce qu'elle appelait des « vieilleries sentimentales ». Il était heureux d'avoir vu l'endroit où elle s'installait pour lui écrire. Ainsi, il pourrait se l'imaginer...

— Zoe sera à la maison ce soir, répondit-elle. Et ensuite, tout ira très vite. Ses amies et elles seront complètement excitées et courront dans tous les sens, il y aura des vêtements et des cadeaux partout, on commandera des pizzas au milieu de la nuit...

Brad se mit à rire tristement.

— Cette époque me manque, dit-il avec mélancolie.

Il aurait tant aimé revoir son amie avant de partir...

— Je t'appellerai pendant le week-end, reprit-il. Je serai à mon bureau samedi et dimanche. Prends bien soin de toi, Fred.

— Toi aussi. Et merci pour ces deux merveilleuses soirées. Je les ai adorées.

— Et moi donc !

Les haut-parleurs annoncèrent son vol ; il était temps de mettre fin à leur conversation.

— Allume un cierge pour moi, la prochaine fois que tu iras à l'église. Un peu de soutien ne me fera pas de mal.

— D'accord. Bon voyage, ajouta-t-elle alors qu'il se hâtait de raccrocher.

Elle demeura un moment assise, songeant à lui. Cela lui paraissait si étrange de le voir revenir dans sa vie, et en même temps si formidable ! C'était un vrai cadeau, le plus beau qu'on eût pu lui offrir pour Noël. Seule la venue d'Ellie aurait pu lui faire plus plaisir.

Elle n'avait toujours pas annoncé à Zoe que sa sœur passerait ses vacances en Suisse. Mais pour l'instant, Brad et les moments passés avec lui occupaient toutes ses pensées. Ils avaient eu des conversations très enrichissantes, et elle avait adoré leur soirée à la patinoire. C'était incroyable de voir à quel point ils s'ouvraient facilement l'un à l'autre, comme au bon vieux temps — mieux encore, même, car ils étaient plus sages avec le recul des années. Parler avec lui était un merveilleux réconfort. D'une certaine façon, c'était encore mieux qu'avec Jack, car elle avait toujours eu quelques désaccords avec son frère, par exemple à propos du remariage de leur mère. Faith était convaincue que celle-ci s'était sentie seule et malheureuse toute sa vie, tandis que Jack estimait que Charles était quelqu'un de bien, et que sa sœur se montrait trop critique envers lui. Par ailleurs, Jack et elle n'avaient jamais vraiment eu de conversation directe au sujet de leurs conjoints respectifs. Elle n'appréciait pas Debbie, et il détestait Alex. Brad et elle, en revanche, voyaient les choses de la même façon, en général.

Elle était désolée de découvrir qu'il avait fait tant de compromis dans son couple, et le plaignait de tout son cœur. Pam n'avait pas l'air d'être la femme qu'il lui fallait, et pourtant il était évident qu'il ne la quitterait jamais. Même si cela partait d'une intention louable, elle ne pouvait s'empêcher de penser qu'il avait tort. Mais il aurait pu dire la même chose d'Alex et elle... Ni son couple, ni celui de Brad n'étaient des modèles, mais ils vivaient avec la personne qu'ils avaient choisie, et étaient tous deux fermement décidés à tenir bon. Elle respectait profondément cette détermination, tout en plaignant Brad.

Ce soir-là, elle lui envoya un e-mail pour le remercier encore une fois du temps qu'il lui avait consacré. Au moment où elle appuyait sur « Envoyer », Zoe arriva avec quatre valises, sa raquette de tennis, un appareil photo dans sa housse et son ordinateur portable sous le bras. Quand Faith descendit dans la cuisine, sa fille était en train de se servir un verre de lait.

— Bienvenue à la maison, ma chérie ! s'exclama Faith en la prenant dans ses bras pour la serrer contre elle.

Elle proposa de lui préparer quelque chose à manger, mais Zoe assura qu'elle avait mangé un sandwich à l'aéroport. Elle se contenta de prendre un peu de crème glacée, et s'assit à table avec un sourire gourmand.

— Que je suis contente de t'avoir à la maison ! dit Faith en lui rendant son sourire.

— Je suis contente aussi, articula Zoe entre deux cuillerées de glace. Quand est-ce qu'Ellie arrive ?

Le visage de Faith s'assombrit brusquement.

— Elle ne rentre pas. Elle va passer les vacances à Saint-Moritz, en Suisse. Geoffrey et sa famille l'ont invitée à faire du ski avec eux.

— Tu plaisantes ? demanda Zoe, abasourdie. Elle va se marier avec lui ?

A ses yeux, cela seul aurait pu justifier l'absence de sa sœur.

— Non, pas à ma connaissance. Elle voulait simplement aller là-bas pour le plaisir.

— Et tu l'as laissée faire, maman ?

Zoe n'en revenait pas. Les fêtes de famille étaient si importantes pour leur mère qu'elle n'arrivait pas à croire que celle-ci avait autorisé sa sœur aînée à n'en faire qu'à sa tête.

— Elle a d'abord appelé ton père, semble-t-il, et il lui a dit qu'il ne voyait pas d'inconvénient à ce qu'elle reste en Europe. Alors j'ai cédé pour cette fois, mais je lui ai dit que je voulais absolument qu'elle revienne l'année prochaine. Et toi, ne te mets pas en tête de me faire un jour un coup pareil, avertit Faith en levant un doigt faussement menaçant.

— Ne t'inquiète pas, maman, dit Zoe avec un sourire affectueux. Je n'irai nulle part. Mais ça va me faire drôle de fêter Noël sans Ellie…

Elle semblait triste, tout à coup. Elle ne parvenait pas à imaginer un Noël sans sa sœur. Même si elles ne s'entendaient pas toujours, l'absence d'Ellie l'affectait.

— Je sais que ce sera bizarre, approuva Faith. Tu vas être fille unique pendant trois semaines.

A ces mots, le visage de Zoe s'illumina de nouveau.

— Ma foi, ça ne sera peut-être pas si terrible que ça ! Au fait, où est papa ?

— Dans l'avion qui le ramène de Californie. Il devrait arriver dans quelques heures.

Alex avait en effet téléphoné de l'aéroport pour annoncer qu'il était épuisé et avait décidé de rentrer un jour plus tôt.

Une demi-heure plus tard, Zoe était dans sa chambre, en train de déballer ses affaires. Sa moquette était jonchée de vêtements. Son ordinateur était allumé, la sonnette de la porte d'entrée avait déjà retenti trois fois, et toutes ses meilleures amies de lycée étaient venues lui rendre visite.

Quand Alex rentra, le sol du salon disparaissait sous les cartons de pizza vides, la musique était à plein volume et les filles riaient tant et plus. C'était le chaos, et Faith ne savait plus où donner de la tête. Alex pénétra dans leur chambre en poussant un grognement irrité.

— Nous sommes envahis par les Martiens, gémit-il. J'ai croisé un livreur de pizzas en arrivant, et un autre qui venait apporter des plats chinois. J'avais à peine passé la porte que Zoe m'a emprunté cent dollars, et il y a environ deux cents filles dans la maison. Combien de temps durent ses vacances ?

Il semblait épuisé et à bout de nerfs, mais Faith, qui venait d'arrêter le bain de Zoe juste avant qu'il ne déborde, était heureuse de toute cette joyeuse agitation. Elle se sentait revivre en même temps que la maison s'animait.

— Elle va rester trois semaines. Ton voyage s'est bien passé ?

— C'était harassant. Mais très calme par rapport à ce qui se passe ici. Tu crois qu'on pourrait leur demander de baisser un peu la musique, ou est-ce que je dois prévoir un stock de boules Quies pour les trois semaines à venir ? C'était vraiment comme ça ici avant que les filles ne s'en aillent ?

Il paraissait exténué.

— Oui, répondit Faith en souriant, et c'est pour ça que je m'ennuie depuis qu'elles ne sont plus là.

Elle le regarda poser sa valise et se laisser tomber sur une chaise.

— Tu ne m'as pas dit qu'Eloise t'avait appelé pour t'annoncer qu'elle ne passerait pas Noël avec nous.

Elle s'efforçait de ne laisser filtrer aucun reproche dans sa voix, mais il n'en demeurait pas moins évident qu'elle n'était pas contente. Ils ne s'étaient pas parlé pendant l'absence d'Alex : elle ne lui avait pas téléphoné une seule fois, et lui non plus.

— J'ai dû oublier, dit-il d'un air vague.

— Tu aurais pu m'en parler avant de donner ton accord. Je suis tombée des nues quand elle a appelé.

— Est-ce qu'elle va rentrer ? demanda-t-il d'un ton plus inquiet que coupable.

Manifestement, une présence supplémentaire dans la maison l'aurait rendu fou. Il avait oublié à quoi ressemblait la vie à l'époque où leurs filles vivaient encore avec eux.

— Non, elle ne rentre pas. Elle m'a dit que tu l'avais autorisée à rester en Europe, ce qui ne me laissait pas beaucoup de marge de manœuvre. Je ne pouvais lui interdire d'aller en Suisse sans passer pour une mère castratrice. Alors je lui ai dit oui.

— Elle va bien s'amuser, observa-t-il en retirant ses chaussures.

— Je lui ai tout de même dit que c'était la première et la dernière fois que j'acceptais ça. Je tiens à ce que les filles reviennent pour Noël chaque année, quoi qu'il arrive, et si on ne pose pas les règles maintenant, elles ne le feront pas. Il y aura toujours quelque chose qui les tentera ailleurs.

— Ça se passera très bien pour elle, tu verras.

— Je n'en doute pas une seconde, mais ça ne m'empêchera pas de regretter qu'elle ne soit pas là, rétorqua Faith tandis que de l'autre côté de la porte, la musique montait de quelques décibels.

Une porte claqua.

— Eh bien, moi, je ne regrette rien. Les filles n'ont pas arrêté de se disputer pour Thanksgiving. Je me suis dit que ça pourrait leur faire du bien de ne pas se voir pendant quelque temps.

— Ça leur aurait peut-être fait davantage de bien de se voir un peu et de faire la paix, objecta Faith avec obstination.

Elle croyait très fort à l'unité des familles, et à tout ce que cela impliquait. En écoutant son mari, elle se remémorait ce que Brad et elle s'étaient dit au cours des deux jours précédents. Parfois, Alex et elle se trouvaient aux antipodes l'un de l'autre. La plupart du temps, en réalité.

— Est-ce que tu crois que tu pourrais demander à Zoe de baisser sa musique ? Je vais devenir fou si elle continue à ce train-là pendant trois semaines.

Il se dirigea vers la douche, manifestement à bout.

— Tu veux dîner ? demanda Faith dans son dos.

Il marqua une pause sur le seuil de la salle de bains.

— J'ai mangé dans l'avion. Je veux juste me coucher. Malheureusement, ces gamines vont sans doute continuer leur java toute la nuit.

— Zoe a dit qu'elles sortaient. Mais en attendant, je vais leur demander de faire moins de bruit.

— Merci.

Et il referma la porte. Il ne lui avait pas donné un baiser, ni le moindre témoignage d'affection. Il s'était contenté de pénétrer dans la chambre et de se plaindre du bruit. Elle ne pouvait lui reprocher sa fatigue, mais un petit mot gentil après trois jours d'absence n'aurait pas été de trop...

Quelques minutes plus tard, elle alla voir Zoe et ses camarades pour leur demander un peu de calme. Deux boîtes de pizza ouvertes traînaient sur le lit de la jeune fille ; quelques-unes de ses amies grignotaient en regardant la télévision, tandis que Zoe, elle, se séchait les cheveux dans la salle de bains.

— Ton père va se coucher dans peu de temps, Zoe, lui dit sa mère sans élever la voix. Vous pourriez peut-être faire un peu moins de bruit.

— On va sortir bientôt, maman, cria Zoe pour couvrir le bruit du sèche-cheveux. J'attends trois autres copines dans quelques minutes, on va manger quelque chose ici et on s'en ira.

— N'oublie pas d'éteindre la télévision et la chaîne quand tu descendras.

— Promis.

Elle tint parole, mais lorsqu'elles furent enfin descendues, Faith retrouva le fer à friser de Zoe et ses bigoudis chauffants dans le lavabo ; la baignoire était encore pleine. Il n'aurait servi à rien de le lui faire remarquer, elle oubliait toujours de la vider, de toute façon. Elle avait aussi laissé deux bougies allumées dans sa chambre, ce qui inquiéta davantage Faith. Elle redoutait que les filles ne mettent le feu à la maison, un jour. Les bougies faisaient l'objet d'un conflit récurrent entre elles ; Zoe accusait sa mère d'être paranoïaque.

— Elles sont parties ? demanda Alex, plein d'espoir, quand Faith regagna leur chambre.

Il était au lit avec un livre, en pyjama, les cheveux lavés de frais.

— Non, mais c'est imminent.

Elle évita de parler des bougies et du fer à friser, sachant que cela ne manquerait pas de le mettre dans une colère épouvantable. Elle était plus patiente que lui. A l'âge de Zoe, elle aussi se comportait encore souvent comme une enfant, en dépit de son corps de femme.

Lorsqu'elle descendit voir si tout se passait bien en bas, les filles mangeaient leurs plats chinois à même les boîtes, entre deux éclats de rire hystériques. Elles étaient maintenant sept, et pendant quelques instants, Faith fut presque soulagée qu'Ellie ne soit pas là pour ajouter son désordre au leur... Elle s'en serait accommodée, bien sûr, mais Alex aurait sans doute craqué.

— Je me disais que nous pourrions aller acheter le sapin demain, dit-elle à sa fille par-dessus les têtes de ses camarades.

— Je ne peux pas, maman. Demain, je vais me faire couper les cheveux et j'ai des amis à voir.

Elles avaient pourtant pour coutume de choisir ensemble le sapin. C'était une tradition à laquelle Faith tenait beaucoup. Mais, décidément, ses filles semblaient faire bien peu de cas des traditions, cette année.

— Je suis désolée, ajouta Zoe. On pourrait y aller la semaine prochaine ?

Il restait encore neuf jours avant Noël.

— Dimanche, plutôt ? suggéra Faith avec espoir.

— Je ne peux pas, j'ai une soirée dans le Connecticut.

— Si je l'achète, tu m'aideras à le décorer ?

— Promis, dit Zoe en déposant un baiser sur sa joue alors que la sonnette retentissait de nouveau.

Quatre nouvelles filles firent leur entrée, et il s'écoula encore une demi-heure avant que toute la petite troupe ne s'en aille. Zoe promit de rentrer à une heure décente, mais ne donna aucune précision.

Faith resta dans la cuisine pour ranger leur désordre. Elle ne voulait pas se plaindre dès le premier soir.

Quand elle remonta au premier étage, Alex dormait à poings fermés. Elle éteignit la lumière et redescendit dans son bureau. La maison semblait soudain étrangement calme, et elle sourit toute seule. Malgré le bruit et le désordre, elle adorait que Zoe leur rende visite. Cela lui rappelait la vie qu'elle avait menée durant vingt-quatre ans, même si ça ne devait durer que quelques semaines.

Brad se trouvait encore dans l'avion, mais elle décida néanmoins de lui écrire, pour la seconde fois de la journée.

Cher Brad,

Le chaos a repris ses droits. Musique à fond, sèche-cheveux, fer à friser, chaîne hi-fi, télévision, glace dégoulinant sur le carrelage de la cuisine... Zoe est de retour ! Et déjà ressortie avec ses amis. Alex est rentré de Californie au milieu de tout ça, et s'est empressé de monter se coucher. Il dort, et moi je me réjouis de toute cette agitation. Tu te rends compte ? Quand Zoe partira, je retournerai moi aussi à l'université...

Comment vas-tu ? J'espère que tu as fait bon voyage. C'était merveilleux de te revoir. J'ai adoré nos deux dîners, notre séance de patinage, et notre visite à Saint Patrick. Reviens vite, tu me manques déjà. J'ai aussi trouvé très intéressants les échanges que nous avons eus à propos du mariage, des relations de couple, des compromis, etc. On ne parlait jamais de ces choses-là quand on était petits ! A vrai dire, je ne me souviens plus de nos sujets de conversation d'alors. Je crois qu'on riait beaucoup, surtout. J'ai discuté de tout ça avec Jack par la suite... C'est curieux que nous en soyons arrivés là, n'est-ce pas ? Les choses ne se sont pas passées comme prévu... Enfin, quand les filles sont là, ça m'est égal. C'est plus dur quand elles sont loin. Dans ces moments-là, je réalise ce que j'ai perdu.

Je voulais aller acheter le sapin avec Zoe demain, mais il semble qu'elle ait du mal à trouver une heure à m'accorder.

On fera peut-être le sapin pour Pâques, cette année... Tant pis, j'irai le chercher toute seule. Ce qui compte, c'est qu'elle soit là. Cette maison est un vrai tombeau quand elle s'en va.

Ne travaille pas trop ce week-end. A très bientôt. Je t'embrasse, Fred.

Elle resta à son bureau quelques heures de plus pour répondre à du courrier. Et, alors que minuit sonnait, elle reçu une réponse de Brad.

Salut, Fred, je viens de rentrer. J'ai allumé mon ordinateur pour t'écrire un petit mot, et voilà que tu m'avais devancé. Envoie-moi un peu de ton bruit ! Ta lettre m'a fait repenser au bon vieux temps des pompes à vélo et des skate-boards dans l'entrée, des baskets égarées partout dans la maison, des interminables tractations sur le choix de la musique et des programmes télé, et des disparitions incessantes de mes caleçons. Comment pouvaient-ils les porter tous à la fois ? Avec mes chaussettes en prime ? Et je ne te parle pas des voitures garées devant la maison, et de la tribu d'ados en train de vider le frigo. Ça me manque tellement... Je voudrais tant que les garçons soient là tous les deux ! Profite bien de chaque minute du séjour de Zoe, comme j'ai profité de tous les instants que nous avons passés ensemble, Fred. Quel cadeau de t'avoir retrouvée, après toutes ces années ! Je me maudis de t'avoir perdue il y a trois ans. Je promets que ça n'arrivera plus. Tu es trop délicieuse pour être vraie ! Pourquoi ne t'ai-je pas mis le grappin dessus quand tu avais quatorze ans ? A l'époque, je courais après des filles sans cerveau, mais qui avaient de gros seins. Plus ils étaient gros, plus elles m'intéressaient... Pathétique. Cela dit, Jack m'aurait tué si je t'avais approchée de trop près. C'est mieux ainsi. Je t'aime comme t'aimait ton frère, petite sœur. Merci d'apporter autant de soleil dans ma vie. Si ta maman était encore des nôtres, j'irais la remercier pour tout ce que tu es. En fait, non, elle n'a sans doute pas à être remerciée, c'est toi qui es comme ça.

Je vais aller m'écrouler dans mon lit. Je regrette de ne pas être avec toi pour t'aider à décorer ton sapin. Embrasse Zoe de la part du plus vieil ami de sa mère. Mais n'embrasse pas Alex, il ne comprendrait pas. Et prends soin de toi, Faith. Plus que neuf jours avant Noël. Huit avant mes courses... Je t'embrasse, Brad.

Faith sourit en finissant sa lecture, puis se décida à monter dans sa chambre pour lire au lit. Elle voulait rester éveillée jusqu'au retour de Zoe, qui rentra finalement à deux heures du matin. Faith se leva pour aller lui souhaiter bonne nuit. Sa plus jeune fille semblait heureuse et enchantée d'avoir retrouvé ses amies. La plus chère d'entre elles était venue passer la nuit avec elle, ce que Faith comprenait parfaitement.

— A demain matin, les filles, dit-elle en refermant la porte.

Elle la rouvrit aussitôt.

— Et pas de bougie, s'il vous plaît. J'aimerais autant que la maison reste entière jusqu'à Noël, si c'était possible. D'accord ?

— D'accord, maman, acquiesça Zoe avec un air amusé. Bonne nuit !

Alex ronflait quand Faith se glissa dans le lit à côté de lui, et avant d'éteindre la lumière elle le regarda un instant. Jamais elle n'aurait pu avoir avec lui les discussions qu'elle avait eues avec Brad ces derniers jours. Il n'en aurait pas vu l'intérêt. De même qu'il était incapable de poser un regard tendre sur le capharnaüm qui accompagnait le retour de sa fille à la maison. Jamais il n'aurait emmené Faith patiner, et jamais il ne serait entré avec elle à Saint Patrick pour faire brûler un cierge à la mémoire de Jack. Pourquoi pouvait-on faire ces choses-là avec un ami, et pas avec l'homme que l'on avait choisi pour la vie ? Alex était droit, sérieux et digne de confiance. Leur couple tenait depuis des années. Mais il l'aurait envoyée promener si elle avait essayé de lui parler des sacrifices et des compromis de la vie de couple. Jamais il n'aurait compris, ou voulu comprendre. Ils parlaient d'autres choses, des enfants, des affaires d'Alex, de ses derniers voyages ou de l'actualité. Mais en aucun cas elle ne pouvait partager avec lui sa vision du monde, ou les rêves qu'elle nourrissait au plus profond d'elle-même. C'était comme ça, et il ne servait à rien de s'en plaindre ou de le regretter. Surtout qu'il y avait Brad.

Elle éteignit enfin la lumière, et cinq minutes plus tard, elle sombrait dans le sommeil. Quand elle s'éveilla le lendemain matin, Alex était déjà parti dans son bureau pour rattraper du travail en retard.

Faith sortait de la baignoire et cherchait une serviette propre quand Zoe entra dans la salle de bains.

— Oh là là, maman ! Comment t'es-tu fait ce bleu énorme ?

Elle avait l'air effrayée, et Faith suivit son regard, étonnée. Effectivement, elle avait un gros hématome sur la hanche. Elle ne l'avait même pas remarqué.

— Quoi ? Ah, ça… C'est sûrement en faisant du patin à glace l'autre jour, dit-elle en se drapant dans la serviette.

— Tu as fait du patin à glace ? Mais depuis quand sais-tu patiner ? demanda Zoe, stupéfaite.

— Depuis l'âge de cinq ans, à peu près. Mais je n'avais pas mis les pieds sur la glace depuis une éternité. Tu ne te souviens pas que je vous emmenais patiner dans le parc, quand vous étiez petites ?

Jack était même venu une ou deux fois avec elles. Mais Zoe était sans doute trop jeune à l'époque pour s'en souvenir.

— C'est possible, dit-elle sans conviction.

Elle avait toujours préféré la danse classique, puis s'était découvert une passion pour les chevaux.

— Mais avec qui es-tu allée faire du patin à glace ?

Elle ne pouvait imaginer sa mère toute seule à la patinoire. C'était tout simplement impensable.

— Avec un vieil ami de ton oncle Jack. On a grandi ensemble. Il était de passage à New York pour quelques jours, et nous sommes allés patiner en souvenir de notre enfance. C'était très amusant.

— Parle-moi un peu de lui, demanda Zoe avec curiosité. Comment est-il ?

Faith lui répondit tout en s'habillant. C'était notamment pour ces moments-là qu'elle appréciait les séjours de Zoe. Ensemble, elles pouvaient parler des heures.

— C'est quelqu'un de très sympathique. Il me fait beaucoup penser à oncle Jack. On s'est retrouvés à l'enterrement de Charles, et depuis deux mois, nous échangeons régulièrement des e-mails. Il habite à San Francisco, c'est un avocat spécialisé dans la défense des mineurs délinquants. Des cas très difficiles, des meurtres, des horreurs dans ce genre. Tu l'as vu à l'enterrement de ton oncle, mais tu ne te souviens probablement pas de lui.

Il y avait énormément de monde, ce jour-là, et les filles étaient très perturbées.

Zoe regarda sa mère d'un air malicieux.

— Tu n'aurais pas un petit faible pour lui, maman ? Tu as des étoiles dans les yeux quand tu parles de lui.

— Ne dis pas de bêtises, je le connais depuis ma naissance.

— Et alors ? Est-ce qu'il est un peu amoureux de toi ?

— Mais non, nous sommes seulement très bons amis. Presque frère et sœur. Cela dit, nous parlons beaucoup, et nous avons le même point de vue sur tout un tas de choses. Sans doute parce que nous avons grandi ensemble, ça crée des liens.

— Il est marié ?

Zoe était très intriguée par Brad et trouvait cette histoire aussi passionnante qu'inattendue. Jusque-là, sa mère n'avait jamais eu d'ami masculin proche. Contrairement à Faith, Zoe envisageait toutes les possibilités, sans réticence aucune. Elle estimait que son père n'était pas gentil avec sa mère, et que cela lui servirait de leçon si celle-ci venait à avoir une aventure. Elle se demandait même si cela ne ferait pas le plus grand bien à Faith.

— Oui, il est marié, et il a deux fils, des jumeaux, qui sont en Afrique pour un an. Ils ont à peu près l'âge d'Ellie.

— Peut-être qu'il faudrait les lui présenter ! Ils sont mignons ?

Faith se rappela la photo que Brad lui avait montrée : les garçons ressemblaient comme deux gouttes d'eau à leur père.

— Je trouve, oui.

— Ah... Dans ce cas, ils ne doivent pas être terribles !

Et la jeune fille décocha un clin d'œil à sa mère avant de retourner dans sa chambre. Faith demeura songeuse, surprise par l'intérêt que Zoe portait à Brad.

Un peu plus tard dans la journée, Zoe partit comme prévu chez le coiffeur pendant que Faith allait acheter le sapin. Elle en choisit un grand, qui aurait belle allure dans le salon, et le fit livrer dans l'après-midi. Elle était en train de le décorer quand Alex rentra.

Il la regarda un moment avant de s'asseoir sur un fauteuil sans lui proposer de l'aider, comme si la chose ne le concernait pas le moins du monde. Faith était juchée sur un escabeau, en train d'accrocher des boules de couleur aux plus hautes branches. Avant cela, elle s'était battue une bonne heure avec la guirlande lumineuse.

— Tu ne veux pas me donner un coup de main ? demanda-t-elle, pleine d'espoir.

Zoe n'était pas encore rentrée.

— Tu as l'air de t'en sortir très bien toute seule, répondit-il.

Puis il se leva et disparut. Il détestait décorer le sapin de Noël. Autrefois, Faith s'en chargeait volontiers avec les enfants, mais cette époque-là était révolue. Les filles n'avaient plus ni le temps ni l'envie de le faire...

Faith consacra encore une bonne heure à sa tâche, puis elle recula pour contempler le résultat. L'arbre était magnifique et donnait un air de fête au salon. Pour compléter l'atmosphère, elle mit un disque de chants de Noël, puis alla chercher quelque chose dans son bureau. En passant devant son ordinateur, elle s'aperçut qu'elle avait du courrier. Elle n'avait pas regardé sa boîte aux lettres électronique de la journée.

Salut, Fred. Journée affreuse, il fallait que je partage ça avec quelqu'un. J'ai reçu un appel d'un couple, que je viens de voir en entretien : leur fille de quinze ans est accusée d'avoir tué leur fils de six ans. Il semblerait qu'elle soit mentalement déséquilibrée, mais ce n'est pas si évident que cela, ce qui signifie qu'elle peut être jugée. Je vais essayer d'obtenir une expertise psychiatrique, et elle finira sans doute dans un établissement réservé aux criminels reconnus irresponsables... C'est une tragédie pour cette famille. Les parents sont anéantis. Tu parles d'un cadeau de Noël... La photo du petit garçon m'a fendu le cœur. Je vais voir sa sœur ce soir, elle est en train de subir des examens. Il y a des jours où je déteste mon travail... Dans ce cas précis, je ne peux pas faire grand-chose pour la gamine, ni pour la famille, à part régler quelques problèmes techniques. Je suis désolé de déverser tout ça sur toi. J'espère que tu as passé une bonne journée, en tout cas meilleure que la mienne. Est-ce que tu as trouvé ton sapin ? Je suis sûr qu'il est splendide. Et toi aussi. J'ai beaucoup aimé ton manteau rouge, est-ce que je te l'ai dit ? Cette couleur te va à merveille. Et les patins à glace aussi. A bientôt, Brad.

Il semblait si déprimé qu'elle lui répondit tout de suite.

Je suis désolée de ce qui t'arrive, cette histoire est épouvantable. Le cauchemar absolu pour des parents. Ils viennent de perdre leurs deux enfants, en quelque sorte... C'est terrible pour tout le monde. Je suis navrée que ce soit tombé sur toi.

Ici tout va bien. Le sapin est installé et décoré, il a fière allure. Zoe a disparu toute la journée, elle a donc échappé à la tâche... Sa coupe de cheveux a sans doute duré six heures ! Mais je suis sûre qu'elle ne va pas tarder à rentrer. Il faut que j'aille préparer le dîner. Je voulais seulement te dire bonjour. Au fait, les patins me vont peut-être très bien, mais ça ne m'a pas empêchée d'avoir un bleu énorme du genou à la hanche ! Zoe a été horrifiée. Je lui ai raconté notre soirée à la patinoire, elle est très curieuse ! J'espère que tu la verras la prochaine fois. Prends soin de toi, et essaie de ne pas trop penser à ces choses tristes. Je t'embrasse, Fred.

Zoe entra dans la pièce alors qu'elle envoyait l'e-mail. Sa nouvelle coupe était très réussie, et elle s'était également fait maquiller et manucurer.

— Regardez-moi ça ! s'écria Faith en souriant. Comme tu es belle, ma chérie !

Zoe ressemblait énormément à sa mère au même âge.

— A qui écris-tu ? demanda-t-elle, les yeux brillants de curiosité.

— A Brad, l'ami dont je t'ai parlé, répondit Faith d'un ton parfaitement naturel.

Un petit sourire moqueur se dessina sur les lèvres soigneusement fardées de sa fille.

— Maman, est-ce que tu es amoureuse de lui ?

— Mais non ! C'est mon ami, voilà tout.

— Est-ce que vous avez une aventure ensemble ?

Zoe était redevenue sérieuse. Elle refusait de croire que cette relation pût être purement amicale.

— Bien sûr que non ! C'est un ami, je te dis.

— Eh bien moi, je crois que tu es amoureuse de lui, maman. Tu devrais te voir quand tu parles de lui. Tes yeux ne se contentent pas de briller, ils scintillent, ils étincellent.

— Tu as fumé des substances illicites, Zoe, plaisanta Faith.

— Absolument pas, et je suis sûre que j'ai raison. Tu es amoureuse.

— Et toi, tu es complètement folle, répondit Faith en riant.

— Est-ce que papa sait ? A propos de Brad, je veux dire.

— Je crois que je lui ai dit que je devais le voir, mais ça ne l'intéresse pas le moins du monde. Il n'a pas ton imagination débordante, Dieu merci ! Et Brad non plus. J'ai eu un petit béguin pour lui quand j'étais petite, mais ça m'a passé vers l'âge de quatorze ans. C'est-à-dire il y a une bonne centaine d'années. Donc non, je ne suis pas amoureuse.

— Eh bien tu devrais peut-être, déclara Zoe avec le plus grand sérieux. Tu n'es pas vraiment heureuse avec papa.

Elle avait asséné ce constat avec un parfait détachement, et Faith en demeura saisie.

— Ce n'est pas vrai ! Comment peux-tu dire une chose pareille ?

— Parce que c'est vrai. Il ne te parle jamais, il n'est pas gentil avec toi, il ne t'embrasse même pas.

— Ton père n'est pas démonstratif en public, protesta Faith.

— Ah bon ? Parce que c'est différent en privé ? Alors que se passe-t-il exactement, quand tu vas te coucher ? Tu le réveilles alors qu'il dort déjà depuis trois heures ? Allons, maman, je ne suis pas idiote. Et regarde la façon dont il te parle. Tu mérites mieux que ça.

Zoe parlait sans hésiter, en toute sincérité, et Faith était profondément choquée, stupéfaite que sa fille, à seulement dix-huit ans, ait observé tous ces détails, pour parvenir à une telle conclusion... Mais même si Zoe n'avait pas tort, Faith n'était pas pour autant amoureuse de Brad. Et elle était profondément peinée que sa propre enfant ait une vision si négative de son couple — et, pire encore, si pertinente... L'entendre résumer ainsi la situation la rendait malade. De toute évidence, Zoe considérait le couple de ses parents comme un échec pathétique. Certes, ce n'était pas un modèle de bonheur absolu, Faith le savait bien, mais tout de même...

— Ce que tu dis est faux, Zoe. Ton père et moi sommes heureux ensemble. Nous nous comprenons. Ça se passe très bien comme ça.

— Non, répliqua Zoe.

Elle avait raison, mais Faith n'était pas prête à admettre cette vérité, ni devant sa fille, ni même en son for intérieur.

— Ça se passe très bien pour lui, mais pas pour toi, poursuivit Zoe. Comment peux-tu prétendre être bien avec quelqu'un qui te dénigre sans cesse et qui ne t'écoute jamais ? Tu vaux mieux que ça, maman. Tu ne fais rien d'autre que travailler pour lui ! Peut-être qu'un de ces jours, tu rencontreras quelqu'un qui sera gentil avec toi, et que tu quitteras papa. J'espère que ça arrivera. Ça ferait un choc à Ellie, mais elle s'en remettrait. Et moi, je serais heureuse pour toi.

Elle avait dit tout cela d'une traite, sans laisser à sa mère le temps de protester.

— Zoe ! s'écria Faith en la prenant dans ses bras pour la serrer contre elle. Comment peux-tu parler comme ça de ton père ?

— Je te dis tout ça parce que je t'aime, maman, et parce que je veux que tu sois heureuse. Sois honnête : en ce moment, tu ne l'es pas. Je suis très contente que tu reprennes tes études. Peut-être que tu rencontreras quelqu'un à la fac.

Elle semblait décidément très déterminée à voir sa mère partir avec un autre homme.

— Zoe, je n'ai pas l'intention de rencontrer qui que ce soit. Je suis mariée, j'aime ton père, et je n'irai nulle part.

— Eh bien, tu as tort. Peut-être que ce type, Brad...

Elle s'accrochait à son idée avec une obstination sans faille.

— Non, objecta Faith immédiatement. Brad est comme un frère pour moi, je te l'ai déjà dit.

— Alors de quoi parlez-vous dans vos e-mails ?

La curiosité de la jeune fille n'était pas encore satisfaite.

— De tout et de rien. D'Ellie et toi, de ses fils, de mes études, de mon frère... de sa femme et de ton père.

— Ça me semble très intéressant... A quoi ressemble-t-il ? Quel âge a-t-il ?

— Il est grand, brun aux yeux verts, avec un menton très carré, et il a quarante-neuf ans.

— Il est beau ?

— Oui, je suppose qu'on peut dire ça. Mais je ne me suis jamais vraiment posé la question, je le considère comme un membre de ma famille.

Elle n'était pas complètement honnête en disant cela. Cette fois comme la précédente, à l'enterrement de Charles, elle avait remarqué à quel point il était séduisant. Mais il était hors de question d'admettre une chose pareille devant Zoe, sans quoi celle-ci s'empresserait d'en tirer de mauvaises conclusions.

— Tu as des photos de lui ?

— Non.

— Tiens, tu vois, tu viens de recommencer ! s'exclama Zoe avec une expression victorieuse.

— Recommencer quoi ?

— J'ai vu des étoiles dans tes yeux, quand tu as parlé de lui. J'avais raison, tu es amoureuse.

— Zoe, veux-tu, s'il te plaît, arrêter de raconter n'importe quoi !

— Tu verras bien. Peut-être que tu ne le sais pas encore, mais je suis sûre que j'ai raison.

— Je le connais depuis trente-neuf ans. C'est un peu tard pour tomber amoureuse, non ?

— Il n'est jamais trop tard. Peut-être qu'il quittera sa femme.

— Peut-être que tu devrais arrêter de dire des bêtises, et aller te reposer.

Sur ce, Alex descendit et passa la tête par l'entre-bâillement de la porte. Il paraissait contrarié.

— Tu n'as pas encore commencé à préparer le dîner, Faith ? J'ai une faim de loup, et il est presque sept heures.

— Je suis désolée, Alex, je m'y mets tout de suite. Je vais faire quelque chose de rapide.

Il acquiesça sans rien dire, avant de disparaître dans son propre bureau, dont elles entendirent la porte se refermer derrière lui. Zoe posa un regard irrité sur sa mère.

— Pourquoi ne lui dis-tu pas d'aller s'acheter une esclave ?

— Zoe !

— Il ne peut pas préparer le dîner lui-même, ou t'emmener au restaurant ? Qu'est-ce qui l'en empêche ?

— Il travaille beaucoup. Il est fatigué. Il est parti toute la semaine, et il a passé sa journée au bureau.

— Toi, tu as acheté et décoré le sapin. Et tu as rangé ma chambre — merci, au fait. Tu m'as préparé mon petit déjeuner, et tu vas lui faire son dîner. Tu n'es pas vraiment restée assise à manger des bonbons devant la télévision, il me semble !

Faith ne put s'empêcher de rire, tandis que Zoe la suivait dans la cuisine avec un air courroucé.

— Tu dînes ici ? demanda-t-elle à sa fille tout en inspectant le contenu du réfrigérateur. Il y a des steaks pour tout le monde.

— Non, je sors. Et je crois que tu devrais faire pareil.

Alex n'était vraiment pas d'humeur à l'emmener quelque part, et cela n'ennuyait pas Faith de lui préparer à manger. Elle le faisait depuis vingt-six ans, et même si Zoe jugeait la situation inacceptable, elle s'en accommodait très bien.

— Pourquoi est-ce que vous n'allez jamais au cinéma ?

Elle avait raison, il y avait des mois qu'ils n'étaient pas sortis tous les deux. La plupart du temps, il était trop fatigué quand il rentrait le soir.

— Décidément, tu t'inquiètes beaucoup trop, dit Faith. D'abord, tu me soupçonnes d'avoir une aventure extraconjugale, ensuite tu reproches à papa de ne pas assez s'occuper de moi... Qu'est-ce qui t'arrive ?

— Je pense que tu devrais avoir une liaison avec Brad, insista Zoe.

Là-dessus, elle déposa un baiser sur la joue de sa mère et fila au premier étage. Faith demeura dans la cuisine et sourit toute seule, amusée. Zoe était adorable, mais elle avait vraiment des idées absurdes, parfois !

11

Le week-end passa très vite, ponctué par les allées et venues de Zoe et de ses amis. Faith prépara des repas pour tout le monde, paya pizzas et taxis, changea les draps, lava les serviettes de toilette, aida à ramasser vêtements et accessoires de coiffure, et veilla tard le soir pour attendre le retour de sa fille. Elle fut soulagée quand Zoe annonça qu'elle se rendait à sa soirée dans le Connecticut en train et non en voiture, même si, par conséquent, la jeune fille ne fut pas de retour avant trois heures du matin cette nuit-là. Faith avait l'impression de jouer sans cesse les intermédiaires ; en effet, le désordre et le bruit rendaient Alex de plus en plus nerveux, et il se disputait constamment avec Zoe. Il détestait sa musique, son langage, la façon dont ses amies s'habillaient, les garçons qui passaient de temps à autre, et le bazar que tout ce petit monde laissait derrière lui. Il trouvait que tous ces jeunes gens ressemblaient à une bande de clochards et que la musique qu'ils écoutaient n'était qu'un bruit insupportable... ce qui n'était pas complètement faux, mais Faith, elle, était habituée à tout cela, et tolérait les modes et les lubies de ces grands adolescents. Plus d'une fois au cours des vacances, Zoe la qualifia fièrement de « top cool ».

Le lundi soir, Ellie téléphona de Saint-Moritz. Zoe était sortie, mais Faith fut ravie de savoir que tout allait bien. Sa fille s'en donnait à cœur joie sur les pistes de ski, avait rencontré des tas de gens, et affirma que la famille de Geoffrey se montrait charmante avec elle. Elle avait l'air heureuse, mais pas follement amoureuse, ce qui, au fond, soulageait Faith.

En écoutant Ellie raconter ses vacances avec tant d'enthousiasme, elle se dit qu'après tout, Alex avait peut-être eu raison. Le sacrifice semblait en valoir la peine. Ellie semblait s'amuser énormément, sans doute beaucoup plus que si elle était rentrée à New York.

— Tu avais raison, dit-elle gentiment à son mari ce soir-là, pendant le dîner. Ellie est enchantée de ses vacances.

— J'ai la plupart du temps raison, répliqua-t-il sans hésitation. Et j'ai raison aussi à propos de ton idée de reprendre tes études. Ce sera un fiasco colossal.

Peu désireuse de se quereller de nouveau avec lui, Faith ne tenait pas à remettre cette question sur le tapis, mais il n'avait visiblement pas l'intention d'abandonner le sujet.

— Est-tu revenue à la raison, Faith ? demanda-t-il.

Elle ne savait pas pourquoi il reparlait de tout cela maintenant, mais cela la rendait nerveuse. Elle devait passer son LSAT un peu plus d'une semaine plus tard et se sentait coupable de ne pas le lui avoir avoué.

— Non, Alex, je n'ai pas changé d'avis. Je commence dans trois semaines.

Elle avait payé les frais d'inscription sur ses propres deniers : elle avait touché un peu d'argent à la mort de sa mère. En revanche, Jack avait légué tout ce qu'il possédait à sa femme. Celle-ci avait laissé à Faith quelques objets que Jack affectionnait particulièrement, et avait disparu avec le reste.

— Tu le regretteras, poursuivit Alex. Tu ne tiendras même pas un trimestre.

Faith était bien décidée à changer de sujet avant que la discussion ne dégénère.

— Je ne veux pas discuter de ça avec toi, décréta-t-elle finalement avec une fermeté inaccoutumée.

Il se le tint pour dit et resta silencieux pendant toute la fin du dîner. Puis il se leva de table et monta dans leur chambre avec un livre. Faith poussa un soupir las, puis elle débarrassa la vaisselle, et, une fois qu'elle eut rangé la cuisine, elle alla se réfugier dans son bureau pour envoyer un mail à Brad.

Celui-ci ne mit que quelques minutes à lui répondre.

Pour l'amour du ciel, qu'est-ce qu'il raconte ? Tu as toujours eu de meilleures notes que Jack et moi, et tu as décroché ton diplôme de premier cycle à Barnard avec les honneurs. Te connaît-il donc si mal ? J'ai raté l'examen du barreau la première fois que je l'ai passé, mais je suis certain que toi, tu réussiras du premier coup. Ne peut-il pas te laisser un peu tranquille ? Dis-lui d'aller au diable, la prochaine fois !

Il avait l'air passablement irrité, et Faith ne put réprimer un sourire.

Je crois en toi, Fred, concluait-il. *Et maintenant, toi aussi tu dois croire en toi. Je t'embrasse fort, Brad.*

Je suppose qu'il n'a toujours pas digéré le fait que je me sois inscrite, répondit Faith immédiatement. *J'espérais qu'il aurait surmonté sa colère…*

Cela lui rappela brusquement tout ce que Zoe lui avait dit. Elle n'avait pas raconté à Brad que sa fille la croyait amoureuse de lui — ou estimait qu'elle devait le devenir, si elle ne l'était pas encore. Elle n'était pas certaine qu'il aurait apprécié... Surtout que Zoe faisait fausse route. Faith aimait Brad de tout son cœur, mais comme un ami, et elle savait qu'il partageait ce sentiment. C'était sans doute difficile à admettre pour une jeune fille de l'âge de Zoe. La beauté de l'amour platonique laissait les jeunes de marbre. A leur âge, ils étaient bien trop intéressés par le sexe.

J'en ai assez de voir Alex te harceler, écrivit Brad dans sa réponse. *Comment fais-tu pour supporter ça ?*

Je suis habituée. Et il ne dit pas ça pour être méchant. Il est comme ça, c'est tout.

Du côté de Brad, l'ambiance n'était pas au beau fixe non plus, ces derniers temps. Les fêtes semblaient faire ressortir le pire côté de chacun, et Pam ne faisait pas exception à la règle. Elle papillonnait d'une soirée à l'autre, insistant pour que Brad l'accompagne ; or il était débordé de travail à son cabinet et avait horreur de ces mondanités qu'elle affectionnait tant. Il lui avait dit depuis longtemps qu'il préférait qu'elle sorte avec un de ses amis, mais de temps en temps, elle exigeait qu'il vienne avec elle. C'était particulièrement vrai à la rentrée et au moment de Noël, périodes au cours desquelles elle enchaînait cocktails, dîners, soirées, ventes de charité et fêtes en tout genre. Il ne pouvait suivre le rythme de son agenda mondain, et n'en avait d'ailleurs aucune envie. Mille choses comptaient davantage à ses yeux, à commencer par un procès qui devait se tenir la semaine précédant Noël, et auquel il souhaitait accorder une priorité absolue. Ces désaccords créaient une tension insupportable entre Pam et lui, et elle réagissait très mal.

— Au nom du ciel, ne peux-tu pas demander à tes assistantes de préparer le travail ? s'exclama-t-elle lorsqu'il lui annonça qu'il ne pouvait pas l'accompagner à la soirée où elle devait se rendre. Il faut vraiment que tu fasses tout toi-même ?

La veille, il était resté au bureau jusqu'à deux heures du matin, mais cela ne lui pesait pas, au contraire.

— Je ne peux pas déléguer ce genre de travail, Pam, tu le sais très bien.

— Et pourquoi pas ? Moi aussi je plaide souvent au tribunal, mais mes stagiaires et mon assistante font toujours la moitié du travail.

— Il y a une différence majeure : toi, tu n'es pas chargée de défendre des gosses accusés de meurtre. Ce sont des vies qui sont en jeu ici.

— Effectivement, tu as raison, Brad. Les nôtres. J'en ai plus qu'assez que tu ne sois jamais là.

Elle fulminait, tout en faisant les cent pas devant lui dans sa robe du soir en soie bleue. Sa beauté était glaciale, et le regard qu'elle lui lança aurait terrifié la plupart des hommes. Mais pas Brad. Il était habitué à ses coups de colère et ne se laissait plus impressionner comme au début de leur relation. Pourtant, elle pouvait parfois se montrer effrayante.

— Je croyais que nous nous étions mis d'accord, il y a des années, dit-il d'un ton exaspéré.

— Tu as promis de faire au moins l'effort de m'accompagner pour les sorties importantes.

— Mais pas en pleine préparation de procès, rétorqua-t-il. Je ne peux pas. C'est aussi simple que ça.

Il refusait de se laisser intimider par elle. Elle avait joué ce jeu pendant trop longtemps.

— Et pourquoi donc ? Je suis sûre que ta petite soupirante éplorée peut, elle, compter sur toi pour la sortir une fois de temps en temps !

Brad releva la tête, médusé, et fronça les sourcils en la regardant droit dans les yeux.

— Quoi ? De quoi parles-tu ?

— L'autre jour, je suis tombée sur un des e-mails que tu lui as envoyés, dans lequel tu lui répétais sur tous les tons à quel point tu la trouvais charmante. Tu disais que tu l'avais accompagnée à l'église, aussi... Depuis quand es-tu devenu pratiquant ? Et quel genre de femme est-ce ? Une bonne sœur ?

— Et toi, Pam, quel genre de femme es-tu pour fouiner dans mon ordinateur ? C'est peu élégant de ta part.

— Tu l'avais laissé allumé. Alors, qu'est-ce que c'est que cette histoire ?

— Faith est une vieille copine d'enfance, rien de plus. Son frère était mon meilleur ami. Jack. Je ne te dois aucune excuse, ni aucune explication. J'ai dîné avec elle pendant mon séjour à New York, et oui, nous sommes allés à l'église.

— Comme c'est touchant... Et tu couches avec elle ?

Pam et Brad n'avaient pas eu de relations sexuelles depuis des années, ce qui rendait, estimait-il, les scènes de ce genre encore plus absurdes — d'autant qu'il était certain que Pam, elle, l'avait trompé plusieurs fois. Néanmoins, il était suffisamment intelligent pour ne pas poser de questions et avait fini par s'en moquer éperdument.

— Non, je n'ai pas de liaison avec elle, puisque tu veux le savoir. Mais ça ne te regarde pas. Je ne te pose pas de questions sur ta propre vie.

Ils avaient cessé de faire l'amour ensemble par une sorte d'accord tacite. En réalité, il ne l'aimait plus, et ne pouvait se résoudre à faire semblant. Il préférait l'abstinence à des rapports mécaniques et sans passion. Pam cependant était convaincue qu'il avait des maîtresses.

Etant donné l'ardeur avec laquelle ils avaient fait l'amour dans les premiers temps de leur relation, elle ne pouvait l'imaginer parfaitement chaste. C'était pourtant l'un de ces fameux sacrifices qu'il avait évoqués avec Faith.

Pam ne semblait pas satisfaite de son explication. Quelque chose dans l'expression de Brad l'intriguait. Elle le dévisagea longuement, puis demanda :

— Est-ce que tu es amoureux d'elle ?

— Bien sûr que non. C'est une amie, rien de plus. Nous nous connaissons depuis toujours.

— Si tu ne couches pas avec elle, mais que tu l'accompagnes quand même à l'église, je suis prête à parier que tu es amoureux d'elle, Brad.

— Est-ce qu'il faut forcément que ce soit l'un ou l'autre ? Ne pouvons-nous pas être seulement amis ? Par ailleurs, ça n'explique pas pourquoi tu fouillais dans mon ordinateur. Moi, je ne touche pas au tien.

— Je suis désolée, je suis tombée sur ton e-mail par hasard. Il était affiché à l'écran.

Il se demanda s'il y avait dans son e-mail une remarque déplaisante à propos de Pam. Probablement pas, sans quoi elle n'aurait pas manqué de faire un commentaire.

— Ta copine doit avoir un sacré problème, si elle passe sa vie dans les églises.

— Mêle-toi donc de ce qui te regarde. Maintenant ça suffit, j'ai du travail, je ne sors pas. Et franchement, après ce cinéma, je ne serais de toute façon pas venu avec toi. Trouve-toi un autre pigeon pour roucouler à tes côtés. Tu connais la terre entière, il y a bien, dans tes connaissances, quelqu'un qui sera ravi de sortir tous les soirs… Quant à moi, non merci.

Et là-dessus, il sortit en claquant la porte pour retourner à son bureau. Et dire qu'au départ, il n'était passé chez lui que pour récupérer un dossier…

Avant de repartir, il s'assit quelques minutes à sa table de travail et s'aperçut qu'il tremblait. Il était profondément choqué par ce qui venait de se passer. En lisant son courrier, et en parlant de Faith comme elle l'avait fait, Pam avait violé son intimité. Tout cela ne la regardait en rien, et de toute façon il n'avait rien fait de répréhensible. Il était révolté qu'elle pût l'accuser d'avoir couché avec Faith, ou même suggérer qu'il pût être amoureux d'elle. Leur relation n'avait rien à voir avec cela. Ils entretenaient les liens sacrés d'une amitié profonde et sincère depuis presque quarante ans ; c'était tout, et c'était magnifique. Mais bien sûr, Pam ne comprenait rien à ces choses-là. Rien n'était sacré, à ses yeux.

Une demi-heure plus tard, il était de retour à son cabinet, avec des nausées et un épouvantable mal de tête. Personne au monde n'arrivait à le mettre hors de lui comme Pamela. Elle avait l'art de le faire sortir de ses gonds. Dans ces cas-là, elle pouvait se montrer si têtue, si agressive et de si mauvaise foi que, s'il ne coupait pas court à la discussion, ils pouvaient se disputer pendant des heures.

Il était si perturbé qu'il décida de téléphoner à Faith avant de se mettre au travail, en espérant qu'elle serait chez elle.

Par chance, Alex avait un dîner d'affaires ce soir-là, et elle était seule à la maison. Elle fut à la fois surprise et heureuse en reconnaissant sa voix et, de son côté, Brad se sentit apaisé dès qu'il entendit la sienne.

— Je suis désolé de t'embêter encore, s'excusa-t-il.

Elle devina immédiatement qu'il était tendu.

— Ça va ? demanda-t-elle avec inquiétude.

Brad sourit à l'autre bout du fil. Elle était tout ce que Pam n'était pas. Douce, sensible, attentive, généreuse, attentionnée... et tellement féminine !

— Je suis seulement un peu fatigué. Et de mauvaise humeur, ajouta-t-il. J'ai eu une journée difficile. Comment s'est passée la tienne ?

Il ne voulait pas être un fardeau pour elle, mais c'était tellement bon de savoir qu'il pouvait se confier à quelqu'un... Pendant des années, il n'avait eu aucune épaule sur laquelle s'appuyer, alors que depuis deux mois, elle était toujours là pour lui, infaillible.

— Ça va, Alex et Zoe sont sortis — séparément, bien sûr —, et je me préparais à passer une soirée tranquille à la maison. J'ai l'impression de diriger un hôtel ! Je n'arrête pas de laver des serviettes de toilette, de faire des lits, d'éteindre des bougies restées allumées en remerciant le ciel que la maison n'ait pas brûlé... Mais ça fait du bien d'avoir Zoe. Et toi, raconte-moi ta journée difficile. Que s'est-il passé ?

— A l'audience de ce matin, le juge m'a refusé un report dont j'avais vraiment besoin pour continuer le procès. Je ne suis pas prêt, il faut que je réunisse encore des témoins, sans quoi ce gamin est foutu. En plus, ma secrétaire est malade, ce qui me rend fou. Et quand je suis rentré à la maison, je me suis disputé avec Pam. Rien de bien grave, en somme, juste une accumulation de petits tracas.

— Pourquoi vous êtes-vous disputés ?

Elle savait écouter d'une oreille attentive.

— Elle voudrait me traîner à toutes ses fichues soirées. Elle en enchaîne deux ou trois tous les soirs, et moi je n'ai ni le temps ni l'envie de jouer les chevaliers servants. Elle sait très bien que je déteste ces mondanités, et de toute façon, même quand je l'accompagne elle disparaît au bout de cinq minutes. Je ne suis là que pour lui permettre de faire son entrée. Je n'ai pas de temps à perdre avec ces bêtises, Faith. J'ai un travail monstre. Des mômes ont besoin de moi pour s'en sortir.

— A-t-elle cédé ? demanda Faith avec sérénité.

Il prit une profonde inspiration, et s'efforça de se calmer. Il avait été stupide de lui parler de sa dispute avec Pam…

— En fin de compte, oui.

Il se demanda s'il devait ou non raconter le reste, et décida qu'il n'avait aucune raison de ne pas le faire. Il n'avait rien à cacher.

— Elle a lu un de mes e-mails l'autre jour, ce qui m'a mis hors de moi.

— Je te comprends.

Elle aussi détestait les indiscrétions de ce genre. Pudique, elle ne laissait personne lire son courrier, pas même ses filles.

— C'était l'un de ceux que je t'ai envoyés, poursuivit Brad. Celui où je te remerciais des moments passés ensemble à New York. Il n'y avait rien de très confidentiel dedans, mais je n'ai pas supporté l'idée qu'elle l'ait lu. En plus, elle a prétendu que j'étais amoureux de toi ! ajouta-t-il en riant. Elle n'a absolument rien compris !

Faith sourit, amusée.

— Zoe m'a dit exactement la même chose l'autre jour. En tout cas, elle m'a posé la question. Elle voulait savoir si nous étions amants.

— Et qu'est-ce que tu lui as répondu ?

— Que non ! Elle était très déçue, et a déclaré que nous devrions y penser. Elle a dit que je méritais d'avoir un amant, et que cela donnerait une bonne leçon à son père. J'avoue que ça m'a un peu troublée, venant d'elle !

— Elle a raison sur le fond. Alex ne t'apporte rien de bon, Faith. J'ai l'impression qu'il ne t'emmène jamais ni au restaurant, ni au cinéma… On dirait qu'il ne fait que travailler, dormir et se plaindre… Comme moi !

Il rit en réalisant que la description lui correspondait exactement. Il venait sans le vouloir de dresser son propre portrait.

— Je suppose que Pam et moi devrions aussi avoir des liaisons chacun de notre côté, reprit-il. En tout cas, je pense qu'elle ne s'en est pas privée.

— Tu crois vraiment ? demanda Faith d'un ton horrifié.

Il ne lui avait pas dit que Pam et lui n'avaient plus de relations intimes.

— Je ne pose pas de questions. Je me dis que ça ne me regarde plus.

Faith n'était pas de cet avis, mais elle ne répondit rien. Il était souvent si difficile de comprendre la façon dont les gens géraient leur vie de couple !

— En tout cas, reprit Brad qui ne tenait pas à s'étendre sur ce sujet, ce que je fais ne la regarde pas. Et je ne veux pas qu'elle fasse des commentaires sur toi.

Il avait envers Faith un instinct protecteur très développé, et s'abstint de lui rapporter les commentaires désobligeants de Pam à son encontre. Il savait qu'elle en aurait été blessée.

— Je suis désolé de te téléphoner pour me plaindre, Fred. Comme je te le disais, je suis juste un peu fatigué, et Pam m'a mis les nerfs à vif.

C'était bon de pouvoir parler à quelqu'un, et ils bavardèrent encore un moment avant qu'il ne retourne à la préparation de son procès.

Faith était heureuse qu'il ait appelé et qu'il ait évacué un peu de sa tension nerveuse. Comme toujours, ils se sentaient mieux quand ils avaient discuté ensemble.

Après leur conversation, Brad demeura assis quelques minutes à son bureau, les yeux dans le vague, en pensant à elle. Le fait que Pam et Zoe leur aient toutes deux prêté une liaison le troublait... D'autant que, sans s'être concertées, elles semblaient convaincues qu'ils étaient amoureux l'un de l'autre. Pourtant, comme il l'avait assuré à Pam, c'était inenvisageable pour l'un comme pour l'autre. Depuis le début, leur relation était résolument placée sous le signe de l'amitié. Et le fait qu'il apprécie profondément sa compagnie ne changeait rien à l'affaire. Elle représentait la même chose pour lui aujourd'hui qu'autrefois, lorsqu'ils étaient enfants et qu'ils montaient aux arbres ou qu'il peignait ses tresses en vert.

Pouvait-il se tromper sur ce point ? Il songea alors à la force des sentiments qui l'unissaient à elle, et à quel point il était devenu dépendant de leur relation depuis deux mois. Alors qu'il y réfléchissait, il la revit soudain patiner à côté de lui au Rockefeller Center, puis allumer un cierge dans la cathédrale Saint Patrick... Jamais il n'avait vu visage plus beau. Pendant qu'elle priait à genoux, elle rayonnait littéralement. Et brusquement, il se demanda si Pam n'avait pas raison...

Mais il secoua la tête avec un sourire las. Non. Il se laissait emporter par son imagination. Il n'était pas amoureux de Faith. Aussi belle qu'elle fût — et elle l'avait toujours été —, elle demeurerait son amie, rien de plus.

Au même instant, à New York, dans son bain, Faith pensait à la même chose, se posait les mêmes questions, et parvenait à la même conclusion. Pam et Zoe n'avaient rien compris. Brad et elle n'étaient pas amoureux l'un de l'autre. Ils étaient amis. Plus que cela, ils étaient comme frère et sœur. C'était tout ce qu'ils désiraient et attendaient l'un de l'autre. Une profonde, très profonde amitié. Si, par malheur, il y avait eu autre chose entre eux, leur belle relation en aurait été gâchée. Et cela, Faith voulait à tout prix l'éviter.

12

Le matin qui suivit sa dispute avec Pam, alors qu'il était en route pour son cabinet, Brad passa devant la cathédrale Sainte-Marie et eut soudain une idée. Il avait un rendez-vous à neuf heures et n'avait pas le temps de s'arrêter, mais il laissa un mot à sa secrétaire lorsqu'il arriva au bureau, et elle promit d'obtenir l'information qu'il cherchait. Une heure plus tard, alors qu'il était en ligne avec le bureau du procureur, elle lui glissait un papier où était inscrite une adresse. Il la remercia d'un signe de tête.

A onze heures, il quittait le bureau pour aller s'acquitter de sa mission. Cela lui prit plus de temps que prévu, mais il fut de retour pour treize heures. Il écrivit alors un mot à Faith, le glissa dans la petite boîte qu'il avait rapportée, et demanda à sa secrétaire d'expédier le tout à New York. Au moins, il avait fait un de ses cadeaux de Noël. Il ne lui restait plus qu'à se rendre chez Tiffany pour s'occuper des autres, ce qu'il prévit de faire le lendemain après-midi.

La soirée de Noël se déroulait toujours de manière très classique dans la famille de Faith. Ils dînaient tous ensemble sans cérémonie le 24 décembre au soir, puis Faith allait assister à la messe de minuit, parfois avec Zoe si elle parvenait à la convaincre de l'accompagner.

Le véritable repas de fête avait lieu le lendemain. Ils ouvraient les cadeaux le matin et passaient la journée à traîner à la maison. Evidemment, l'atmosphère était bien plus animée quand les filles étaient petites, mais ils demeuraient tous attachés à ces traditions.

Le matin du 24, ils parlèrent à Ellie, qui appelait de Suisse. Pour elle, c'était l'heure du dîner. Elle fut manifestement émue de les avoir tous au téléphone. C'était la première fois qu'elle passait Noël loin d'eux, et cela se révélait plus difficile que prévu, même si tout le monde se montrait très gentil avec elle.

— Tu nous manques, ma chérie, dit Faith quand ce fut son tour de lui parler.

— Et si tu venais à Londres après le Nouvel An, maman ? demanda Eloise d'une voix enfantine, un peu tremblante, comme si elle était sur le point de pleurer.

— Je ne peux pas, ma chérie. Je commence mes cours. Maintenant, il faudra que j'attende les vacances. Mais peut-être que toi tu rentreras à la maison pour un long week-end ?

— Tu as donc vraiment décidé de reprendre tes études ? Je ne savais pas...

Elle semblait profondément déçue, ce qui confirmait la prédiction d'Alex : le projet de Faith ne manquerait pas d'avoir des conséquences sur sa vie de famille...

Depuis son inscription, Faith n'avait pas eu le temps de prévenir sa fille. Leur dernière conversation avait tourné entièrement autour du désir d'Ellie d'aller passer ses vacances en Suisse avec Geoffrey et ses parents, et Faith en avait oublié de lui parler de ses propres résolutions.

— Je commence les cours dans deux semaines, dit-elle en espérant des félicitations de la part de sa fille.

Mais la nouvelle ne réjouissait pas Ellie.

— Ce n'est pas gentil de faire ça à papa, déclara-t-elle d'un ton désapprobateur qui blessa Faith.

Il était difficile de parler de tout cela alors qu'Alex se tenait juste à côté d'elle. D'autant que Zoe aurait certainement mal pris la réaction de sa sœur qui, une fois de plus, manquait de générosité à l'égard de Faith.

— Nous en avons parlé, et je crois que ton père en a pris son parti, dit Faith d'un ton posé.

Elle ne voulait pas que ses projets perturbent Noël comme ils avaient gâché Thanksgiving, et elle tenait à changer de sujet le plus vite possible.

— Mais parlons un peu de toi, ma chérie, comment vas-tu ? Est-ce que tu t'amuses ?

— Vous me manquez tellement ! C'est chouette, mais j'ai un cafard monstre en pensant à vous. C'est bien plus dur que je ne croyais... Ce soir, on va à une grande soirée, reprit-elle comme pour revenir à des choses moins personnelles, et après on va faire de la luge.

— Fais bien attention, recommanda sa mère. Pas d'imprudences !

Elle s'inquiétait pour elle, presque autant que quand elle était petite. Peu importait que les filles aient grandi, c'était toujours sa mission de mère de veiller sur elles.

Elle passa ensuite le téléphone à Zoe, et les deux sœurs se parlèrent pendant un bon moment. Faith constata avec soulagement qu'elles semblaient avoir fait la paix ; Zoe déclara plusieurs fois que sa grande sœur lui manquait. Alex fut le dernier à parler à sa fille aînée, et ne lui dit pas grand-chose, mais le ton de sa voix et les quelques mots qu'il prononça suffisaient à prouver à quel point ils étaient proches l'un de l'autre. Lorsqu'ils raccrochèrent enfin, tous se sentaient un peu déroutés.

— C'est tellement bizarre de passer Noël sans elle, soupira Zoe d'un air triste.

Puis elle se tourna vers sa mère.

— Est-ce que je pourrais aller la voir à Londres, la prochaine fois que j'aurai des vacances ?

— Quelle bonne idée ! s'écria Faith en souriant. Et si moi aussi j'ai des vacances, je viendrai avec toi. Ou alors tu iras toute seule, et moi une autre fois.

— Cette histoire de vacances scolaires est ridicule, intervint Alex. Tu devrais pouvoir aller voir ta fille quand tu veux. C'est exactement ce que j'essayais de te faire comprendre.

Et sur ce, il quitta la pièce. Faith garda le silence. Elle espérait seulement qu'elle serait capable de jongler avec tous ses impératifs pour concilier sa vie de famille et son programme universitaire. Le défi s'annonçait difficile à relever.

Comme prévu, ils dînèrent tous les trois, ce soir-là. Faith avait préparé un canard à partir d'une recette donnée par une amie, et le repas s'avéra délicieux. Ensuite, Zoe sortit rejoindre des amis, tandis qu'Alex restait un moment à table avec Faith. Il essaya d'engager la conversation, mais ils n'avaient pas grand-chose à se raconter. La communication avait été rompue si long-temps entre eux qu'il était difficile de la rétablir sur commande.

— Tu vas à la messe, ce soir ? interrogea Alex pour dire quelque chose, alors que Faith commençait à éteindre les bougies et à débarrasser la table.

— Tu voudrais venir ?

Il ne l'accompagnait jamais, mais elle le lui proposait toujours. Quant à Zoe, elle avait dit qu'elle la retrouve-rait directement sur place si elle pouvait, et Faith n'avait pas insisté.

— Je vais aller à Saint-Ignace, sur Park Avenue.

— Non merci, répondit Alex.

Et il monta dans leur chambre pour lire. Même le soir de Noël, il n'y avait plus beaucoup de chaleur entre eux.

Vers onze heures, Faith traînait dans son bureau en attendant l'heure de se préparer pour partir à la messe, quand le téléphone sonna. A sa grande surprise, c'était Brad. Chez lui, il était huit heures.

— Joyeux Noël, Fred, dit-il avec chaleur.

Il s'efforçait d'adopter un ton enjoué, mais Faith décela une note de tristesse dans sa voix. C'était un moment difficile pour eux, car il leur rappelait des tas de bons souvenirs et les confrontait à leurs rêves fanés.

— Merci, Brad. A toi aussi.

— Est-ce que tu as reçu mon cadeau ?

Ils ne s'étaient pas parlé depuis plusieurs jours, et leurs e-mails avaient été brefs, car ils étaient tous les deux très occupés.

— Oui, dit-elle en souriant.

La petite boîte enveloppée de papier cadeau trônait sur son bureau. Elle était arrivée par Federal Express, mais elle avait décidé de ne l'ouvrir que le jour de Noël. De son côté, elle lui avait envoyé des livres de droit anciens, magnifiquement reliés.

— Le paquet est juste devant moi, reprit-elle. Mais je ne l'ouvrirai que demain.

— C'est pour ça que je t'appelle, dit-il doucement. Je voudrais que tu l'ouvres ce soir.

— Tu es sûr ?

— Absolument sûr. Pourquoi pas tout de suite ?

Il avait l'air impatient comme un enfant, et elle se mit à rire, amusée et de plus en plus curieuse.

— J'adore les cadeaux. C'est gentil d'avoir pensé à moi. Est-ce que tu as reçu le mien ?

— Moi aussi je le garde pour demain. Mais je voulais que tu ouvres le tien ce soir. Allez, vas-y !

Faith défit soigneusement le paquet, et tint un instant dans sa main l'écrin blanc. Elle n'avait aucune idée de ce qu'il pouvait contenir. Elle souleva délicatement la languette, et laissa échapper un petit cri en découvrant un magnifique chapelet ancien. De magnifiques citrines anciennes marquaient les « Je vous salue Marie », et des cabochons d'émeraude les « Notre Père ». La croix était, elle aussi, en émeraude, avec un minuscule rubis à chaque extrémité. C'était un objet magnifique, et elle n'avait jamais rien vu de plus beau. Brad était heureux de lui avoir déniché ce cadeau, et il espérait qu'il lui plairait.

— La vendeuse m'a dit qu'il venait d'Italie, et qu'il avait une centaine d'années. Il a été béni par le pape. Je voudrais que tu l'emportes à l'église ce soir, Fred, ajouta-t-il d'une voix vibrante.

Elle avait les larmes aux yeux.

— Fred... Fred ? Tu es là ?

— Je ne sais pas quoi dire. C'est le plus beau cadeau qu'on m'ait jamais fait. Je te remercie de tout mon cœur. Et bien sûr, je vais l'emporter ce soir. Je dirai un rosaire pour toi.

Brad aimait le contraste entre son allure de femme moderne et son profond respect des traditions. Elle avait des valeurs, une dévotion totale pour sa famille, et un grand respect de l'Eglise.

— Je ferai brûler un cierge pour toi. Et pour Jack, bien sûr.

— Peut-être que j'en allumerai un pour toi.

— Est-ce que tu vas aller à l'église ? demanda-t-elle avec étonnement.

Elle n'aurait jamais pensé qu'il pourrait en avoir envie.

— Possible. Je n'ai rien d'autre à faire. On va dîner avec quelques amis tout à l'heure, et le père de Pam est là. Mais tout sera terminé vers onze heures, alors je me dis que ce serait bien d'y aller.

Il pensait se rendre à Saint-Dominique, une très belle église gothique qui possédait une statue de saint Jude, le saint préféré de Faith.

— Il y a une église pas très loin de chez moi, où il y a une statue de saint Jude, précisa-t-il. Si j'y vais, je mettrai un cierge pour toi.

— Je n'arrive pas à croire que tu m'aies fait un tel cadeau, murmura Faith en contemplant une fois de plus le chapelet.

Il était doux et lisse au toucher, et elle le trouvait de plus en plus beau. De minuscules anneaux d'or jaune reliaient les perles entre elles, et il y avait au fond de l'écrin une petite pochette de satin, pour ne pas l'abîmer.

— Je vais mettre mes vieux chapelets à la retraite !

Elle plaisantait, mais ce cadeau avait une valeur inestimable à ses yeux.

Ils parlèrent encore quelques minutes, et Brad lui raconta qu'il avait seulement pu laisser un message à ses fils. Il n'y avait pas de ligne téléphonique directe dans la réserve où ils vivaient, et ils n'avaient sans doute pas pu obtenir de ligne à la poste, car ils n'avaient pas appelé non plus. Cela rendait leur absence encore un peu plus difficile à supporter pour Brad, ce qui ajoutait à la tension régnant entre Pam et lui. Ces derniers temps, il se sentait étranger dans sa propre maison. Comme toujours, elle avait invité des gens qu'il connaissait à peine pour le réveillon de Noël.

— Je suis contente de savoir que tu ne travailles pas ce soir, tout de même, remarqua gentiment Faith en tenant toujours le chapelet dans sa main.

Ainsi, elle se sentait encore un peu plus près de lui.

— Je me suis dit qu'il ne serait pas inutile de faire un petit effort pour éviter la guerre ouverte...

Un conflit ne servirait à rien, Faith était d'accord sur ce point.

— Je pense que Pam a dû être l'épouse d'un grand concertiste, dans une autre vie, poursuivit Brad. Ou d'un chef d'orchestre. Elle veut toujours que tout le monde soit en habit et en robe longue. Ce n'est pas exactement ma tasse de thé...

Il était bien plus à l'aise en jean, avec un bon col roulé et des chaussures de marche, même s'il portait le costume avec élégance, comme Faith avait pu le constater lors de sa visite à New York.

— Je penserai à toi ce soir, quand tu seras à l'église.

— J'aurai ton magnifique cadeau dans la main pendant toute la messe, et je penserai à toi aussi.

Le lien qui les unissait était si fort qu'ils n'avaient pas besoin de plus de mots pour se témoigner leur affection.

— Il va falloir que je parte, dit-elle en jetant un coup d'œil à sa montre.

Elle devait se dépêcher si elle voulait avoir une place assise. La messe de minuit était populaire, et l'église était toujours pleine. De plus, elle savait que, de son côté, Brad devait aller rejoindre sa famille et ses invités.

— Merci encore pour ce merveilleux cadeau. Il restera le plus beau de tous.

— Je suis heureux qu'il te plaise. Joyeux Noël, Fred... et merci pour tout ce que tu m'as apporté au cours des deux derniers mois. Tu as été un trésor pour moi.

— Toi aussi, murmura-t-elle.

Et ils raccrochèrent enfin.

Elle monta dire au revoir à Alex, mais il s'était endormi dans un fauteuil avec son livre. Quelques minutes plus tard, elle sortait de la maison, son grand manteau rouge sur le dos, et hélait un taxi.

A San Francisco, Brad fit un effort pour parler à tout le monde. Il portait un pantalon et un blazer, tout comme son beau-père. Le dîner de Noël était toujours décontracté chez eux, même si les hommes avaient tous mis une cravate. Pam, elle, portait un ensemble ample en soie rouge et des sandales dorées à haut talons. Elle était incontestablement élégante et belle, mais chaque fois que Brad la regardait, il ne pouvait s'empêcher de penser à la personne qu'elle était devenue. Elle était plus dure, plus inflexible et plus déterminée que jamais. Il lui avait offert un tour de cou en or et diamants, avec le bracelet et la bague assortis. Il savait que c'était typiquement le genre de cadeaux qui lui plaisaient. Mais il accordait tellement plus de valeur à ce qu'il avait choisi pour Faith... C'était incomparable.

Ils étaient à table lorsque la messe commença à New York. Le menu était d'inspiration anglaise, avec un rôti de bœuf et de la purée, suivis d'un pudding aux pruneaux accompagné de crème pâtissière. Mais il fut distrait pendant tout le repas, même pendant le discours de son beau-père sur les vins de Napa Valley. Il ne pouvait cesser de penser à Faith, qu'il imaginait agenouillée dans l'église, comme dans la cathédrale Saint-Patrick lorsqu'ils y étaient allés ensemble.

— Tu as l'air ailleurs, ce soir, observa Pam quand ils se levèrent de table. Ça va ?

— Je suis juste préoccupé par un procès, répondit-il d'un air vague.

Mais sa femme plongea son regard dans le sien.

— Tu ne serais pas plutôt en train de penser à ta petite amie new-yorkaise ?

Elle le connaissait mieux qu'il ne le croyait.

— Tu lui as envoyé un e-mail, ce soir ?

On eût dit un fauve prêt à bondir sur sa proie. En guise de réponse, il se contenta de secouer la tête. Il ne mentait pas : il n'avait pas envoyé d'e-mail à Faith, il lui avait téléphoné.

— Arrête de t'imaginer des choses, Pam. Je t'ai déjà dit qu'il n'y avait rien entre nous. Rien d'autre que de l'amitié.

— Je te connais mieux que ça. Tu es désespérément romantique, Brad.

— C'est ridicule.

Il essayait de balayer ses arguments, mais ils sonnaient étrangement justes. Il avait effectivement été un grand romantique, des années plus tôt, quand il l'avait rencontrée. Mais elle avait su l'éloigner définitivement de cette tendance, tout au moins le pensait-il… En tout cas, elle avait tort à propos de ses sentiments pour Faith. Il était trop intelligent pour se laisser avoir. Pam ne faisait que défendre son territoire et prouver qu'il était toujours à elle, qu'il le veuille ou non.

Leurs invités s'en allèrent vers onze heures, et le père de Pam demanda à son chauffeur de venir le chercher, car il évitait maintenant de conduire la nuit. Alors que Pam et Brad, une fois seuls, montaient au premier étage, il regarda sa montre.

— Tu as un rendez-vous galant ? ironisa-t-elle.

Elle s'intéressait décidément beaucoup à sa vie privée, ces derniers temps. Pourtant, il l'avait vue faire du charme à plusieurs hommes au cours de la soirée. Cela ne la gênait pas du tout de se comporter ainsi en sa présence, en dépit de sa propre jalousie maladive.

— En fait, je pensais aller à l'église, déclara-t-il simplement.

— Oh, mon Dieu. Tu n'as pas de maîtresse, tu es simplement en train de devenir fou. Pourquoi ferais-tu une chose pareille ?

— Parce que j'en ai envie, répondit-il calmement en essayant de ne pas réagir à ses attaques.

— Si tu te mets à devenir dévot, je demande le divorce, Brad. Je pourrais tolérer une autre femme, mais pas la religion. Ce serait vraiment trop.

Il ne put réprimer un sourire en imaginant sa réaction si elle avait appris qu'il avait envoyé un chapelet à Faith.

— C'est une belle tradition, et les garçons me manquent, dit-il avec sincérité.

Il s'était senti très seul, cette année, car ses fils étaient généralement ses seuls alliés dans sa propre maison. Le dîner avec son beau-père et les amis de sa femme avait été pénible, même s'il avait fait bonne figure, comme toujours.

— Ils me manquent tout autant qu'à toi, mais ce n'est pas pour ça que je vais me précipiter à l'église, dit-elle en se débarrassant de ses chaussures et en laissant tomber ses boucles d'oreilles sur sa coiffeuse. Il y a d'autres façons de compenser leur absence.

— Chacun choisit la sienne, rétorqua-t-il en quittant la chambre pour redescendre. Je serai de retour dans une heure.

Il n'avait pas besoin de son autorisation pour aller à l'église. Alors qu'il sortait, elle apparut en haut de l'escalier, pieds nus, à demi déshabillée, un sourire narquois aux lèvres.

— Préviens-moi, si tu veux devenir prêtre.

Il lui sourit à son tour, sans animosité.

— Ne t'inquiète pas, tu seras informée. Pas de danger pour le moment, je me contente d'aller à la messe de minuit. Je crois que ce n'est pas dramatique. Joyeux Noël, au fait.

Il la considéra un long moment, cherchant à éprouver quelque chose pour elle... Mais il n'éprouvait plus rien depuis longtemps, et elle non plus.

— Merci, Brad. A toi aussi.

Et elle disparut.

Il sortit sa Jeep du garage et roula jusqu'à Saint-Dominique, au coin des rues Steiner et Bush.

Quand il gravit les marches du parvis de la grande et belle église gothique pour pénétrer à l'intérieur, il aperçut une rangée de sapins de chaque côté de l'autel, ainsi que des parterres de fleurs. La nef était complètement illuminée. Il repéra la crypte de saint Jude sur la droite et décida de s'y rendre tout de suite. Des rangées de cierges brûlaient devant la statue, et il en alluma deux, un pour Faith et un pour Jack, avant de s'agenouiller quelques instants en pensant à elle et à son vieil ami. Il ne connaissait pas les prières d'usage, si bien qu'il se contenta de penser très fort à eux. Au fond de lui, il éprouvait une reconnaissance intense pour la force invisible qui avait ramené Faith dans sa vie.

Il alla ensuite prendre place dans une travée au fond de l'église et assista à la cérémonie avec le même émerveillement que lorsqu'il était enfant, impressionné par le faste du culte catholique. Et lorsque l'assemblée entonna « Douce Nuit », des larmes roulèrent sur ses joues. Il ne savait pas très bien d'où elles venaient, ni à qui elles étaient destinées, mais il était profondément ému. Quand il reprit le chemin de la maison ce soir-là, il se sentait plus léger qu'il ne l'avait été depuis des années. Il se surprit même à sourire au volant de sa voiture, avec l'étrange impression que Jack était assis à côté de lui.

13

Le matin de Noël, Faith, Zoe et Alex échangèrent leurs cadeaux. Zoe avait acheté pour sa mère une superbe sacoche en cuir qu'elle pourrait utiliser à l'université, ainsi qu'une longue écharpe en laine, afin qu'elle ressemble un peu à ses futurs camarades. Pour sa part, Alex avait choisi pour elle un joli bracelet en or Cartier. Faith, elle, avait offert un costume neuf, des chemises et des cravates à son mari, et de petites boucles d'oreilles en diamant à Zoe. Tous étaient ravis de leurs cadeaux, et le dîner se déroula dans une ambiance chaleureuse et détendue, malgré l'absence d'Ellie qui leur pesait à tous. Faith avait préparé une dinde fourrée de la farce maison dont ils raffolaient, mais il leur sembla incongru de se retrouver à trois autour de la table. Ils essayèrent d'appeler Eloise, mais elle était sortie, et ils ne purent lui parler ce jour-là. Le soir venu, Faith se sentait un peu triste. Elle n'aimait pas l'idée que sa famille soit dispersée, même si c'était exceptionnel et si Ellie avait promis de venir passer Noël à la maison l'année suivante.

Brad lui téléphona juste après le dîner, pour la remercier de son magnifique cadeau. Elle répondit au téléphone dans la cuisine, tout en rangeant. Alex et Zoe étaient au salon en train de prendre le café, bavardant tout en admirant le sapin de Noël. Il était rare qu'une telle harmonie règne entre eux, et Faith était heureuse de les voir ainsi. Quand le téléphone sonna, elle pensa aussitôt à Eloise, aussi fut-elle surprise de reconnaître la voix de Brad.

— Merci pour les livres, Fred, ils sont magnifiques. Ce seront les plus beaux de ma bibliothèque. Merci infiniment.

Il avait été impressionné et profondément touché en les déballant. Pour cela, il avait attendu d'être seul, afin d'éviter tout commentaire désagréable de la part de Pam.

— Ils ne sont pas aussi beaux que mon chapelet, répliqua Faith d'un ton enjoué.

Elle avait eu du mal à trouver le cadeau idéal pour lui. Elle ne voulait pas lui offrir quelque chose de trop personnel, et la plupart des idées qu'elle avait eues lui avaient semblé mauvaises. Lorsqu'elle avait vu les livres chez un antiquaire, elle avait aussitôt été séduite ; c'était, estimait-elle, un choix parfaitement adapté à la nature de leur relation. Ces ouvrages étaient originaux et avaient de la valeur, mais ils ne constituaient pas un cadeau trop intime.

— Je suis allé à l'église hier soir, annonça-t-il. A Saint-Dominique. Et j'ai mis des cierges pour Jack et pour toi devant l'autel de saint Jude. C'est bien lui ton grand ami ?

— Absolument, confirma-t-elle en riant. C'est vraiment délicat de ta part. Avec qui y es-tu allé ?

Il lui avait dit que Pam était athée, si bien qu'elle ne pouvait envisager qu'elle l'ait accompagné à la messe.

— Personne. Et toi ?

En réalité, il avait l'impression d'y être allé avec Jack et elle. Il avait senti leur présence à ses côtés pendant toute la durée de la messe.

— Zoe est venue me rejoindre à l'église. Ça m'a fait plaisir. Nous sommes rentrées à pied, et il s'est mis à neiger. Un vrai soir de Noël !

— Et ton repas d'aujourd'hui ?

— La maison semblait un peu vide sans Ellie, mais ça s'est très bien passé. Je serai simplement plus heureuse l'année prochaine, quand nous serons tous réunis. Et toi ?

— La Californie au grand complet débarque pour dîner, en tenue de soirée, dans deux heures. Je te laisse imaginer mon impatience... Ce sera tellement intime et chaleureux... Ça te va forcément droit au cœur de voir une centaine d'étrangers s'entasser dans ton salon pour avaler des hors-d'œuvre en buvant du champagne. Ça te rappelle le vrai sens de Noël... Quel dommage que tu ne sois pas là pour voir ça !

Faith éclata de rire en écoutant sa description, n'osant même pas imaginer le tableau. Leur Noël avait peut-être été un peu trop calme, mais elle le préférait cent fois à celui qu'allait subir Brad !

— Pam a vraiment l'art de créer des atmosphères intimes. Les gens sentent qu'ils ont été invités parce qu'on avait vraiment envie de les recevoir personnellement, continua Brad sur sa lancée.

Il aurait tant aimé être avec elle ! Cependant, il n'osait exprimer ce regret. C'était trop difficile à expliquer, même à elle.

— Peut-être que tu pourrais essayer de jouer le jeu et de t'amuser sans rien attendre d'autre, suggéra-t-elle pour lui redonner du courage.

— C'est un peu ce que je fais. En arrosant le tout d'une bonne dose de vin blanc. Sans alcool, ce genre de soirée a tendance à me donner mal à l'estomac.

Quand ils avaient dîné ensemble, elle avait remarqué qu'il buvait très peu, aussi avait-elle peine à l'imaginer ivre, même pour la bonne cause.

— Que fais-tu ce soir ?

— Je vais me coucher, répondit Faith.

— Quelle chance tu as ! Je t'appellerai demain, ou je t'enverrai un mail.

Il retournait travailler le lendemain et en était ravi. Il avait eu sa dose de ces festivités qui, sans ses fils, n'avaient décidément aucun sens pour lui.

— Joyeux Noël, Brad. Et amuse-toi un peu ce soir. Qui sait ? Tu pourrais te prendre au jeu.

— C'est à voir... dit-il sans conviction.

En fait, il pensait à elle, et uniquement à elle.

Ils raccrochèrent, et Faith se remit à ranger la cuisine. Alors qu'elle avait presque terminé, Zoe entra et lui demanda de l'argent pour aller au cinéma avec ses amis.

— Prends ce dont tu as besoin dans mon porte-monnaie, lui dit Faith en s'essuyant les mains et en ôtant le tablier qu'elle avait mis pour protéger sa robe de soie noire, agrémentée d'un rang de perles.

Avec ses cheveux remontés sur sa nuque, elle ressemblait à Grace Kelly jeune. Elle désigna son sac à main, qu'elle avait laissé sur l'une des chaises de la cuisine la veille, au retour de la messe. Zoe fouilla quelques instants, puis releva les yeux vers elle.

— Qu'est-ce que c'est que ça, maman ? demanda-t-elle en tenant le chapelet de Brad.

Il avait glissé de son étui de satin et s'était retrouvé au fond de son sac.

— C'est un chapelet, répondit Faith d'un air détaché.

Il n'avait pas quitté sa main de toute la messe la veille, mais Zoe n'avait rien remarqué.

— Je ne l'avais jamais vu. Où l'as-tu trouvé ?

Sa curiosité était décidément insatiable... Et on eût dit qu'elle avait un sixième sens.

— C'est le cadeau de Noël d'un ami.

— Un ami ? répéta Zoe en fronçant les sourcils.

Voilà qui lui rappelait quelque chose...

— Maman, ne me dis pas que c'est ton fameux ami d'enfance qui t'a offert ce chapelet ?

— Et alors ? Ce n'est pas choquant ! Il me semble au contraire que c'est un cadeau parfaitement sage !

— Oui, de la part d'un homme amoureux ! Personne d'autre n'aurait l'idée de t'envoyer un objet d'une telle valeur symbolique... et absolue, d'ailleurs. Ça doit coûter une fortune.

— Il est très ancien, tempéra Faith. Et toi tu as vraiment l'esprit mal tourné. Mon ami m'envoie un joli cadeau, parfaitement approprié pour une fête religieuse, et toi tu interprètes ça n'importe comment. Je t'aime beaucoup, Zoe, mais tu perds la raison.

Et elle sourit à sa fille d'un air candide.

— Je sais très bien ce que je dis, rétorqua Zoe, et tu verras que j'ai raison. C'est un chouette cadeau.

Elle avait l'air réellement impressionnée.

— Oui. Mais j'aimerais bien que tu te mettes dans la tête que je suis mariée, que j'aime ton père, et que personne n'est amoureux de moi, d'accord ? Ce serait très gentil de ta part.

— Peut-être, mais ce n'est pas vrai. Ce type est fou de toi, maman. Regarde ça, ce sont des émeraudes et des rubis... Ils sont petits, mais quand même ! Il doit vraiment être sympa.

— Il l'est, et c'est pour cela que c'est un bon ami. J'espère que tu feras sa connaissance un jour.

— Moi aussi.

Elle remit le chapelet dans le sac de sa mère, et prit vingt dollars dans son porte-monnaie pour aller au cinéma.

— Je vais encaisser un chèque demain, je te donnerai un peu d'argent, dit Faith en l'embrassant. Et merci pour ma sacoche et mon écharpe, elles sont magnifiques. Je serai la fille la plus cool de la fac !

— J'en suis certaine, maman. Et tous les garçons vont craquer pour toi.

Faith leva les yeux au ciel.

— Tu es vraiment obsédée !

La simple idée que Brad pût être amoureux d'elle lui semblait absurde. Et choquante, d'une certaine façon. Cela dégradait la pureté de leur amitié et lui ôtait de sa valeur. Or elle était tellement importante à ses yeux... Non, vraiment, ils n'étaient pas amoureux l'un de l'autre, elle en était certaine. Ils étaient seulement très proches, que Zoe le crût ou non.

Quelques minutes plus tard, la jeune fille sortit et Faith alla s'asseoir à côté d'Alex, près du sapin. Il dégustait un verre de porto et semblait détendu, perdu dans ses pensées.

— Merci pour ce bon dîner, dit-il à Faith avec une gentillesse inaccoutumée.

— Merci pour ton beau bracelet, répondit-elle en l'embrassant doucement sur la joue.

Mais, comme toujours, son geste demeura sans retour. Pour Alex, les marques d'affection étaient exclusivement réservées à l'intimité de la chambre, et ce aux heures convenables. Partout ailleurs, elles l'embarrassaient au plus haut point. Et, en fait, il ne se passait d'ailleurs plus grand-chose dans l'intimité non plus...

— Je suis content qu'il te plaise, dit-il d'un ton satisfait. Et moi, j'aime beaucoup mon costume, mes chemises et mes cravates. Tu as vraiment un goût exquis. Tu sais bien mieux choisir mes affaires que moi.

Elle fut touchée par le compliment, et ils passèrent un moment agréable au coin du feu. Il déclara aussi qu'il avait bien parlé avec Zoe, avant qu'elle ne sorte, ce dont ils mesuraient la rareté tous les deux. En fin de compte, ils passèrent une très bonne soirée ensemble, avant de monter se coucher. Ce Noël n'avait peut-être pas été des plus animés, mais ils étaient contents.

Ils regardèrent un peu la télévision, et Alex, qui avait un instant songé à faire l'amour, s'endormit devant le film. Elle sourit à son visage serein dans le sommeil. Ils avaient une vie tellement étrange... Ils n'étaient âgés ni l'un ni l'autre, et pourtant ils menaient une existence de vieillards. Parfois, Faith avait même l'impression que sa vie était derrière elle.

Brad partageait le même sentiment quand il se coucha ce soir-là. Il avait passé une soirée fatigante, à jouer les maîtres de maison devant une centaine de personnes dont il se fichait éperdument, contraint de seconder Pam dans son insatiable quête d'ascension sociale et de mondanités. Il ne pouvait imaginer passer le reste de sa vie à jouer ce rôle, et pourtant il savait qu'il y était condamné par le contrat qu'il avait signé vingt-cinq ans plus tôt. Quel qu'en fût le prix, il devait rester. Même si, ce soir, cette perspective lui paraissait plus déprimante que jamais.

14

Faith passa le LSAT tant redouté entre Noël et le Nouvel An. L'épreuve se révéla aussi difficile qu'elle l'avait craint, et elle en sortit sans savoir du tout si elle avait réussi ou pas. Au plus profond d'elle-même, elle tremblait à l'idée d'avoir échoué. Brad essaya de la rassurer quand elle lui téléphona ce soir-là. Il était le seul à savoir qu'elle avait passé l'examen. Elle ne l'avait dit à personne d'autre, pas même à Zoe. Au moins, c'était fait. Elle avait franchi une nouvelle étape difficile et n'avait plus qu'à espérer avoir réussi.

Zoe repartit pour Brown le 1er janvier. Ses cours reprenaient le lendemain. Elle s'en allait la mort dans l'âme, car elle s'était beaucoup amusée avec ses amis, pendant les vacances ; par ailleurs, elle détestait quitter sa mère, même si elle savait que cette fois, celle-ci n'aurait pas le temps de s'ennuyer, puisqu'elle aussi devait aller à l'université.

Pendant le dîner qui suivit le départ de Zoe, Alex demeura silencieux et glacial. Faith n'en ignorait pas la raison. L'idée de la voir reprendre ses études lui déplaisait toujours autant. Or, avant de partir, Zoe n'avait pas cessé d'évoquer l'événement, alors que Faith préparait son sac et ses fournitures scolaires en prévision du lendemain. Tout était prêt dans son bureau, empilé sur une chaise en attendant le grand jour. Avant d'aller se coucher, Faith redescendit deux fois, pour vérifier qu'elle n'avait rien oublié. Elle n'avait pas connu pareille excitation depuis son enfance.

Ce jour-là, elle avait reçu un mail de Brad qui lui souhaitait bonne chance et lui assurait qu'elle s'en tirerait avec brio. Elle n'en était pas si sûre, mais la perspective de retourner à l'université l'enthousiasmait. Elle savait que ce serait difficile, mais elle était heureuse d'avoir réussi à faire ce qu'elle désirait.

Le lendemain matin, elle se réveilla à l'aube, et lorsqu'elle prépara le petit déjeuner d'Alex à huit heures, elle était déjà fin prête. Il quitta la maison à huit heures et demie, comme tous les matins, et ne lui adressa pas la moindre parole d'encouragement. Il se contenta de lui jeter un regard hautain avant de refermer la porte derrière lui, comme s'il voulait lui faire savoir qu'il désapprouvait toujours son choix. Elle ne l'ignorait pas... Personne ne l'ignorait.

Elle se prépara une nouvelle tasse de café, sans cesser de regarder la pendule. Elle devait prendre un taxi à neuf heures. Il était inutile qu'elle arrive avant neuf heures et demie.

Alors qu'elle prenait sa sacoche et se préparait à partir, son ordinateur lui indiqua qu'elle avait du courrier. Elle cliqua sur l'icône et découvrit avec surprise un e-mail de Brad. Pourtant, il n'était que six heures du matin chez lui.

Joue bien dans le bac à sable, et passe une bonne journée ! Sois sage, et appelle-moi en rentrant. Je t'embrasse, Brad.

C'était vraiment gentil de sa part, et elle reposa ses affaires pour lui répondre un petit mot tout de suite.

Merci ! Tu es debout bien tôt ! J'espère que ce n'est pas juste pour moi ! Je t'appellerai. Prie pour que les autres enfants ne soient pas méchants avec moi, j'ai peur ! Mais je suis très enthousiaste. Bonne journée à toi. Bises, Fred.

C'était Zoe qui, petite, avait toujours peur que ses camarades soient méchants avec elle à l'école, ce qui n'arrivait jamais. Faith, elle, avait surtout peur de ne pas être à la hauteur sur le plan des résultats. Il y avait si longtemps qu'elle avait quitté les bancs de l'université...

Elle se dépêcha de sortir de la maison et héla un taxi. C'était la cohue lorsqu'elle arriva à la faculté, mais des panneaux indiquaient avec une remarquable précision où il fallait se rendre, si bien qu'elle trouva sa classe sans difficulté.

Le cours s'avéra encore plus intéressant qu'elle ne l'avait espéré. Il était intitulé : « Le processus judiciaire », et le professeur était passionnant et stimulant. Lorsqu'ils s'arrêtèrent à l'heure du déjeuner, elle était ravie de sa matinée. Elle enchaînait l'après-midi avec un autre cours, de droit constitutionnel, cette fois. Il en serait ainsi deux jours par semaine. Elle savait que ces cours l'aideraient à se préparer à entrer à la faculté de droit proprement dite en septembre — si elle y était admise.

Quand elle quitta l'université cet après-midi-là, elle était épuisée mais heureuse. Elle n'avait pas passé une journée aussi motivante depuis des années.

Le professeur du cours sur le « processus judiciaire » était une femme qui avait à peu près son âge. Elle aurait aimé aller la voir pour bavarder un peu avec elle, mais n'avait pas osé. Après le cours de droit constitutionnel, pas question de discuter : elle devait rentrer directement chez elle si elle voulait arriver avant seize heures.

Elle ouvrit la porte d'entrée et posa son sac, pensant déjà aux devoirs qu'on leur avait donnés. Ils semblaient à sa portée, mais lui demanderaient du temps… Avant même qu'elle ait pu enlever son manteau, le téléphone sonna. C'était Zoe.

— Alors, maman ? Comment ça s'est passé ? Est-ce que ça t'a plu ?

— Enormément ! Encore plus que prévu, répondit-elle d'un ton enjoué.

Zoe était infiniment fière d'elle. Elles bavardèrent pendant une bonne demi-heure, puis Faith déclara qu'elle devait raccrocher. Elle n'était pas sûre d'avoir tout ce qu'il fallait dans la maison pour préparer le dîner d'Alex… Mais à peine avait-elle reposé le combiné que le téléphone sonna de nouveau. Cette fois, c'était Brad.

— Je suis impatient de savoir comment ça s'est passé, dit-il gaiement.

— J'ai adoré, répondit-elle en souriant. Les professeurs sont passionnants, mes camarades de classe ont l'air intelligents, je n'ai pas vu passer le temps. Je suis un peu effrayée par les devoirs qu'on nous a donné à faire, mais je pense que je vais y arriver.

Elle laissa échapper un petit rire d'excitation, et il sourit à l'autre bout du fil.

— Vraiment, reprit-elle, je suis emballée ! Je viens juste de rentrer à la maison !

— Tu vas t'en tirer à merveille, assura-t-il, ravi pour elle.

C'était exactement ce qu'il lui souhaitait.

— Merci pour ton e-mail de ce matin, compléta-t-elle. J'étais angoissée comme une enfant !

Il ne précisa pas qu'il avait spécialement mis son réveil à cinq heures et demie pour pouvoir l'encourager avant son départ.

— Je m'en suis douté. C'est pour cela que je ne t'ai pas appelée. Je ne voulais pas te donner la possibilité de craquer, alors j'ai préféré t'envoyer un mail.

— C'était judicieux de ta part.

— Je suis vraiment heureux pour toi. Est-ce que les devoirs ont l'air très difficiles ?

— Oui, mais je crois que je m'en sortirai, si je ne me laisse pas submerger par d'autres tâches. Ce sera dur...

— Heureusement que tu n'es pas mariée avec Pam !

Ils avaient de nouveau donné une grande soirée pour le Nouvel An. Faith et Alex, de leur côté, étaient restés à la maison et avaient regardé la télévision, comme chaque année. Brad déclara qu'il les enviait.

— Alors, quel est ton programme, maintenant ?

— Il faut que je travaille sérieusement, et avec un peu de chance je commencerai mon droit à l'automne.

Alex était toujours aussi réticent, mais Faith ne renonçait pas, et ce premier jour de cours lui avait donné confiance en elle.

— Je vais bientôt déposer mon dossier de candidature, annonça-t-elle.

— Dans quelles universités ?

— A Columbia, à l'Université de New York, Fordham, à l'Ecole de Droit de New York et à celle de Brooklyn. Je n'ai pas beaucoup de possibilités, il faut que je reste à New York.

— Dommage que tu ne puisses pas venir ici, regretta Brad avec un sourire.

— Oh oui ! J'imagine la tête d'Alex ! Il adorerait cette idée ! Une femme qui ne rentre à la maison que pour les vacances ! Quoique, parfois, je me demande s'il remarquerait mon absence. Peut-être que je pourrais embaucher une femme de ménage pour occuper mon poste à la maison !

Ces derniers temps, ses activités se limitaient à préparer des dîners et des petits déjeuners et à assister à quelques soirées mondaines. Ses conversations avec son mari étaient réduites au strict minimum. Une fois de temps en temps, très exceptionnellement, ils faisaient l'amour. Mais, clairement, être l'épouse d'Alex n'était plus un travail à plein temps.

— Moi aussi, j'aimerais bien trouver quelqu'un pour prendre ma place chez moi, répondit Brad en riant. Il n'aurait pas à se plaindre : il pourrait enchaîner les dîners mondains, les soirées à l'opéra, les concerts... Et moi, qu'est-ce que je serais ravi !

Ils éclatèrent de rire tous les deux. Cependant, Faith s'aperçut bientôt que l'heure tournait.

— Il faut que je m'active un peu, sans quoi Alex va avoir une crise cardiaque en rentrant. Je suis sûre que dorénavant le moindre problème sera mis sur le compte de ma stupide décision de reprendre mes études... Il faut que je me surpasse à la maison, à partir d'aujourd'hui. Dîners parfaits, pas une minute de retard, réceptions grandioses... Je n'ai plus droit à l'erreur.

Elle avait envisagé de préparer à Alex un dîner particulièrement raffiné ce soir-là, pour lui prouver qu'elle maîtrisait la situation, mais elle n'en avait plus le temps.

— Ça fait beaucoup de pression sur tes frêles épaules, observa Brad avec compassion. Peut-être n'as-tu pas besoin d'en faire autant. Tu n'as pas à te faire pardonner quoi que ce soit.

— A ses yeux, si... Je t'enverrai un e-mail un peu plus tard. Il faut vraiment que je m'occupe de ce dîner, et ensuite, j'ai mes devoirs à faire.

— Tu es une bonne petite élève, la félicita Brad en souriant.

— Merci. A bientôt, Brad.

Elle se hâta de raccrocher, alla regarder ce qu'il restait dans le réfrigérateur, et décida de courir acheter quelque chose qu'Alex aimerait vraiment.

Quand il rentra, elle avait mis une sole au four, finissait de préparer des asperges, et avait fait du riz pilaf.

Elle servit le tout de manière irréprochable, fière d'avoir préparé tout cela en un temps record.

Alex ne fit aucun commentaire. Il mangea tranquillement, sans prendre la peine de lui demander comment s'étaient passés ses cours. Faith resta médusée par tant d'indifférence.

— As-tu aimé le poisson ? demanda-t-elle, avide d'un compliment de sa part.

Elle estimait l'avoir réussi mieux que jamais.

— C'est une nouvelle recette que j'ai dénichée, précisa-t-elle.

— Il est très bon, dit-il d'un ton parfaitement neutre.

— Et la sauce hollandaise ?

Elle savait que c'était sa préférée, et que les asperges étaient cuites à point.

— Un peu épaisse, asséna-t-il.

Elle comprit alors qu'elle devait renoncer à tout espoir. Même s'il avait apprécié son dîner, il ne le lui dirait pas. Elle sentit une vague de colère monter en elle, mais elle parvint à se contenir et ne lui adressa plus la parole jusqu'à la fin du repas. Il se comportait vraiment de manière méprisable, obstinément hostile et déterminé à ne faire aucun effort, comme un enfant borné. Maintenant qu'elle avait commencé les cours, pourquoi continuer à manifester ainsi son opposition ? Il aurait pu essayer de s'accommoder de la situation... Mais non, il était décidé à ne pas lui faciliter la tâche.

Il quitta la cuisine pendant qu'elle rangeait les assiettes dans le lave-vaisselle, hors d'elle. Quel goujat !

Dès qu'elle eut terminé, elle se précipita dans son bureau et sortit ses livres de cours. Elle travailla jusqu'à une heure du matin sur les deux devoirs qu'on lui avait donnés dans la journée. Quand elle monta se coucher, sa colère avait fondu, chassée par la satisfaction du

236

devoir accompli. Elle n'avait pas pris de retard. Tout allait bien.

Alex ne lui parla pas non plus le lendemain matin au petit déjeuner. Cette fois, c'en était trop.

— Je n'ai pas cours aujourd'hui, tu as le droit de m'adresser la parole ! lança-t-elle avec amertume. Tu peux attendre demain pour me punir de nouveau !

Elle était encore furieuse de la façon dont il l'avait traitée la veille.

— Je ne vois pas de quoi tu parles, Faith. C'est ridicule.

— C'est ton comportement qui est ridicule. Nous ne sommes pas des enfants. Tu n'es pas content que je reprenne mes études, d'accord, mais je fais de mon mieux pour que ça ne change rien pour toi, alors j'aimerais que tu y mettes un peu du tien pour que ça fonctionne. En essayant de saboter mes efforts, tu te punis autant que moi.

— C'est ton problème, Faith. Tu sais très bien ce que je pense de toute cette histoire. Si ma réaction ne te plaît pas, tu n'as qu'à arrêter de prendre des cours.

De son point de vue, c'était aussi simple que cela.

— C'est donc ça... Du chantage ! Tu vas me rendre la vie infernale jusqu'à ce que je renonce à mes études ?

Il ne répondit pas. Il détestait ce genre de scène, surtout le matin... Mais elle s'en serait volontiers passée elle aussi.

— C'est une façon bien immature de voir les choses, dit-elle en s'efforçant de dominer sa rage. Tu ne vas donc me laisser aucune chance de réussir ? Tu ne veux pas voir comment ça se passe, avant de me condamner ? Comment peux-tu juger au bout d'une seule journée ?

— Tu n'aurais pas dû t'inscrire du tout. Ce projet est absurde de A à Z.

— C'est ton attitude qui est absurde, répliqua-t-elle d'un ton cinglant qui n'était pas dans ses habitudes.

Son retour à l'université ne s'annonçait pas sous les meilleurs auspices. Et la situation ne s'arrangerait pas si elle entrait pour de bon à la faculté de droit... Mais Alex agissait ainsi à dessein. Il voulait qu'elle arrête avant d'être trop engagée. Seulement, elle n'était pas prête à céder si facilement. L'opposition gratuite de son mari ne faisait que renforcer sa détermination.

— Je trouve ta conduite déplorable, dit Alex d'une voix glaciale en prenant le *Wall Street Journal*.

Et il quitta la cuisine, sans avoir touché une miette de son petit déjeuner. Elle non plus n'avait rien mangé. La scène qu'ils venaient de vivre augurait du pire pour les mois à venir...

Cet après-midi-là, elle se confia à Brad par e-mail, mais il ne lui répondit que le soir, car il avait été retenu au tribunal jusqu'à cinq heures.

Chère Fred, je suis désolé d'avoir mis si longtemps à te répondre. Longue journée, petite victoire pour un de mes gosses... C'est déjà ça. Lire ce que tu me racontes à propos d'Alex me rend fou. On dirait qu'il vit encore au Moyen Age. Comment peut-il te dire des choses pareilles ? On devrait l'envoyer en stage chez Pam, elle le mettrait au pas en huit jours ! Mais tiens bon. Il va bien falloir qu'il s'habitue. Tu ne vas pas renoncer à ta vie pour lui, ce serait une catastrophe. Arrives-tu à te concentrer sur ton travail avec le cinéma qu'il te fait ? Il faut que tu t'y efforces, dans la mesure du possible. Tu ne pourras pas être au top sur tous les fronts en permanence, personne n'y arrive. Fais simplement de ton mieux. Sache qu'il y aura des échecs, des examens, et des soirs où tu ne pourras pas à la fois cuisiner un dîner parfait et finir ton travail. Que ça lui plaise ou non, il devra vivre avec. Si tu abandonnes la partie maintenant,

238

tu le regretteras toute ta vie. Je sais que Jack aurait dit la même chose. Il serait tellement content de savoir que tu as décidé de retourner à l'université. Il a toujours pensé que tu aurais dû terminer tes études. Il était convaincu que tu étais plus douée que lui. Est-ce qu'il te l'a déjà dit ? Il me l'a répété maintes fois. Tiens bon, ma petite Fred, tu vas y arriver. Je t'embrasse fort, Brad.

Il savait si bien la réconforter... Ses encouragements lui allaient droit au cœur. Elle en avait désespérément besoin, et cela ne fit qu'empirer au cours du mois qui suivit, car Alex continua de tout faire pour lui gâcher la vie. Faith jonglait comme elle pouvait avec les longs devoirs, les petites interrogations, l'entretien de la maison, les repas pour Alex... Et Zoe et Brad faisaient de leur mieux pour lui remonter le moral. Elle savait qu'elle était capable de concilier sa vie de couple et d'étudiante. La tâche n'était pas insurmontable. Elle avait même réussi à terminer son dossier d'inscription pour la faculté de droit. A sa grande surprise, ses notes au LSAT s'étaient avérées excellentes ; elle espérait que ce résultat compenserait aux yeux du jury le fait qu'elle n'ait ni travaillé, ni fait d'études pendant vingt-cinq ans. Ses bonnes notes en cours de droit joueraient sans doute aussi en sa faveur.

Le plus dur demeurait l'attitude glaciale d'Alex et l'atmosphère pesante qu'il faisait régner à la maison. Il était obnubilé par l'affront qu'elle lui avait fait en retournant à l'université, et se montrait de plus en plus odieux à mesure que les semaines passaient.

Au début du mois de février, Faith se heurta à son premier gros obstacle. Le professeur du cours de processus judiciaire annonça qu'un voyage de quatre jours à Washington avait été organisé pour toute la classe. Participer n'était pas obligatoire, mais vivement recommandé ;

au retour, ils devraient remettre un petit mémoire, qui compterait pour la note finale.

Faith commença par en parler à Brad et à Zoe, et tous deux affirmèrent qu'elle devait faire ce voyage. Restait bien sûr à affronter Alex.

Elle ne se décida à lui parler que la semaine précédant le voyage. Il demeura silencieux durant son explication, à la fin du dîner. Elle avait eu l'estomac noué pendant tout le repas, repoussant sans cesse le moment de se lancer. Et comme d'habitude, ils avaient mangé sans échanger une parole. Depuis qu'elle avait repris les cours, il ne faisait plus aucun effort pour maintenir un semblant de communication avec elle. Il était devenu encore plus dur et distant.

— Voilà le programme, conclut-elle. Je serai à Washington pendant quatre jours. Je pourrai te laisser des repas tout prêts dans le congélateur. Quels sont tes projets, as-tu des déplacements prévus pendant cette période ?

Elle espérait que ce serait le cas. Un voyage simplifierait bien les choses...

— Non, rétorqua-t-il sèchement en la fixant comme si elle venait d'annoncer qu'elle avait été arrêtée pour vol à main armée et qu'elle allait passer des années en prison. Je n'en reviens pas que tu envisages de faire une chose pareille. Tu te comportes comme si tu étais une simple étudiante, alors que tu as des responsabilités ici.

— Alex, sois raisonnable. Nos filles sont grandes et ont quitté la maison. Nous sommes des adultes autonomes. Quelles sont mes responsabilités ici ? Aucune. Je prépare ton repas du soir. Je n'ai rien d'autre à faire de la journée. Je m'ennuyais à mourir avant de reprendre mes études.

L'opposition systématique d'Alex devenait de plus en plus ridicule au fil des jours. En fait, ce n'était qu'une question d'ego. Il ne supportait pas d'avoir perdu le contrôle de la vie de sa femme. Il poussait les choses beaucoup trop loin, même aux yeux de Faith pourtant si tolérante.

— Je suis désolé qu'être ma femme t'ennuie à mourir, Faith.

— Ce n'est pas ce que j'ai dit. Il se trouve simplement que je n'ai plus grand-chose à faire de mes journées. Ce n'est pas un secret, tu voulais même que je prenne des cours de bridge ou que j'aille suivre des conférences au musée ! Il se trouve que ce que je fais est bien plus enrichissant.

— Je ne trouve pas.

— Alors, pour Washington ? trancha-t-elle, coupant court au débat.

Il avait déjà exprimé maintes fois son opinion sur la question, et elle en avait assez de l'écouter se plaindre et de se traîner à ses pieds en s'excusant. C'était devenu lassant.

— Fais ce que tu veux.

— Qu'est-ce que ça signifie exactement ?

De toute façon, elle était décidée à y aller, mais avant de s'engager elle voulait entendre de sa bouche le prix qu'elle devrait payer, c'est-à-dire quelles seraient les représailles à son retour.

— Ça signifie que tu fais ce que tu veux de toute façon. Alors vas-y, pars en voyage. A tes risques et périls.

C'était une menace à peine voilée, ce qui exaspéra Faith.

— Je suis tellement fatiguée de tout ça, Alex ! Je n'ai pas commis un crime ! Au nom du ciel, je ne t'ai pas trompé, je ne t'ai pas abandonné, ni abandonné nos enfants. Pourquoi te comportes-tu avec moi comme si c'était le cas ?

— Tu es folle, répliqua-t-il avec un air méprisant.

241

Et il se leva pour quitter la pièce.

— Si je le suis, c'est à cause de toi ! lança-t-elle comme il s'apprêtait à franchir le seuil.

— Ne me reproche pas les conséquences de tes actes, Faith.

— D'accord, répondit-elle froidement. J'irai à Washington. Je serai absente pendant quatre jours. Je te laisserai largement de quoi manger, et tu pourras m'appeler si tu as besoin de moi.

— Pas la peine, je dînerai dehors, répondit-il entre ses dents.

— Mais non. Je te laisserai des plats tout préparés pour les quatre soirs.

Il ne répondit rien et se contenta de tourner les talons et de sortir.

Elle n'écrivit pas à Brad ou à Zoe pour leur raconter la scène. Elle se sentait si humiliée et frustrée qu'elle n'avait envie d'en parler à personne.

Le matin de son départ, elle dit au revoir à Alex, mais il ne répondit même pas, continuant de lire son journal et de faire comme si elle n'existait pas. S'il espérait ainsi la culpabiliser, il obtint l'effet inverse : Faith quitta la maison plus remontée que jamais contre lui et soulagée de s'en aller pour quelques jours. Elle avait l'impression qu'elle venait d'être libérée de prison quand elle se retrouva sur le trottoir avec son sac et son ordinateur sous le bras. Elle l'emportait pour travailler, et aussi pour pouvoir communiquer avec Zoe et Brad. Quel bonheur de s'échapper un peu !

Plus de la moitié de sa classe participait au voyage. Ils se retrouvèrent à l'aéroport de La Guardia et prirent un avion navette pour Washington. L'hébergement avait été prévu dans un petit hôtel de Massachusetts Avenue, où séjournaient une foule d'étudiants et d'hommes d'affaires étrangers. Le simple fait d'être là, parmi eux, exaltait Faith, et à la fin de la journée, après avoir visité le Smithsonian Institute et la Bibliothèque du Congrès, elle conclut qu'elle avait vraiment bien fait de venir. Elle avait déjà une idée de sujet pour le mémoire qu'elle écrirait en rentrant. Elle commença sur-le-champ à prendre des notes dans sa chambre d'hôtel et brancha son ordinateur pour travailler dès que ses camarades et elle rentrèrent de leur dîner dans un restaurant indien. Elle avait parlé une bonne heure avec le professeur, cette femme qu'elle appréciait tant, et avait eu une grande discussion avec les autres étudiants sur la Constitution et la validité des lois qui en découlaient. Il s'était ensuivi un débat animé à propos du Premier Amendement et, en regagnant sa chambre, Faith était enthousiaste et pleine d'inspiration. Elle était en train de taper ses réflexions sur son ordinateur lorsque ce dernier lui signala qu'elle avait reçu un e-mail. C'était Brad.

Salut, Fred ! Alors, comment se passe ce séminaire ? Est-ce que tu as déjà tout compris ? Est-ce que tu t'amuses bien ? Moi, j'adore Washington. Quand j'étais à la fac, je sortais avec une fille qui habitait là-bas. C'était la fille de l'ambassadeur de France. Je suis allé la voir souvent, et j'en garde un excellent souvenir. J'avais essayé de caser Jack avec sa sœur, mais il s'était montré tellement insupportable qu'elle s'était enfuie en courant ! Raconte-moi un peu comment sont les gens. Sympas ? Et ton prof ? Ici, tout va bien. Mon prochain procès commence la semaine prochaine. Et ma secrétaire me rappelle que c'est aussi la Saint-Valentin bientôt... L'époque des roses rouges et des chocolats en forme de cœur... Des larmes et des caries... Mon Dieu, je perds mon esprit romantique ! J'aurais bien emmené Pam dîner au restaurant, mais elle voudrait probablement inviter deux cents amis et m'obliger à mettre un smoking, alors je crois que je vais plutôt rester au bureau pour travailler et lui dire que j'ai oublié. De toute façon, elle oubliera sûrement aussi. Bon, j'arrête de broyer du noir. J'ai du travail. Donne-moi de tes nouvelles. Si tu te présentes aux prochaines élections, préviens-moi, je voterai pour toi sans hésiter. A très bientôt. Je t'embrasse, Brad.

Elle aimait tant recevoir de ses nouvelles... Il la faisait toujours rire, ou au moins sourire. Et sa critique de la Saint-Valentin lui rappela qu'elle voulait envoyer des friandises à ses filles.

Elle était certaine qu'Alex ne ferait rien de spécial pour elle ce jour-là, car de toute façon il n'y avait jamais pensé. Il y avait longtemps qu'ils n'étaient plus dans ce registre-là, et ces derniers temps encore moins que jamais. Cette fête ne signifiait donc plus grand-chose pour elle.

Son voyage à Washington se déroula sur un rythme soutenu et s'avéra très enrichissant. Ils visitèrent les musées, les bibliothèques, les universités, glanant çà et là des informations qui venaient étoffer leur cours. Tout se passa à merveille, jusqu'au dernier matin. Il leur restait une journée entière de visites, suivie d'une soirée, mais leur professeur fut rappelée en urgence, car sa mère venait d'être hospitalisée à la suite d'une crise cardiaque et se trouvait dans un état critique. L'appel qu'elle reçut sur son portable la laissa anéantie, de façon bien compréhensible, et elle annonça qu'elle devait partir. Elle demanda au groupe de continuer sans elle jusqu'au lendemain.

Leur retour n'était prévu que dans l'après-midi, et ils ne devaient arriver à New York que tard le soir. Mais Faith, en réfléchissant, s'aperçut qu'elle avait quasiment atteint l'objectif qu'elle s'était fixé. Elle avait plus de documentation que nécessaire pour son mémoire et estima qu'elle pouvait rentrer. La moitié du groupe fit d'ailleurs de même. Sans leur professeur pour les diriger, les étudiants perdirent rapidement l'entrain qui les animait. Certains d'entre eux décidèrent de rester tout de même, mais Faith se joignit au groupe qui choisit de partir vers midi. Ainsi, songeait-elle, elle pourrait passer tout le week-end avec Alex qui, elle l'espérait, ne lui ferait pas trop payer ses trois jours d'absence. Il ne l'avait pas appelée une seule fois depuis son départ et n'avait répondu à aucun de ses coups de téléphone quotidiens.

Elle passa chercher ses affaires à l'hôtel et prit un taxi pour l'aéroport en compagnie de cinq des étudiants de sa classe. De là, ils attrapèrent la première navette à destination de New York, vers deux heures. C'était parfait : ainsi, elle pourrait rentrer à la maison, ranger un peu ses papiers et préparer un bon dîner pour Alex en guise de calumet de la paix. Sur le chemin du retour, elle s'arrêta au marché et pénétra dans la maison peu après trois heures, les bras chargés de sacs de provisions en plus de ses bagages et de ses affaires de cours. Elle avait l'impression d'être partie des semaines !

Elle fut étonnée de trouver la cuisine impeccable et se demanda si Alex avait finalement dîné dehors tous les soirs. Mais, alors qu'elle posait ses sacs, elle remarqua une paire de chaussures sous une chaise. Des chaussures en satin noir, à très hauts talons. Elle n'en possédait pas de ce modèle. Surtout, lorsqu'elle se baissa pour en ramasser une, elle constata qu'elles étaient beaucoup trop grandes pour elle. Son cœur se mit à battre la chamade, et une violente nausée l'envahit alors qu'elle montait les escaliers.

Dans la chambre, le lit avait été fait à la hâte. Le couvre-lit était jeté sur les draps en désordre. Et quand elle le tira, elle découvrit dessus un soutien-gorge de dentelle noire. Le string assorti gisait à ses pieds. Saisie de vertige, elle dut s'asseoir pour ne pas tomber. Elle ne parvenait pas à croire que cela pût lui arriver. Ces dessous n'appartenaient ni à elle, ni à ses filles, ni à une de leurs invitées de passage. Alex avait amené une femme dans cette maison, dans ce lit, pendant son absence.

Sur une étagère de la salle de bains, s'alignaient des produits de beauté d'une marque qu'elle n'utilisait pas, et un long cheveu noir traînait dans le lavabo. Comme pour achever de la convaincre qu'elle ne se trompait pas, elle découvrit une autre paire de chaussures près de la baignoire et un pull qui pendait à côté des serviettes de toilette.

En trouvant deux robes et trois tailleurs qui ne lui appartenaient pas dans son propre placard, elle ne put que se mettre à pleurer. Ce n'était même pas une aventure d'un soir... Qui qu'elle fût, cette femme avait, de toute évidence, pris ses quartiers dans la maison pour toute la durée prévue de son absence. Et soudain, elle songea qu'Alex et sa maîtresse allaient rentrer ensemble ce soir, peut-être même cet après-midi...

Sans réfléchir, elle redescendit en courant, après avoir rabattu le couvre-lit. Elle retourna dans la cuisine, ramassa tous ses sacs, y compris les provisions, et quitta la maison. Elle jeta les deux sacs de courses dans une poubelle dans la rue et héla un taxi. Elle ne savait pas où aller ; elle n'avait aucune amie à qui elle eût envie de confier ce cauchemar, aucun endroit où trouver refuge, si bien qu'elle demanda au chauffeur de la déposer à l'hôtel Carlyle, à deux blocs de chez elle. A peine avait-il démarré qu'elle fondit en larmes.

— C'est vraiment là que vous voulez aller ? interrogea le chauffeur, embarrassé.

C'était si près qu'elle aurait pu s'y rendre à pied.

— Oui ! répondit-elle entre deux sanglots. Allez-y !

Elle était terrifiée à l'idée de rencontrer Alex et l'inconnue. Et écœurée qu'il ait pu faire une chose pareille chez eux. Il avait sali leur foyer, leur lit conjugal... Alors que la voiture remontait Madison Avenue, elle ne pouvait chasser de son esprit l'image du soutien-gorge et du slip noirs. Elle aurait préféré mourir. S'il avait cherché à la punir pour son voyage à Washington, c'était réussi ! Mais ce n'était pas le cas, comprit-elle alors que le taxi s'arrêtait devant l'hôtel et que le chauffeur lui ouvrait la portière. Cette femme ne pouvait être une nouvelle venue dans la vie d'Alex. Il n'aurait jamais installé une étrangère dans sa maison pour quatre jours. Leur relation durait sans doute depuis un moment... Prise de nausée au moment où le réceptionniste lui demandait si elle désirait une chambre, elle se contenta de hocher la tête.

Elle ne voulait pas affronter Alex, ni lui faire une scène. Elle resterait à l'hôtel jusqu'au lendemain soir, puis elle rentrerait comme prévu. Ce qui signifiait qu'Alex et cette femme passeraient une soirée tranquille dans sa propre maison... Elle ne désirait plus qu'une chose : qu'on la conduise à sa chambre, pour pouvoir vomir.

Elle n'avait pas de réservation, mais par chance il y avait de la place. Elle précisa qu'elle ne resterait qu'une nuit, un week-end tout au plus. Le réceptionniste enregistra son nom, lui tendit une clé, et un groom monta ses bagages dans sa chambre. Elle garda son ordinateur serré contre elle ; c'était son bien le plus précieux, son dernier lien avec le monde extérieur. Mais quand elle se retrouva seule dans la chambre, elle n'eut pas la force de le brancher. Elle ne put que s'effondrer sur le lit en sanglotant.

Il faisait nuit quand elle se calma enfin. Elle ne savait même pas quelle heure il était. En jetant un coup d'œil à sa montre, elle constata qu'il était dix-huit heures. Elle ne pouvait pas téléphoner à Zoe pour lui raconter ce qui lui arrivait : elle estimait qu'il n'aurait pas été juste de la monter contre son père. C'était à elle de régler cette affaire.

Elle ne parvenait toujours pas à y croire. Pourtant, il n'y avait pas de doute possible : Alex avait une maîtresse. Lui qui s'était montré si froid, si agressif, si critique envers elle et son projet de reprendre ses études couchait avec quelqu'un d'autre. Et le pire était qu'elle se sentait plus malheureuse qu'en colère. Elle commençait à se demander si elle n'aurait pas mieux fait de rester pour les prendre en flagrant délit, mais elle savait qu'elle n'en aurait pas eu la force. Il lui fallait du temps pour recouvrer ses esprits.

Il était vingt heures à New York quand elle téléphona à Brad. Elle avait décidé de parler calmement de la situation avec lui. Ses conseils lui seraient d'un grand secours, comme l'auraient été ceux de Jack s'il avait été encore en vie. Elle savait de la bouche de Brad que Pam avait eu plusieurs amants, et que lui-même avait cédé à la tentation une fois, aussi était-elle certaine qu'il se montrerait plus posé et réfléchi qu'elle. Peut-être lui dirait-il de ne pas en faire une montagne.

Mais, dès qu'elle entendit sa voix à l'autre bout du fil, les larmes la submergèrent de nouveau, et elle fut incapable de parler. Elle se mit à sangloter au téléphone, sans pouvoir se contrôler. Brad avait l'habitude de recevoir des appels désespérés de clients potentiels, ou de leurs parents, et pendant plusieurs secondes il ne la reconnut pas. Puis il réalisa avec horreur que c'était elle.

— Fred ?... Oh mon Dieu, que se passe-t-il ?... Allons, ma puce... Parle-moi, raconte-moi...

Il craignait surtout qu'il ne soit arrivé quelque chose à l'une de ses filles.

— Fred, mon ange... S'il te plaît, essaie de te calmer... Respire... Est-ce que tu es blessée ?... Est-ce que ça va ?... Où es-tu ?

Il s'inquiétait de plus en plus, car elle sanglotait de plus belle.

— Je... Je suis à New York, articula-t-elle avant de fondre à nouveau en larmes.

— Allons, essaie de m'expliquer ce qui s'est passé. Tu n'as rien, au moins ?

— Non... Mais je préférerais être morte...

— Tes filles vont bien ?

C'était ce qu'il redoutait le plus. En tant que père, il savait que rien ne pouvait être pire que de perdre ou de voir souffrir un de ses enfants.

— Oui, je pense... Ce n'est pas elles... C'est Alex...

Elle pleurait toujours, mais elle parvenait maintenant à articuler quelques mots, et Brad poussa un soupir de soulagement. Néanmoins, elle semblait si affectée qu'il se demanda si Alex avait eu un accident, ou une crise cardiaque... S'il était mort, même...

— Que lui est-il arrivé ? Il est blessé ?

— Non, c'est moi qui le suis. C'est la pire des ordures.

Brad conclut alors qu'ils avaient dû se disputer une fois de plus. En tout cas, la situation était moins terrible qu'il ne l'avait craint de prime abord... Néanmoins, pour qu'elle soit dans un tel état, l'altercation avait dû être particulièrement violente. Il ne l'avait jamais vue comme ça. Ou plutôt entendue. Il se demanda même si Alex ne l'avait pas battue, tant elle semblait bouleversée. Si c'était le cas, songea-t-il, il irait lui régler son compte lui-même.

— Je croyais que tu étais à Washington ? Que fais-tu à New York ?

Il se rappelait qu'elle n'était censée rentrer que le lendemain soir.

— Notre professeur a dû nous laisser parce que sa mère a eu une crise cardiaque, alors je suis rentrée plus tôt que prévu.

Son discours était toujours entrecoupé de sanglots, mais elle parvenait à s'exprimer de manière intelligible.

— Alors que s'est-il passé ? demanda-t-il, inquiet et impatient de comprendre.

— Je suis rentrée à la maison.

— Est-ce que vous vous êtes disputés ?

Sa secrétaire s'était approchée pour lui faire part de trois appels en attente, mais il lui fit signe de le laisser tranquille. Il voulait parler à Faith sans être dérangé. Les autres attendraient, ou iraient au diable. Faith était sa priorité.

— Non, il n'y avait personne.

Soudain, il fut glacé de terreur : peut-être s'était-elle trouvée nez à nez avec un cambrioleur ? Peut-être avait-elle été violée ?

— Que s'est-il passé, Fred, pour l'amour du ciel ? Dis-moi !

Elle le rendait fou d'inquiétude, et il ne pouvait pas l'aider si elle ne lui disait pas ce qui l'avait mise dans un état pareil.

— Il a fait venir une femme, dit-elle d'une voix tremblante.

Et elle attrapa un Kleenex sur la table de nuit.

— Elle était là quand tu es rentrée ? demanda Brad, abasourdi.

D'après ce qu'elle lui avait raconté, ce n'était pas vraiment le genre d'Alex…

— Non, mais j'ai trouvé ses vêtements. Il y avait des chaussures dans la cuisine, des tailleurs et des robes dans mon placard, des affaires de toilette éparpillées dans ma salle de bains, et des sous-vêtements dans mon lit ! Il a couché avec elle !

Effectivement, cela semblait vraisemblable. Il n'y avait pas trente-six façons d'expliquer ce qu'elle avait vu...

— C'était répugnant... J'ai trouvé son string.

Et elle éclata de nouveau en sanglots. A l'autre bout du fil, Brad ne put réprimer un sourire de compassion.

— Ma pauvre petite, dit-il doucement, j'aurais voulu être là pour te consoler. Où es-tu, d'ailleurs ?

Elle avait probablement quitté la maison pour lui téléphoner. Il ne l'imaginait pas appeler de chez elle, en attendant le retour des amants clandestins...

— Je suis au Carlyle, j'ai pris une chambre pour le week-end. Je ne sais pas quoi faire. Tu crois que je devrais rentrer à la maison et la mettre à la porte ?

— Non, je ne pense pas que ce soit une bonne idée. D'abord, il faut que tu te calmes, et ensuite, tu réfléchiras à ce que tu veux faire. Souhaites-tu demander le divorce ? Le quitter ? Ou simplement lui dire que tu sais ? Si tu ne dis rien, peut-être que ça n'aura aucune conséquence...

C'était ainsi qu'il avait toujours réagi avec Pam, pour sauver leur mariage. Mais elle avait eu la décence de ne jamais ramener ses amants à la maison, alors qu'Alex s'était réellement comporté de manière indigne.

— Et si leur histoire est sérieuse ? demanda Faith d'un ton désespéré.

— Alors, tu seras confrontée à un vrai problème.

Mais tous deux savaient que c'était déjà le cas. Alex et Faith n'étaient plus heureux ensemble depuis des années, et maintenant il avait entièrement détruit le respect qu'elle avait encore pour lui. Il lui avait brisé le cœur.

Brad eut alors une pensée délicate.

— Veux-tu que je prenne un avion pour venir te voir ? Je peux attraper un vol ce soir et rentrer demain soir.

— Non... Ça va aller... Il faut que je fasse le point... Mon Dieu, Brad, qu'est-ce que je vais devenir ?

Elle se demandait ce que Jack lui aurait conseillé. Brad dirait sans doute sensiblement la même chose : ils avaient toujours eu des points de vue très proches.

— Je crois que tu devrais bien réfléchir, avant de parler à Alex. La balle est dans ton camp maintenant, Fred. C'est à toi de jouer, et tu as l'avantage.

Elle s'était dit la même chose, mais n'était pas vraiment convaincue...

— Peut-être pas. Pas s'il est amoureux d'elle.

— Et s'il ne l'est pas ? Est-ce que tu veux rester mariée avec lui ? Est-ce que tu pourras lui pardonner ? Si la réponse est oui et que tu préfères tout oublier, surtout ne culpabilise pas. Ce qui t'arrive n'est pas forcément une catastrophe. En général, les histoires de ce genre ne sont que des passades.

Il la plaignait de tout son cœur et trouvait ce que lui avait fait Alex méprisable, mais il s'efforçait de l'apaiser pour ne pas la blesser davantage.

— Comment a-t-il pu me faire ça ? gémit Faith.

— Par bêtise, sans doute. Ou par ennui. Parce que son ego avait besoin d'être flatté, ou parce qu'il se sentait vieux. Pour les raisons stupides que les hommes invoquent toujours dans ces cas-là. La plupart du temps, ce n'est pas une question d'amour, mais de plaisir.

— C'est ça... Il ne me regarde même plus, et il couche avec une femme qui porte des strings. Elle est brune aux cheveux longs, ajouta-t-elle d'un ton amer en se remémorant le cheveu trouvé dans le lavabo.

Brad esquissa un sourire triste et regretta de ne pas pouvoir la prendre dans ses bras. Elle en avait tellement besoin !

252

— Peut-être qu'elle est très jeune…

— Je peux te garantir une chose, ma chérie : sa beauté ne peut égaler la tienne. Et de toute façon cela n'a aucune importance, il ne fait probablement que prendre du bon temps en ton absence.

— Tout en se comportant avec moi comme si j'avais commis un crime en reprenant mes études ! Alors que je me suis démenée pendant des mois pour qu'il n'ait pas à se plaindre de moi, tout en travaillant comme une forcenée… Peut-être que c'est sa façon de se venger.

— Je suis à peu près certain que ça n'a rien à voir avec toi, répondit Brad. C'est un problème personnel qu'il essaie de régler. Mais oublie Alex, et occupons-nous un peu de toi. Que dirais-tu d'aller te passer le visage sous l'eau et d'appeler la réception pour qu'on te fasse monter une tasse de thé ? Ou peut-être une boisson un peu plus corsée ? Je pourrais te rappeler d'ici une demi-heure, et on réfléchirait ensemble. Je veux t'aider à te forger ta propre opinion et à décider toi-même de ce que tu dois faire.

— Mais qu'est-ce que tu penses, toi ? insista-t-elle.

— Ce que je pense ? Je pense, dit-il en s'efforçant de garder son calme, que ton mari est une ordure et un goujat fini. Mais pas uniquement à cause de ce qu'il vient de te faire. Depuis des mois, des années peut-être, il te traite comme un chien, il te rend malheureuse et tu te sens seule et triste avec lui. Et maintenant, ça ! Pour ma part, je pense qu'il mérite la peine de mort. Mais si tu décides de ne pas le quitter, je te soutiendrai à cent pour cent, parce que ce n'est pas moi qui l'aime, ni qui ai choisi de l'épouser.

Il respectait son mariage et son désir de le sauver, tout comme il avait choisi de préserver le sien. Même s'il pensait au plus profond de lui-même qu'elle aurait dû quitter Alex des années plus tôt.

— Je ne suis pas sûre de l'aimer encore. Pour l'instant, je le hais, et je me sens stupide, humiliée et méprisée. J'ai toujours pensé que nous finirions notre vie ensemble, mais maintenant je n'en suis plus si certaine.

— Ne prends aucune décision hâtive, conseilla Brad. Donne-toi le temps de réfléchir. Je te rappelle dans une demi-heure.

A présent, il avait onze messages urgents en attente. Il répondit à sept d'entre eux et demanda à sa secrétaire de s'occuper des autres. Il était alors dix-huit heures pour lui, mais heureusement il savait que Pam devait sortir avec des amis et ne l'attendrait pas pour dîner.

De son côté, Faith avait suivi ses conseils : elle avait commandé du thé et s'était passé le visage sous l'eau. Elle ne savait toujours pas quoi faire vis-à-vis d'Alex, et le simple fait de l'imaginer en train de passer la soirée avec une autre femme dans leur maison la rendait malade.

— Alors, comment te sens-tu ? demanda Brad avec compassion lorsqu'il la rappela à l'heure dite.

— Je ne sais pas. Bizarre.

C'était l'impression que donnait sa voix, fatiguée et absente.

— Bizarre... comment ?

Il craignait soudain qu'elle n'eût absorbé des médicaments. Mais elle était trop raisonnable pour ça.

— Juste bizarre. Abattue, trahie, dépassée. Bête. Triste.

Elle ne trouvait pas d'autres qualificatifs, mais cela suffit à rassurer Brad.

— C'est normal, dit-il gentiment. Je comprends très bien. J'ai un peu réfléchi, Fred. Je pense que tu devrais lui dire que tu sais. Si tu ne le fais pas, ça te gâchera l'existence. Mets-le au pied du mur, on verra ce qu'il propose. Mais surtout ne fais rien que tu puisses regretter. Voilà ce que je te conseille. Bien sûr, tu fais comme tu veux.

— Tu as sans doute raison. Mais je ne sais même pas comment lui dire ce que j'ai vu.

— C'est pourtant simple. Tu sais, pour lui, ce ne sera pas une révélation.

— Tu as raison...

— Tu pourrais l'appeler ce soir et lui dire que tu es passée chez vous. Il aurait une crise cardiaque. Ça ne lui ferait pas de mal...

— Il ne répond pas au téléphone, objecta Faith.

Elle avait tenté de le joindre en vain toute la semaine.

— Il a raison, remarque. En tout cas, prépare-toi à ce qu'il se montre odieux quand tu lui diras que tu sais, quel que soit le moment que tu choisiras. Les hommes n'aiment pas être pris en flagrant délit, et d'une manière ou d'une autre, il essaiera de reporter la faute sur toi.

— Ce serait la meilleure... Comment ?

— Il dira que tu l'as négligé, que tu ne l'aimes plus, qu'il pensait que tu avais un amant... Même si je ne pense pas qu'il t'accuse de cela.

Elle était tellement droite et pure qu'il doutait qu'Alex pût lui reprocher une chose pareille, même avec toute la mauvaise foi du monde.

— Peut-être qu'il dira que c'est parce que tu as repris tes études, mais de toute façon, il essaiera de se disculper en te rendant responsable de sa faute.

— Tu crois qu'il tient à cette fille ?

Cette idée l'épouvantait plus que tout le reste, comme si elle craignait qu'Alex ne la mît à la porte de chez elle. Mais Brad savait que c'était impossible. Si quelqu'un devait partir, ce serait lui.

— Difficile à dire. Probablement pas. A mon avis, c'est juste une escapade sexuelle — excuse-moi d'être aussi cru... Peut-être même est-ce une professionnelle.

— Oh non, Brad, je ne peux pas imaginer Alex avec une call-girl !

Même si l'inconnue portait des sous-vêtements affriolants, cela ne voulait rien dire. Même les filles de Faith possédaient des strings.

— Non, vraiment, je ne pense pas qu'il soit du genre à payer une prostituée.

— Tu ne peux pas savoir. Fred, je ne supporte pas l'idée de te voir ressasser tout ça, seule dans ta chambre d'hôtel, toute la nuit. Je suis sûr que tu ne vas pas dormir.

— Peut-être que j'irai à l'église demain matin, soupira-t-elle. J'ai ton chapelet avec moi.

Mais, cette fois, cela ne lui suffirait pas... Il lui faudrait beaucoup de sang-froid, et peut-être aussi un bon avocat. Brad regrettait amèrement d'être aussi loin d'elle.

— Il faut que tu laisses reposer un peu tout ça, Faith. Et que tu réfléchisses bien avant de faire quoi que ce soit.

— Je crois que j'ai besoin de savoir ce qui se passe exactement, qui est cette femme, ce qu'elle représente pour lui. Je veux connaître la vérité.

— S'il accepte de te la dire... Je ne suis pas certain que ça lui ressemble. A mon avis, il fera au contraire tout son possible pour t'accuser, pour te réduire au silence et se protéger.

Brad ne connaissait que trop la lâcheté masculine. Il avait pu, bien des fois, l'observer chez ses clients, ses amis, ses associés... Lui-même n'était pas blanc comme neige, même s'il ne s'était jamais montré aussi goujat.

— Je crois que tu as raison, admit Faith à contrecœur. Merci de m'avoir écoutée si gentiment. Je suis désolée d'être aussi pitoyable...

Mais elle paraissait en bien meilleure forme que lorsqu'elle l'avait appelé la première fois. Il avait alors vraiment cru qu'elle avait perdu quelqu'un.

— Tu m'as fait une peur bleue, dit-il. J'ai pensé qu'il t'était arrivé quelque chose, à toi ou à une de tes filles. C'est vrai que cette histoire n'est pas drôle, mais, au moins, tout le monde est vivant.

— Je ne suis pas certaine de l'être, soupira-t-elle d'un ton déprimé.

— Tu le seras dès que tu auras pris le problème à bras-le-corps.

A présent, il était plus de dix-neuf heures à San Francisco, et donc vingt-deux heures passées à New York.

— Je crois que tu devrais prendre un bon bain et te coucher, recommanda Brad. Moi, je vais rentrer à la maison. Si tu as besoin de parler, appelle-moi à n'importe quelle heure. Je serai toujours là pour toi, Fred. Je regrette seulement de ne pas pouvoir faire plus.

— Tu as fait ce que Jack aurait fait, et c'est déjà beaucoup. Tu m'as parlé, tu m'as écoutée. Maintenant, c'est à moi de trouver un moyen de m'en sortir.

— Tout ira bien, Fred, j'en suis sûr.

— Qu'est-ce que je vais dire aux filles, si nous nous séparons à cause de ça ? Je préférerais qu'elles ne sachent jamais ce que j'ai découvert.

— Et pourquoi pas ? Ce n'est pas toi qui es en cause, c'est lui. Il doit affronter les conséquences de ses actes. Tu n'as pas à le protéger en gardant le secret. Tu ne lui dois rien du tout, Fred.

— Zoe lui en voudra à mort... Et Ellie lui trouvera des excuses.

— Zoe lui en veut déjà, de toute façon, fit remarquer Brad, pragmatique. Et je ne suis pas certain qu'elle ait tort. D'après ce que tu m'as dit, il n'a pas mieux joué

257

son rôle de père vis-à-vis d'elle que son rôle de mari vis-à-vis de toi.

— Peut-être qu'il n'a pas été parfait, reconnut Faith, mais il est comme ça.

Ce constat rappela à Brad la conversation qu'ils avaient eue sur les compromis nécessaires dans un couple, le soir où ils avaient dîné ensemble. Il se demanda si Faith devait passer l'éponge sur cet écart pour sauver son couple et maintenir la paix... Pour être honnête, il pensait que non. Mais il ne voulait pas l'influencer. Il n'en avait pas le droit, lui qui avait agi, à peu de chose près, de la même manière. Il avait préféré fermer les yeux sur les liaisons de Pam, parce que c'était plus facile pour lui... Néanmoins, il pensait que Faith méritait mieux. Lui aussi, sans doute, mais il préférait conserver le statu quo plutôt que de couler le navire.

— Tu as l'air à bout de forces, essaie de dormir un peu.

Il avait la certitude qu'elle ne fermerait pas l'œil de la nuit, et elle aussi. Mais il pensait qu'elle devait essayer.

— Pourquoi ne fais-tu pas venir une masseuse ? Ils doivent sûrement pouvoir t'en trouver une, même à cette heure. Ça te détendrait.

— Je vais me contenter de prendre un bain.

Elle n'avait pas l'habitude de se faire dorloter. Depuis des années, c'était elle qui s'occupait des autres.

— Appelle-moi à la maison, si tu veux. Je serai rentré d'ici dix minutes.

— Merci, Brad... Je t'adore, grand frère.

Elle était sincère.

— Moi aussi, sœurette. Je t'aiderai à sortir de ce pétrin, d'une manière ou d'une autre. Tu verras, ça se réglera.

— Oui... Peut-être... concéda-t-elle d'un ton las.

258

Mais elle ne semblait pas convaincue, et il ne l'était pas non plus. Tout dépendait d'Alex, et il était difficile de prévoir comment il réagirait si Faith le confrontait à ses actes. Mal, soupçonnait Brad en montant dans sa voiture pour rentrer chez lui. Il lui aurait volontiers mis son poing dans la figure pour ce qu'il venait de faire à Faith. Pour ça, et pour tout le reste.

15

Faith se tourna et se retourna dans son lit toute la nuit, pour finalement sombrer dans un sommeil agité vers quatre heures du matin. Elle se réveilla à six heures, s'approcha de la fenêtre et regarda le soleil se lever. La journée s'annonçait magnifique, et elle ne s'était jamais sentie aussi mal. L'image d'Alex et de la femme aux longs cheveux noirs, enlacés, la hantait sans relâche. Elle n'était pas sûre de pouvoir redormir un jour dans son lit.

A sept heures, elle commanda un café noir, puis elle enfila un jean et un pull pour se rendre à la messe de sept heures et demie à Saint-Jean-Baptiste, sur Lexington Avenue. Elle serrait dans sa main le chapelet de Brad mais fut incapable de se concentrer suffisamment pour prier. Elle se contenta de s'agenouiller et de regarder dans le vide. A la fin de la messe, elle rentra à pied à l'hôtel, se demandant ce qu'elle allait bien pouvoir faire de sa journée. Elle n'était pas censée rentrer à la maison avant seize ou dix-sept heures, et redoutait d'aller se promener ou simplement de quitter l'hôtel, de peur de croiser Alex et sa maîtresse.

Brad lui téléphona dès son réveil. Il était alors onze heures pour Faith. Il s'inquiétait pour elle, mais fut heureux de constater qu'elle allait mieux. Elle annonça qu'elle avait décidé d'improviser face à Alex, en fonction de ce qu'elle ressentirait, ce que Brad jugea sage.

— Surtout, ne te laisse pas déstabiliser, recommanda-t-il.

Pour la première fois depuis la veille, elle sourit.

— Je te le promets.

— Et appelle-moi dès que tu pourras.

Il devait aller jouer au tennis avec un ami, et avait promis à Pam de l'accompagner faire des courses. Elle voulait acheter une nouvelle chaîne stéréo pour le salon, et il avait accepté d'aller au magasin avec elle. Mais il emporterait son portable, et assura à Faith qu'elle pouvait l'appeler sur ce numéro si cela ne répondait pas chez lui. Il tenait à se mettre à son entière disposition, et se fichait des commentaires éventuels de Pam. Elle ne pouvait que comprendre, étant donné la situation, et de toute façon, il n'avait rien à se reprocher. Son amitié pour Faith était pure et sans ambiguïté. Contrairement à certaines relations de Pam... Il pensait même que cette dernière soutiendrait Faith si elle savait. Elle détestait voir des femmes se laisser abuser, et aurait sans doute conseillé à Faith de mettre Alex face à ses responsabilités.

Faith se languit dans sa chambre toute la journée en comptant les heures. A dix-sept heures, elle appela le groom pour faire descendre ses bagages et demanda qu'on lui appelle un taxi. Elle était trop chargée pour marcher jusque chez elle.

C'est d'une main tremblante qu'elle mit la clé dans la serrure. L'entrée était allumée, mais il n'y avait aucune trace de la présence d'Alex en bas. Il devait se trouver à l'étage. Elle posa ses bagages dans l'entrée et monta lentement jusqu'à leur chambre. Le lit était fait, et tout semblait impeccable. Il avait dû ranger lui-même... Elle se demanda s'il avait eu la décence de changer les draps, mais ne vérifia pas.

Il était assis dans son fauteuil préféré, près de la cheminée de la chambre, un livre dans les mains. L'image parfaite de l'innocence.

Il n'eut même pas la délicatesse de lever les yeux vers elle, alors qu'elle restait debout à le regarder. Une bouffée de haine et de dégoût la prit à la gorge, et elle dut refouler les larmes qui lui montaient aux yeux.

— Tu es en retard, grogna-t-il sans quitter son livre des yeux.

Elle n'en croyait pas ses oreilles. Comme elle ne disait toujours rien, il finit par lever la tête vers elle. Elle n'avait pas bougé.

— Alors, ton voyage ?

— Et ta semaine ? demanda-t-elle, en guise de réponse.

Leurs visages étaient aussi impassibles l'un que l'autre.

— Longue et pénible. Beaucoup de travail.

— C'est bien, dit-elle en prenant place en face de lui.

Ce faisant, elle se dit qu'elle ne pourrait pas jouer ce jeu plus longtemps. Il fallait qu'elle lui dise la vérité.

— Qu'est-ce que tu as fait à Washington ?

Il lui trouvait un air vaguement bizarre mais ne parvenait pas à déterminer pourquoi.

— Qu'est-ce que tu as fait à New York ?

— Je viens de te le dire, dit-il avec irritation. J'ai travaillé. Qu'aurais-je pu faire d'autre ?

Il était sur le point de se replonger dans son livre, mais la réponse de Faith l'arrêta net.

— Tu mens. Je suis rentrée à la maison hier, Alex. Mon voyage s'est terminé plus tôt que prévu.

— Comment ça, tu es rentrée à la maison ?

Il avait l'air stupéfait, mais pas coupable le moins du monde.

262

— La mère de notre professeur est tombée malade, et elle a dû aller la rejoindre, alors certains d'entre nous sont repartis. Je suis arrivée ici vers quatorze heures. Je me suis arrêtée en route pour faire des courses, en me disant que j'allais te préparer un bon dîner, et je suis rentrée. Qui est cette femme qui a de grands pieds, de très longs cheveux noirs, qui porte des strings et qui dort dans mon lit ?

Il pâlit mais ne dit pas un mot pendant un long moment.

— Qu'est-ce que tu as fait depuis hier ? demanda-t-il d'un ton accusateur comme si c'était elle qui était en cause.

Mais Brad l'avait prévenue, si bien qu'elle s'était préparée et ne se laissa pas démonter.

— Je suis allée au Carlyle quand j'ai compris ce qui se passait ici. J'ai pensé qu'il valait mieux nous épargner une scène embarrassante devant elle. Qu'est-ce qui se passe, Alex ? Qui est cette femme ? Depuis quand cette histoire dure-t-elle ?

Elle le regardait droit dans les yeux, avec un aplomb qu'il ne lui avait jamais connu.

— Ça n'a aucune importance.

S'il avait pu affirmer qu'elle n'existait pas, Faith ne doutait pas qu'il l'aurait fait. Mais après ce qu'elle avait vu, c'était impossible.

— Ce genre de chose n'arriverait pas si tu ne jouais pas à l'étudiante comme une gamine.

Il réagissait exactement comme Brad l'avait prévu, essayant de lui faire porter la responsabilité de ses propres actes.

— Trouverais-tu normal que je m'envoie en l'air quand tu pars en déplacement ? Ça reviendrait exactement au même !

— Ne sois pas ridicule. Je suis obligé de travailler pour nous faire vivre. Toi, rien ne te force à retourner à l'université.

— Et tu estimes que ça te donne le droit de me tromper ? C'est un point de vue intéressant !

— Je t'avais prévenue, quand tu as décidé de me défier, que tu le faisais à tes risques et périls.

— Tout ça ne vole pas très haut, Alex !

Elle avait laissé éclater sa colère, mais ne savait toujours pas ce qu'elle attendait de lui, ou quelle allait être l'issue de tout cela. Ils campaient tous les deux sur leurs positions, et Alex paraissait fermement décidé à reporter la faute sur elle.

Alors qu'elle le fixait toujours, il se leva et se mit à arpenter la pièce.

— Tout ça, c'est à cause de toi, Faith, répéta-t-il avec une indéfectible assurance.

Elle n'en revenait pas qu'il pût être d'aussi mauvaise foi.

— Si tu ne t'étais pas obstinée à reprendre tes études, ça ne serait jamais arrivé. Le jour où tu as pris cette décision, tu as fait voler notre couple en éclats.

— C'est faux, articula Faith d'une voix blanche, des éclairs de rage dans les yeux. C'est toi qui l'as brisé le jour où tu as mis cette fille dans mon lit. Comment as-tu pu faire une chose pareille ?

— Et toi, comment oses-tu me parler comme ça ? Je ne le tolérerai pas, Faith !

— Tu ne le toléreras pas ? Qu'est-ce que j'ai ressenti, à ton avis, quand j'ai trouvé ses sous-vêtements dans mon lit et ses cheveux dans mon lavabo ?

Il ne pouvait pas répondre grand-chose à cela, mais il était bien déterminé à ne pas lui laisser l'avantage.

— Je m'en vais, déclara-t-il.

Faith s'était attendue à tout, sauf à cela.

Il quitta la pièce et claqua la porte derrière lui. Elle entendit les portes des placards de son dressing claquer, et vingt minutes plus tard, alors qu'elle s'était effondrée sur une chaise, à bout de forces, il reparut avec une valise à la main. Elle ne prononça pas un mot. Que pouvait-elle dire ?

— Où vas-tu ? demanda-t-elle enfin d'un ton désespéré.

Le cauchemar se révélait plus horrible encore que prévu. Et soudain elle se demanda si ce n'était pas sa faute, effectivement... Peut-être s'était-elle montrée trop dure envers lui ? Peut-être était-elle responsable de la situation parce qu'elle l'avait délaissé en reprenant ses études ? Elle ne savait plus que penser.

— Pour l'instant à l'hôtel. Tu n'auras qu'à m'appeler au bureau si tu as quelque chose à me dire.

Un instant, elle pensa lui répondre que ses avocats s'en chargeraient, mais se refusa à jeter de l'huile sur le feu. Elle ne savait même pas si elle aurait besoin d'un avocat et ne voulait pas lui demander s'il comptait en arriver là...

— Est-ce que tu es amoureux d'elle, Alex ?

Elle savait qu'une réponse affirmative l'anéantirait, mais elle voulait savoir.

— Ça ne te regarde pas, rétorqua-t-il sèchement.

Il n'avait même pas daigné formuler la moindre excuse.

— Je crois que si. Qui est-ce ? J'ai le droit de savoir

Elle semblait plus calme qu'elle ne l'était en réalité. Il y avait encore trop de choses qu'elle avait besoin de lui demander.

— Tu as perdu tous tes droits sur moi, Faith. Tu as fait exploser notre couple, quand tu as décidé de retourner à l'université.

Cela n'avait aucun sens, et Faith le savait très bien. Il ne cherchait qu'à se montrer méchant et cruel.

— Est-ce que tu essaies de me faire croire que c'est la première fois que tu me trompes, et que c'est ma faute ?

— Je ne veux rien te faire croire du tout. Tu auras de mes nouvelles quand j'aurai décidé de t'en donner.

C'était incroyable... Il trouvait le moyen de la menacer et de retourner la situation à son avantage. Et il partait, alors que c'était elle qui avait été trompée et humiliée.

Elle demeura muette et l'entendit descendre les escaliers en cognant sa valise contre le mur. Puis la porte claqua. Elle n'en savait pas plus qu'au moment où elle était arrivée. Rien d'autre que ce qu'elle avait découvert la veille en rentrant chez elle. Et il n'avait pas l'intention de lui donner la moindre explication.

Elle erra un moment dans la maison, abattue. Puis, une demi-heure plus tard, elle téléphona à Brad.

— Comment vas-tu, ma petite Fred ? demanda-t-il avec chaleur.

Il lui trouvait une petite voix, mais au moins elle ne sanglotait pas.

— Il a pris ses affaires et il est parti.

— Tu plaisantes ?

— Il a dit que tout était de ma faute, parce que j'avais repris mes études, et que je n'avais aucun droit de savoir qui était sa maîtresse ou ce qu'elle représentait pour lui.

— Je t'avais dit qu'il te ferait porter le chapeau.

Mais jamais il n'aurait cru qu'Alex s'enfuirait... En fait, le mari de Faith s'était trouvé pris au piège comme un rat, et n'avait pas trouvé d'autre moyen de se défendre. C'était incroyablement lâche de sa part.

— Je suis sûr que tu n'es pas de cet avis pour le moment, mais c'est peut-être une bonne chose pour toi, dit-il.

— Mais nous sommes mariés depuis vingt-six ans ! Je me demande s'il s'en souvient seulement !

— Tout cela appartient peut-être au passé, Fred. Les choses changent, et on ne s'en rend pas toujours compte... Ou on ne veut pas l'admettre...

Il avait raison. D'un point de vue sentimental, Alex avait déjà quitté Faith depuis longtemps. Elle avait choisi de fermer les yeux et de s'accommoder de la situation. Mais tôt ou tard, elle aurait été contrainte de se rendre à l'évidence.

Soudain, elle fut assaillie par une autre crainte.

— Qu'est-ce que je vais dire aux filles ?

— Pourquoi leur dire quoi que ce soit dans l'immédiat ? A moins qu'il ne leur en parle lui-même, mais, à mon avis, il ne le fera pas. Laisse les choses se décanter un peu. Son départ n'est pas forcément définitif. Le fait d'être démasqué l'a peut-être poussé à réagir de manière excessive. S'il a l'impression de pouvoir le faire sans trop perdre la face, il reviendra peut-être.

— Tu crois ? demanda Faith.

Sa voix était pleine d'espoir, et cela fendit le cœur de Brad. Il ne voulait pas la voir s'enterrer de nouveau avec un homme qui l'avait traitée de cette manière. Il espérait mieux pour elle. Elle méritait tellement plus qu'Alex ne lui donnait !

— C'est possible, répondit-il avec circonspection. Essaie de te détendre, maintenant. Peut-être devrais-tu appeler un avocat, juste au cas où. Je peux m'occuper de t'en trouver un à New York. J'ai des amis spécialisés dans le droit de la famille ici, je peux leur demander s'ils ont quelqu'un à recommander. Je suis désolé pour toi, Fred. Tu ne méritais vraiment pas ça. Mais rien n'est de ta faute, j'espère que tu en es bien consciente.

— Je ne sais plus quoi penser.

Elle se sentait perdue, presque morte.

Ce soir-là, elle élut domicile dans la chambre de Zoe, incapable de dormir dans son propre lit, qu'Alex eût changé les draps ou non. Brad lui téléphona tard dans la soirée pour vérifier que tout allait bien, ce qui lui valut une réflexion de Pam, qui ne l'avait pas vu dans un tel état depuis le jour où les enfants avaient été sérieusement malades.

— Qu'est-ce qui t'arrive ? demanda-t-elle en rentrant de son dîner avec ses amis.

Il était resté à la maison en prétextant un travail à finir, mais elle savait très bien qu'il ne voulait tout simplement pas l'accompagner dans ses sorties.

— Une amie en détresse.

— Ça doit être grave pour que tu fasses une tête pareille. Je la connais ?

— Non. Et ce n'est pas si grave, juste un problème conjugal.

Pam se demanda s'il s'agissait de Faith, mais Brad avait l'air si sombre qu'elle n'osa pas lui poser la question. Elle avait du tact dans ce genre de situation et préféra ne pas insister.

Le lendemain à midi, Brad envoya à Faith le nom d'un avocat à New York. Elle téléphona immédiatement au cabinet et laissa un message. A son grand soulagement, l'avocat la rappela presque aussitôt. Elle lui expliqua la situation, et il demanda si elle souhaitait engager un détective privé pour découvrir qui était la maîtresse de son mari. Faith se surprit à acquiescer.

Au cours des jours qui suivirent, elle eut l'impression de nager en eaux troubles. Elle se rendit pourtant à l'université et maintint le contact avec Brad. Quand l'avocat la rappela le vendredi suivant, elle n'avait eu aucune nouvelle d'Alex. Il savait déjà qui était l'inconnue. Elle avait vingt-neuf ans, était divorcée avec un enfant, et travaillait comme hôtesse d'accueil dans la société d'Alex. D'après une des secrétaires, qui la connaissait, elle avait quitté Atlanta pour New York l'année précédente, et entretenait une liaison avec Alex depuis dix mois. La décision de Faith de reprendre ses études n'avait donc rien à voir dans l'affaire. Son mari la trompait depuis près d'un an... Cette simple pensée lui donna la nausée.

Elle prit rendez-vous avec l'avocat la semaine suivante, mais sans savoir ce qu'elle désirait vraiment. Devait-elle demander le divorce ou supplier Alex de revenir ? Ils ne s'étaient pas parlé de la semaine, et elle ignorait toujours à quel point il tenait à cette fille. Comme elle ne voyait pas d'autre solution, elle finit par se résoudre à appeler son mari à son bureau.

Elle se réjouit quand il décrocha, car elle avait redouté qu'il ne prît même pas son appel. Mais son soulagement fut de courte durée, car il se montra désagréable dès qu'il reconnut sa voix.

— Veux-tu qu'on se voie pour parler ? suggéra Faith en essayant de dissimuler son trouble.

Les révélations de l'avocat l'avaient profondément ébranlée. Mais pas autant que la réponse que lui fit Alex.

— Il n'y a rien à dire, Faith.

Les larmes emplirent de nouveau ses yeux. Elle avait passé une semaine entière à pleurer, exactement comme lorsque Jack était mort. Certes, quand elle avait perdu son frère, son chagrin avait été plus profond, mais c'était en quelque sorte aussi un deuil qu'elle devait affronter à présent. La mort de son espoir, de ses rêves, et peut-être de son couple.

— On ne peut pas faire comme si de rien n'était, Alex. Il faut au moins que l'on se parle.

Elle s'efforçait de paraître plus calme qu'elle ne l'était, pour ne pas l'inciter à raccrocher.

— Je n'ai rien à te dire, trancha-t-il comme s'il était plus que jamais convaincu que tout était de sa faute à elle.

Alors elle prit une profonde inspiration et fit une chose qui aurait horrifié Zoe et Brad. Mais elle avait l'impression de ne pas avoir le choix. Depuis le début de leur relation, elle avait toujours eu le sentiment de devoir faire des sacrifices, même si c'était injuste et si ses efforts n'étaient jamais payés de retour. Comme dans son enfance, qui la hantait encore, elle s'efforçait d'être une petite fille parfaite, sans qu'on lui en sût jamais gré.

— Et si je laissais tomber mes études ?

C'était le sacrifice ultime... Mais elle voulait sauver son mariage. En tout cas, elle ne voulait pas baisser les bras sans avoir au moins essayé. La faculté de droit ne faisait pas le poids face à vingt-six ans de mariage.

— C'est trop tard, répondit-il d'une voix sourde.

Faith eut l'impression que la pièce se mettait à tourner autour d'elle.

— Tu es sérieux ? Tu veux épouser cette fille ?

— Ça n'a rien à voir avec elle, Faith. C'est à cause de toi.

— Pourquoi ? Qu'est-ce que j'ai fait ?

Des larmes incontrôlables roulaient sur ses joues.

— Notre couple est mort depuis des années. Et je me sens mort aussi quand je suis avec toi.

Ces mots lui firent l'effet d'une gifle en pleine figure tant ils étaient cruels.

— J'ai cinquante-deux ans, je veux une autre vie que celle-là. Nous sommes arrivés au bout de notre chemin ensemble. Les filles sont grandes, elles n'ont plus besoin de nous. Tu veux faire du droit, eh bien, moi aussi, je veux une vie.

A l'entendre, c'était un projet de longue date, et elle n'avait fait qu'accélérer les choses en décidant de reprendre ses études... Ses paroles déchiraient le cœur de Faith. Elle était restée avec lui par loyauté, et par respect pour leur mariage, alors que lui n'attendait qu'une chose : pouvoir commencer une nouvelle vie, sans elle.

— Jamais je ne me serais douté que tu pensais ça, dit-elle, profondément choquée.

— Eh bien maintenant tu sais. Nous méritons mieux tous les deux.

Sur ce point, il avait raison, mais jamais Faith n'aurait pu le poignarder dans le dos comme il venait de le faire. Au contraire, elle avait tout fait, au fil des ans, pour sauvegarder leur couple, coûte que coûte.

— J'ai déjà appelé un avocat, reprit-il, et tu devrais en trouver un aussi.

Elle ne lui dit pas que c'était déjà fait. Tout à coup, le temps semblait s'être accéléré, le cauchemar avançait à la vitesse de la lumière, et Faith ne souhaitait qu'une chose : arrêter cette fuite en avant. Elle était convaincue qu'Alex commettait une erreur colossale.

— Qu'est-ce que tu vas dire aux filles ?

Elle préférait ne pas l'imaginer... Il ne manquerait pas de reporter toute la faute sur elle et ne raconterait sans doute pas un mot de sa sordide aventure. Et Ellie prendrait le parti de son père, comme toujours...

— On verra, se contenta-t-il de dire. Prends un avocat, Faith. Je demande le divorce.

— Oh, mon Dieu !

Elle n'arrivait pas à le croire.

— Comment peux-tu faire une chose pareille, Alex ? Notre mariage n'a donc aucune valeur à tes yeux ?

— Pas plus qu'il n'en avait pour toi quand tu as décidé de devenir avocate au lieu de rester ma femme.

— Comment oses-tu comparer les deux ?

Elle comprenait soudain son attirance pour la fille au string. Une hôtesse d'accueil de vingt-trois ans de moins que lui ne risquait pas de revendiquer une carrière, et il pourrait la contrôler aisément. En réalité, il ne pardonnait pas à Faith d'avoir échappé à son emprise.

— Je n'ai pas à me justifier, Faith. C'est toi qui as créé le problème.

Une partie d'elle-même le croyait, et l'autre avait envie de hurler tant c'était injuste. Mais cela n'aurait servi à rien...

Quelques instants plus tard, il avait raccroché, sans prendre la peine de lui dire où il logeait. Soudain, Faith se demanda s'il vivait avec la fille... Tout était possible, à présent. Elle avait l'impression qu'en une semaine, le monde s'était écroulé autour d'elle, et elle se remit à pleurer. Elle sanglotait encore quand elle entendit la porte d'entrée claquer.

Elle sursauta, se demandant qui cela pouvait être...

— Coucou ! C'est moi !

C'était Zoe, qui avait décidé de leur faire une visite surprise. Faith fut saisie de panique, complètement désarmée. Comment allait-elle pouvoir expliquer l'absence d'Alex ? Elle n'était pas prête à annoncer leur divorce à sa fille. Elle-même n'avait pas encore digéré la nouvelle...

Elle s'essuya rapidement les yeux et se précipita dans l'entrée avec un grand sourire. Mais ses paupières étaient gonflées, et elle ne s'était pas coiffée de la journée. Sans parler des cernes qui soulignaient ses yeux rougis, car elle n'avait pratiquement pas dormi de la semaine.

— Bonjour, maman ! s'écria Zoe avec un entrain qui retomba immédiatement quand elle vit sa mère.

Elle posa son sac et s'approcha d'elle, l'air inquiet.

— Tu es malade ?

— J'ai eu une espèce de grippe intestinale qui m'a mise à plat toute la semaine, mentit Faith, sautant sur le prétexte qu'elle lui offrait.

— Oh, ma pauvre… Et on dirait aussi, en t'entendant, que tu es enrhumée.

— Oui…

Cacher la vérité à Zoe pendant tout un week-end serait difficile, voire impossible, mais en même temps, Faith était heureuse qu'elle soit là. Sa présence l'obligerait à redescendre sur terre. Depuis une semaine, elle avait l'impression de flotter en apesanteur.

— Où est papa ? demanda Zoe en ouvrant le réfrigérateur.

Il était quasiment vide. Faith n'avait pas fait de courses et n'avait rien mangé de la semaine.

— Il n'est pas là. Il est en Floride.

C'était la première destination qui lui était venue à l'esprit, et Zoe accepta l'explication sans sourciller. Elle était parfaitement plausible, car son père se déplaçait souvent.

— Il va falloir aller faire des courses. Pardon de ne pas avoir appelé, je voulais te faire la surprise… Je suis désolée que tu sois malade, maman.

Et elle lui adressa un grand sourire réconfortant.

— Ça va aller, affirma Faith en essayant de faire bonne figure.

Zoe approuva, mais ne parut pas vraiment convaincue.

En montant dans sa chambre, elle fut surprise de trouver la chemise de nuit de sa mère sur son lit défait.

— Qui a dormi dans ma chambre ? demanda-t-elle avec stupeur en voyant les draps froissés.

— Je n'ai pas voulu déranger ton père avec mon rhume, alors je me suis installée ici. Je suis désolée, ma chérie, je vais faire le lit tout de suite.

— Mais je croyais que papa n'était pas là ?

Elle regarda sa mère d'un air soupçonneux. De toute évidence, quelque chose ne tournait pas rond… Elle se demanda si ses parents s'étaient disputés.

— Oui, mais il n'est parti qu'aujourd'hui. J'allais réintégrer notre chambre ce soir.

En réalité, la grande chambre joliment tendue de chintz jaune lui faisait désormais horreur. Elle ne pouvait envisager d'y dormir à nouveau.

— Comment se fait-il qu'il soit parti un week-end ? demanda encore Zoe.

De fait, ce n'était pas dans les habitudes d'Alex.

— Je crois qu'il avait peur de ne pas arriver à temps. Ils ont annoncé de gros orages à Chicago la semaine prochaine. Il avait une réunion très importante, alors il a préféré partir en avance, pour être sûr d'être sur place lundi.

— Maman, dit Zoe en s'asseyant au bord de son lit et en attirant Faith vers elle.

En dix-huit ans, elle n'avait jamais vu sa mère dans un tel état de détresse et de confusion. Même quand l'avion de son frère s'était écrasé. Zoe avait alors quinze ans et se souvenait très bien du désarroi total de Faith après le drame. Cette fois, elle semblait encore plus désorientée.

— Tu as dit que papa était en Floride, et maintenant tu me parles de Chicago. Que s'est-il passé ? Qu'est-ce qui ne va pas ?

— Rien, assura Faith.

Mais les larmes lui montaient de nouveau aux yeux. Elle avait passé une semaine épouvantable et n'avait plus la force de faire semblant. Elle craquait. Pourtant, elle ne voulait rien révéler à sa fille, pas maintenant...

— Dis-moi la vérité, maman. Où est papa ?

Faith savait qu'elle ne pouvait continuer à faire comme si de rien n'était. Elle décida de donner à Zoe une version expurgée des événements.

— Nous nous sommes disputés, reconnut-elle. Ce n'est rien, je suis seulement un peu perturbée. Mais ça va s'arranger.

274

Rien n'allait s'arranger, et elle savait qu'elle devrait bien finir par l'avouer à Zoe. Elle détestait lui mentir ainsi.

— C'était une grosse dispute, concéda-t-elle en s'essuyant les yeux. Une très grosse dispute.

Zoe entoura ses épaules de son bras. Elle était prête à soutenir sa mère, comme toujours.

— Grosse comment ?

— Très grosse. Il est parti.

— Parti ?

Zoe la regardait avec des yeux effarés. Soudain, elle se félicitait d'être rentrée à la maison. De toute évidence, sa mère était totalement perdue.

— Il a quitté la maison ?

— Oui.

— Mais pourquoi ?

— C'est trop compliqué à expliquer, ma chérie. Je n'ai vraiment pas envie de te donner de détails. Je t'en prie, ne me demande pas de le faire.

Zoe décida de respecter son silence, tout au moins pour le moment.

— Est-ce qu'il a dit que c'était à cause de toi ?

— Bien sûr, dit Faith en se mouchant. Qui pourrait-il accuser d'autre ? Certainement pas lui-même.

— Il va revenir ?

Faith s'apprêtait à dire oui, mais elle s'arrêta brusquement et secoua la tête avant d'éclater en sanglots.

— Non ? Vraiment ? Tu es sûre ?

Elle semblait abasourdie.

— Il vient de me dire qu'il voulait divorcer.

Zoe n'était plus seulement sa fille, en cet instant. Elle était sa meilleure amie. Elle ne voulait pas l'accabler, mais cela lui faisait du bien de lui parler.

— Quand est-ce arrivé ?

— Il y a une semaine. Je suis désolée, je suis une loque...

— Quel lâche... murmura froidement Zoe.

Cela ne faisait que confirmer ce qu'elle pensait de lui depuis des années.

Elle releva la tête et regarda sa mère.

— Ellie est au courant ?

— Non, personne ne le sait. Ton père vient juste de m'annoncer la nouvelle. Il est parti samedi, et je n'ai eu de ses nouvelles qu'aujourd'hui, si on peut appeler ça des nouvelles. Il m'a dit qu'il voulait divorcer. Que lui aussi avait droit à une nouvelle vie et qu'il se sentait mourir auprès de moi.

— Quelle ordure !

— Ne parle pas de ton père comme ça.

— Ah oui, et pourquoi pas ? C'est tout ce qu'il est ! Quand avais-tu l'intention de nous prévenir ?

— Je ne sais pas. Tout ça est si récent. A vrai dire, je suis restée enfermée à la maison, à pleurer toute la semaine.

— Pauvre maman... Je suis tellement désolée... Si j'avais su... Je suis vraiment contente d'être venue ! Je ne sais même pas pourquoi j'ai décidé de passer le week-end ici, ça m'a pris comme ça. Tu m'as manqué cette semaine...

— Toi aussi tu m'as manqué, souffla Faith en la serrant dans ses bras sans pouvoir s'arrêter de pleurer.

Elles demeurèrent un long moment ainsi enlacées, puis Zoe reprit les choses en main et obligea sa mère à se coucher. Elle descendit ensuite à la cuisine préparer une soupe et des œufs brouillés. La nouvelle la bouleversait profondément, mais pas autant que Faith. Elle ne pensait plus qu'à une chose à présent : s'occuper de sa pauvre maman.

Un quart d'heure plus tard, elle remontait dans la chambre et la prenait de nouveau dans ses bras. Faith se sentait mieux, et elles passèrent la soirée à bavarder, en regardant la télévision.

Quand Brad téléphona ce soir-là, Faith lui dit que Zoe était auprès d'elle, et il en fut profondément soulagé. Mais quand elle lui résuma sa conversation avec Alex, il ne put s'empêcher de réagir violemment.

— Quel salaud ! s'écria-t-il d'un ton dégoûté.

Et comme Zoe avait quitté la pièce pour aller se brosser les dents, Faith lui raconta à voix basse ce qu'elle avait appris sur sa maîtresse, et que leur aventure durait depuis près d'un an.

— Je sais que tu ne peux pas penser ça maintenant, reprit Brad un peu plus posément, mais c'est peut-être la meilleure chose qui puisse t'arriver, Fred. Tu ne l'aurais jamais quitté, et il aurait continué à te gâcher la vie.

Mais c'étaient vingt-six années qui s'envolaient en fumée, en une seule semaine. Malgré la froideur d'Alex et son mauvais caractère, Faith ne s'imaginait pas vivre sans lui.

— Je ne veux pas te déranger si tu es avec Zoe, reprit Brad. Je te rappellerai demain. En attendant, essaie de dormir un peu.

— Ne t'inquiète pas, je vais dormir, promit Faith.

A son grand soulagement, Zoe lui avait proposé de dormir avec elle. En aucun cas elle n'aurait pu aller se coucher dans son propre lit.

— Qui était-ce ? demanda Zoe en revenant de la salle de bains.

Elle avait l'impression d'être une mère prenant soin de sa fille, et non l'inverse.

— Brad Patterson.

— L'homme du chapelet ?

Faith acquiesça tristement, mais Zoe lui sourit d'un air espiègle.

— Peut-être que tu vas pouvoir l'épouser, maintenant.

— Arrête de dire des bêtises. C'est un frère pour moi, et en plus il est déjà marié. Et je le suis encore aussi.

Mais elles savaient toutes les deux que ce n'était plus pour longtemps. Faith avait encore du mal à y croire lorsqu'elle y pensa cette nuit-là, allongée à côté de Zoe. Et quand elle s'endormit, fort tard, ce fut pour sombrer dans un sommeil agité, peuplé de cauchemars.

16

Zoe ne repartit que le dimanche soir, et entre-temps sa mère et elle passèrent deux jours à parler sans interruption. Faith était encore très choquée mais, malgré sa détresse, elle ne fit pas une seule allusion à la femme aux cheveux noirs. Elle se contenta de répéter qu'Alex avait dit rêver d'une vie plus excitante que celle qu'elle lui offrait. Par ailleurs, et ce n'était pas nouveau, il lui en voulait d'avoir repris ses études.

— Rien de tout ça ne justifie un divorce, maman, lui avait fait valoir Zoe, non sans sagesse. Tu crois qu'il a une maîtresse ?

Mais, même à ce moment-là, Faith ne révéla pas l'origine du drame. En dépit de tout, elle demeurait loyale envers Alex.

— Je ne sais pas, dit-elle seulement.

Quand Zoe s'en alla, elle se sentait beaucoup mieux. Sa visite lui avait fait du bien.

Au cours de la semaine, elle rencontra l'avocat recommandé par Brad. Il lui dit tout ce qu'elle avait besoin de savoir et lui montra le rapport du détective privé. La fille s'appelait Leslie James et, d'après la photo incluse dans le rapport, elle était très jolie. Grande et bien proportionnée, elle avait une allure de mannequin. Et, comme Faith le savait déjà, elle avait de longs cheveux noirs.

Toujours selon le rapport, elle vivait avec sa petite fille âgée de cinq ans et était appréciée dans son travail. Sa liaison avec Alex était un secret de Polichinelle.

En quittant le cabinet, Faith avait l'impression qu'on l'avait rouée de coups. Le fait que la fille fût aussi jolie était un choc supplémentaire...

Elle était assise à son bureau, les yeux dans le vague, quand le téléphone sonna. C'était Brad, qui voulait savoir comment s'était passé son rendez-vous.

— Très bien. J'ai vu le rapport du détective. C'est une très belle fille, Brad. Je suppose que je ne peux pas reprocher à Alex d'avoir craqué.

Elle paraissait complètement déprimée.

— Eh bien, moi, si. C'est un imbécile. Tu es très belle aussi.

Plus que n'importe qui, aux yeux de Brad. Physiquement et moralement.

— Merci, murmura-t-elle sans conviction.

Elle avait l'impression que sa vie avait basculé dans le néant, et c'était à peu près ce qui s'était passé. Zoe avait pourtant réussi à la faire rire en remarquant qu'elle avait complètement oublié la Saint-Valentin. La fête avait disparu dans les flammes de son propre enfer... Elle ne se rappelait même plus quel jour c'était et s'en moquait complètement. En revanche, Zoe avait reçu les chocolats qu'elle lui avait envoyés, et Ellie aussi, avec un peu de retard.

— J'ai des nouvelles pour toi, annonça Brad pour essayer de la dérider.

Depuis une semaine, il était terriblement inquiet pour elle, car elle paraissait très déprimée. Heureusement, elle continuait à se rendre à ses cours. Il savait qu'elle avait du mal à se concentrer sur son travail, mais au moins elle n'avait pas laissé tomber.

— Quel genre de nouvelles ? demanda-t-elle d'un ton vague, sans parvenir à s'extraire du brouillard où elle flottait.

— Je dois venir passer quelques jours à New York pour mon travail. J'espérais qu'on pourrait dîner ensemble. Si tu n'as pas envie d'une grande soirée, on pourra se contenter d'une pizza.

— Enfin une perspective agréable ! dit-elle avec un sourire triste.

Pourtant, même l'idée de le voir ne lui causait plus autant de joie que quelques semaines auparavant. Mais au moins elle aurait un but, quelque chose à attendre...

— Quand viens-tu ?

— Ce week-end, en fait. Je dois consulter un ou deux magistrats au sujet d'un cas difficile. J'arriverai vendredi soir tard. Si tu veux, je pourrais passer te prendre samedi matin. Que dirais-tu d'aller patiner dans le parc ?

— Je croyais que tu venais pour travailler, remarqua-t-elle.

Brad sourit à l'autre bout du fil. Elle n'était pas totalement ailleurs.

— C'est vrai, je vais travailler. Mais je rêve de te voir. Garde-moi ta soirée de samedi, Fred. Je repartirai par l'avion de dimanche soir. Ce sera un voyage éclair.

En réalité, il ne l'avait organisé que pour elle. Il était malade d'inquiétude pour elle, et s'était dit qu'il se devait de venir la voir, comme l'aurait fait Jack. Il n'avait rendez-vous avec personne, c'était seulement une excuse qu'il avait inventée pour justifier sa venue. Il voulait s'assurer qu'elle allait bien. Il estimait que c'était la moindre des choses.

Quand il arriva à New York, Faith avait survécu à une nouvelle semaine depuis la perfidie d'Alex. Leurs avocats étaient entrés en contact, et les choses avan-çaient. Ils n'avaient encore rien dit à Ellie, mais Alex avait déclaré qu'il l'appellerait pendant le week-end. Faith redoutait la réaction de sa fille aînée. Il n'était pas difficile de deviner qu'en dépit de la trahison de son père, elle se rangerait de son côté. Comme elle avait toujours été proche de lui, Faith avait accepté que ce soit lui qui lui annonce la nouvelle. Elle savait qu'elle n'avait, de toute façon, aucune chance de rallier Eloise à sa cause. Elle espérait seulement qu'elle ne se montrerait pas trop dure envers elle.

Pour être proche de Faith, Brad décida de descendre à l'hôtel Carlyle et il sonna à sa porte le samedi matin à neuf heures, rasé de frais. Il avait accumulé tant de fatigue au fil des semaines précédentes qu'il avait plutôt bien dormi dans l'avion. Il avait donné à Pam la même explication qu'à Faith, prétextant des rendez-vous concernant un cas difficile, et elle n'avait pas posé de questions. Faith non plus, d'ailleurs, et il s'en réjouissait. Il savait qu'elle se serait opposée à son voyage si elle avait su qu'il l'entreprenait uniquement pour elle. Elle ne voulait à aucun prix être un fardeau pour lui.

Il fut saisi d'angoisse quand elle lui ouvrit la porte. Elle lui parut terriblement pâle et amaigrie dans son pull à col roulé noir et son jean assorti. Sans maquillage, les yeux cernés, ses beaux cheveux longs pendant de chaque côté de son visage, elle faisait peine à voir. Il était évident qu'elle avait perdu du poids. Mais, dès qu'elle le vit, son visage émacié s'éclaira d'un sourire, et elle se jeta dans ses bras. Elle n'avait pas l'air trop bouleversée, simplement épuisée et triste.

Elle lui prépara des muffins et des œufs brouillés accompagnés d'un café noir, et ils restèrent un long moment assis à bavarder dans la cuisine. Ils allèrent ensuite s'installer au salon, et Brad alluma un feu. Faith dormait toujours dans la chambre de Zoe, et n'envisageait pas de réintégrer la chambre conjugale.

— C'est tellement bizarre, confia-t-elle à Brad. Je me sens à peu près dans le même état qu'après la mort de Jack. J'ai l'impression que rien ne sera plus jamais comme avant. Vingt-six années de ma vie viennent de partir en fumée.

— Je sais, sœurette... C'est dur. Mais tu vas te remettre petit à petit. Et le drame que tu vis en ce moment te donnera l'occasion de commencer une nouvelle existence. Alex te détruisait lentement. C'est toi qui avais besoin d'un nouveau départ, pas lui.

Il lui avait demandé si elle voulait aller faire du patin à glace, mais elle avait répondu qu'elle se sentait trop fatiguée. A vrai dire, il l'était aussi.

— A quelle heure dois-tu aller travailler ? demanda-t-elle.

Il avait presque oublié le prétexte qu'il lui avait donné, mais il se reprit avant qu'elle ait pu s'en apercevoir.

— Vers seize heures. Peut-être dix-sept. Cela ne devrait durer qu'une ou deux heures, mais j'avais trop de dossiers pour pouvoir tout traiter par téléphone.

Il se dit qu'il profiterait de ce temps pour rentrer à l'hôtel faire une sieste, avant de l'emmener dîner.

— Tu n'es pas venu uniquement pour moi, Brad, au moins ? demanda-t-elle avec un petit sourire soupçonneux.

Il se mit à rire.

— Non, Fred. Je t'aime beaucoup, mais je n'aurais pas fait tout ce chemin seulement pour sécher tes larmes.

— J'espère bien. Tu as mieux à faire que de perdre ton temps à t'inquiéter pour moi.

— Bien sûr, c'est ce que je me dis tous les jours ! plaisanta-t-il.

Puis il redevint sérieux, la considérant avec douceur.

— En réalité, je pense qu'il y a des raisons de s'inquiéter pour toi, Fred. Tu traverses une mauvaise passe. En fait, tu as commencé la traversée le jour où tu as épousé Alex.

— C'est ce que Jack me disait toujours…

Mais elle avait connu des moments difficiles bien avant son mariage, et c'était précisément ce qui expliquait sa soumission à Alex par la suite.

— Jack avait raison. Sur beaucoup de choses.

Il l'emmena déjeuner chez un petit traiteur, pas très loin de chez elle. Elle choisit un sandwich aux œufs durs et crudités, dont il l'obligea à manger au moins la moitié, puis ils partagèrent un bol de soupe aux boulettes de viande. C'était l'un des petits plaisirs favoris de Brad lorsqu'il venait à New York.

— Ils n'en ont pas de si bonnes en Californie, dit-il d'un air gourmand.

Elle sourit, et il retrouva un peu la Fred qu'il connaissait. Elle se sentait mieux quand il était là.

Après le déjeuner, ils allèrent faire une grande promenade dans Central Park. Les arbres étaient encore nus, et les pelouses semblaient grises, mais l'air frais et la marche leur firent du bien à tous les deux. Quand ils regagnèrent la maison, il était presque trois heures. Pendant qu'elle lui préparait un chocolat chaud, il ralluma le feu, en se demandant si elle allait garder cette maison. Il ne voulait pas la contrarier en lui posant la question, mais il pensait que cela lui ferait du bien de déménager, même si l'endroit était charmant. Néanmoins, il sentait qu'il était trop tôt pour évoquer ce genre de choses.

— Qu'est-ce qui te rend aussi grave ? interrogea-t-elle en lui apportant une tasse de chocolat fumant et des marshmallows.

C'était l'une de leurs gourmandises préférées, quand ils étaient enfants.

— Je pensais à toi, avoua-t-il sans détour. Et à ton courage. La plupart des femmes auraient réagi bien différemment, et se seraient empressées de parler à leurs enfants de la trahison de leur père. Tu es toujours tellement juste, respectueuse et gentille envers tout le monde... C'est merveilleux.

— Merci, dit-elle en souriant.

Son frère était comme elle. Ils étaient bons par nature, et l'avaient toujours été. Pourtant, ils avaient traversé des épreuves difficiles avant la mort de leur père, et aussi après. Il y avait des pans entiers de leur vie que Brad n'avait jamais connus... Mais il les avait toujours admirés pour leur gentillesse envers les autres, leur tolérance, leur honnêteté, et aussi pour la force des liens qui les unissaient. Alors que les autres enfants étaient menteurs, Jack disait toujours la vérité. Et le jour où il avait appris que sa sœur lui avait menti, il s'était montré impitoyable envers elle. Elle avait alors une dizaine d'années, et Brad se rappelait encore les grosses larmes qui avaient roulé sur ses joues quand Jack l'avait sermonnée. C'était d'ailleurs cette image qui lui revenait, chaque fois qu'il pensait à elle, depuis une semaine. C'était cela qui l'avait poussé à venir à New York pour la voir. Il ne supportait pas de la savoir malheureuse.

Rien n'aurait pu faire plus de bien à Faith que le voir et lui parler. Elle était attentive à tout ce qu'il lui disait et avait en lui une confiance aveugle.

— Comment te sens-tu, ma petite Fred ? demanda-t-il d'un ton inquiet alors qu'elle s'asseyait sur le tapis devant le feu.

A cet instant, elle aussi se disait qu'il n'avait pas beaucoup changé. Elle reconnaissait la fossette au menton de son compagnon d'enfance et ses jambes interminables. Ses cheveux étaient presque aussi noirs qu'à l'époque ; même assise tout près de lui, elle ne voyait presque aucun fil d'argent sur ses tempes.

— Mieux, grâce à toi, dit-elle.

Il se félicita doublement d'être venu. Effectivement, elle avait l'air en bien meilleure forme que quand elle lui avait ouvert la porte le matin même. Elle était moins triste, plus sereine.

— Mais je me sens encore bizarre. Il va me falloir du temps pour m'habituer à tout ça. A l'idée que je ne serai plus la femme d'Alex.

Elle l'était depuis l'âge de vingt et un ans... Une éternité.

— Tu verras, tu finiras peut-être par t'en réjouir. Et à l'université, tu t'en sors ?

C'était la première chose à laquelle il avait pensé.

— Pas vraiment... Mais je n'ai pas encore perdu pied. Je pense que je vais m'en tirer.

En effet, la date d'envoi des dossiers de candidature pour les facultés de droit approchait...

— Tu ne dois pas aller travailler ? s'inquiéta-t-elle soudain.

Il était presque quatre heures à présent, et il ne semblait pas pressé de partir. Au contraire, il était détendu et heureux, assis tout près d'elle.

— Si, bientôt... dit-il sans prendre la peine de regarder sa montre.

La chaleur du feu, le chocolat et la présence de Faith lui donnaient envie de ne plus bouger, de profiter de la délicieuse sensation de bien-être qui l'envahissait.

— La vie est étrange, non ? Nous avons grandi ensemble, nous avons eu mille occasions de tomber amoureux l'un de l'autre, et ça ne s'est jamais produit. Au lieu de cela, je me suis marié avec Pam, qui n'a absolument rien de commun avec moi, et toi tu as épousé Alex, qui t'a traitée comme un chien. Ç'aurait été tellement plus simple si nous nous étions vraiment regardés et étions tombés amoureux l'un de l'autre à l'époque... Mais rien n'est jamais simple, n'est-ce pas ?

Il laissa son regard errer sur les flammes, puis leva les yeux vers elle, un sourire rêveur aux lèvres. Faith, elle, ne parvenait pas à dissimuler sa tristesse. Il ignorait tant de choses sur les circonstances qui l'avaient poussée dans les bras d'Alex...

— Ça ne marche jamais comme ça, soupira-t-elle. Nous étions sans doute destinés à rencontrer d'autres personnes et à compliquer les choses. Je crois que si tu épouses quelqu'un de ton entourage, tu as l'impression d'avoir raté quelque chose. Peut-être parce que ça semble trop évident. Et de mon côté, il y avait d'autres raisons.

Elle se demanda si Jack lui avait raconté quelque chose sur leur père, mais elle était quasiment sûre que non. Cette blessure avait été, pendant toute leur enfance et une bonne partie de leur vie d'adultes, leur secret honteux à tous les deux. Elle n'avait dit qu'à son frère que leur père avait abusé d'elle. Jamais elle ne s'était senti le courage d'en parler à Alex. Elle avait toujours eu peur qu'il réagisse mal. Son psychothérapeute était d'ailleurs parvenu à la même conclusion qu'elle : Alex n'était pas prêt à entendre pareille révélation. Sa propre enfance avait été froide et dépourvue de tendresse, mais parfaitement normale par ailleurs, et Faith doutait qu'il eût pu comprendre pourquoi elle s'était laissé faire par son père. Il lui aurait certainement reproché ce qu'il n'aurait pas manqué de considérer comme une passivité coupable, et cela aurait brisé le cœur de Faith.

Mais avec Brad, tout était différent. Elle savait qu'elle pouvait lui confier n'importe quoi, car il lui avait toujours témoigné une affection et un soutien inconditionnels.

— Choisir la complication, ce n'est jamais bien faire, dit-il d'un ton distrait.

Soudain, cependant, il remarqua une expression de douleur dans le regard de son amie.

— Ça va, Fred ?

— Oui, oui... Je repensais seulement à une vieille histoire... Une histoire affreuse, à vrai dire. Qui explique en grande partie ce que j'ai vécu avec Alex. Je crois que c'est à cause d'elle que je l'ai laissé se montrer aussi dur envers moi. En fait, j'ai toujours cru, inconsciemment, que je méritais ce qu'il me faisait.

Brad serra fort sa main frêle dans la sienne, comme pour lui dire qu'il était là pour affronter ces vieux démons avec elle.

— Quelle histoire ? demanda-t-il avec une infinie douceur.

Elle baissa les yeux, puis les replongea dans les siens. Même avec lui, il lui était difficile de mettre des mots sur son drame.

— Il m'est arrivé quelque chose de terrible, quand j'étais petite. Jack savait... Pas au début, mais il a fini par comprendre... Ç'a été dur pour lui aussi.

Avant même qu'elle aille plus loin, Brad avait deviné ce qu'elle allait lui révéler, et il resserra la pression de sa main. Il ne savait pas pourquoi ni depuis quand il savait, mais au fond de lui, il savait. Et Faith sentit qu'elle pouvait lui parler en toute confiance. Elle prit une profonde inspiration et se jeta à l'eau. Elle n'avait même pas conscience des larmes qui s'étaient mises à rouler sur ses joues, tandis que le cœur de Brad s'emballait et qu'il la regardait, désespéré d'être impuissant, tout comme Jack autrefois. Il lui était impossible de chasser son affreux souvenir, il ne pouvait qu'être présent à son côté pendant qu'elle le revivait.

— Mon père a abusé de moi quand j'étais petite, souffla-t-elle d'une voix à peine audible.

Brad n'émit aucun son. Il attendait qu'elle continue.

— Il a commencé quand j'avais quatre ou cinq ans, et a continué jusqu'à sa mort. J'avais alors dix ans. J'étais bien trop terrifiée pour en parler à qui que ce soit, parce qu'il m'avait dit qu'il nous tuerait, Jack et moi, si je disais quelque chose. Alors je me suis tue. J'ai essayé de révéler la vérité à ma mère des années plus tard, mais elle ne m'a jamais crue. Jack avait tout découvert un an avant la mort de papa, qui l'a menacé aussi pour qu'il ne parle pas. Je crois que c'était une des raisons pour lesquelles nous étions si proches. Jack était le seul à savoir.

« Je me suis toujours sentie coupable dans cette histoire, comme si c'était ma faute et non celle de mon père... Comme si ça me rendait mauvaise, ou moins digne d'être aimée que les autres... J'ai eu du mal à surmonter cette culpabilité, dit-elle d'une voix tremblante. Je crois que c'est pour ça que j'ai laissé Alex prendre le pouvoir sur moi. J'avais l'impression qu'il avait le droit de me traiter cruellement, de me critiquer, d'être méchant avec moi... Je ne pensais pas mériter mieux. Je m'en suis remise à sa volonté.

Elle avait parlé sans le regarder, d'une traite, et quand elle releva les yeux vers lui, elle s'aperçut qu'il pleurait. Il mit un long moment avant de pouvoir parler.

— Je te plains de tout mon cœur, Fred. Je suis tellement triste... Quel poids terrible tu as dû traîner pendant toutes ces années ! Ça me rend malade qu'il te soit arrivé une chose pareille. Mais sois certaine que ça ne diminue en rien ce que tu es, au contraire... Ça te rend mille fois plus belle... Un million de fois plus... Quelle atrocité ! Dieu merci, il est mort.

— Je me suis longtemps dit la même chose, et puis je m'en suis voulu. Je me sentais si seule, si misérable... C'était quelque chose d'horrible.

Quelque chose qui avait profondément affecté le cours de sa vie. A cause de cela, elle avait choisi un mari froid et distant, qui s'était empressé de la dominer et de la maltraiter.

A la réaction de Brad, elle devinait que lui ne l'aurait jamais laissée tomber, contrairement à Alex, qui n'avait pas cessé de la décevoir. D'une certaine manière, son aveu à Brad et le fait de pouvoir s'appuyer sur son épaule la rendaient plus forte. Elle avait enfin réussi à confier son secret à quelqu'un, sans pour autant être rejetée ; elle s'était ainsi libérée des chaînes qui l'avaient entravée pendant quasiment toute sa vie. C'était un cadeau inestimable qu'il venait de lui faire, sans même s'en rendre compte.

Il la prit dans ses bras, et ils restèrent longtemps assis, l'un contre l'autre, en silence. Il était l'ami et le frère qu'elle avait toujours chéri de tout son cœur. Quand elle se dégagea enfin de son étreinte pour le regarder, il lui sourit.

— Je t'aime, Fred. Je t'aime très, très profondément. Tu es formidable... Quel dommage que tu aies épousé cette ordure au lieu de moi ! Je suis désolé de te le dire aussi brutalement, mais c'est vrai.

Tout ce qu'il lui avait dit depuis le matin lui avait fait du bien. Et elle ne regrettait pas un instant de lui avoir révélé son secret : c'était l'une des meilleures décisions qu'elle ait jamais prises. En le regardant dans les yeux, elle avait l'impression de se voir dans un miroir, et l'image qu'il lui renvoyait d'elle était celle de quelqu'un de bien, qui n'avait rien à se reprocher. Il ne voyait pas en elle une victime, ou une vilaine petite fille, mais une femme qui avait survécu à bien des épreuves, et qui méritait qu'on l'aime. C'était exactement ce dont elle avait besoin pour se libérer enfin.

— Merci, Brad. Je suppose qu'il faut faire confiance au destin. Tu te serais sans doute ennuyé, si tu m'avais épousée.

Elle sourit de nouveau, puis ajouta en riant :

— En plus, si je m'étais mariée avec toi, j'aurais eu l'impression d'épouser mon frère.

Sans doute valait-il mieux qu'ils soient restés les meilleurs amis du monde.

— C'est ce que j'ai toujours pensé. Une fois, Jack m'avait conseillé de sortir avec toi, et j'avais été horrifié par cette suggestion. Tu étais comme ma petite sœur. J'étais bien bête, à cet âge-là...

— Non, pas du tout.

Ils parlèrent ainsi un long moment, confortablement installés près du feu. Lorsqu'il jeta un coup d'œil à sa montre, il était près de cinq heures. Il n'avait aucune envie de la quitter, mais il le devait, sans quoi elle devinerait qu'il lui avait menti en prétendant être venu à New York pour affaires. Même s'il ne voulait pas l'abandonner après tout ce qu'ils venaient de partager, il fallait qu'il prenne congé d'elle.

Il se leva en affectant un air détaché.

— Où voudrais-tu dîner ce soir ? demanda-t-il en bâillant.

— Et si on mangeait chinois ? suggéra-t-elle.

C'était comme si rien ne s'était passé entre eux. Ils se sentaient seulement plus proches que jamais.

— Ça me semble une très bonne idée. Je dois t'avertir que j'ai oublié d'apporter une cravate. Je me suis dit que j'en achèterais une, si tu voulais que j'en porte une pour le dîner.

— Et moi qui croyais que tu allais venir en smoking... le taquina-t-elle.

En réalité, il n'avait apporté qu'une veste sport, un pantalon, un jean et deux chemises bleues. Mais il avait une allure folle, même en tenue décontractée.

— Je viendrai te chercher à sept heures, ça te va ? demanda-t-il en déposant un baiser sur son front et en l'attirant contre lui.

— Tu auras assez de temps pour ton rendez-vous ?

Elle semblait surprise.

— Ça suffira, affirma-t-il.

— Le cas sur lequel tu travailles en ce moment doit être bien particulier... C'est un long voyage pour deux heures de rendez-vous, observa-t-elle en le raccompagnant jusqu'à la porte.

— Oui, confirma-t-il simplement.

Et il la serra une dernière fois dans ses bras.

Elle le regarda s'éloigner, éperdue de reconnaissance. Il avait été parfait. Après avoir écouté sa confession, il avait su trouver les mots justes et elle remerciait le ciel de lui avoir donné un tel ami.

Et lui, sur le chemin du Carlyle, réfléchissait à ce qu'elle lui avait avoué, en se disant qu'elle était vraiment exceptionnelle, et qu'il avait été bien bête de ne pas l'épouser. Il regrettait terriblement de ne pas avoir donné une autre direction à sa vie... Mais il ne pouvait que s'accommoder de la réalité, et reconnaître son erreur en la gardant pour lui.

En pénétrant dans l'hôtel, il était songeur et sombre. Il repensait aux horreurs qu'elle avait endurées, à l'amour qu'elle avait donné à tous malgré tout, et à la chance qu'il avait d'être son ami.

Pendant ce temps, Faith remerciait Dieu de lui avoir enfin donné le courage de se libérer de son douloureux secret en l'avouant à Brad. Il était le seul qui fût capable de le recevoir. Cet aveu avait renforcé les liens qui les soudaient et l'amour qu'elle éprouvait pour lui. Son cœur venait d'être déchargé de l'énorme poids qui l'écrasait depuis une éternité.

17

Comme prévu ce soir-là, Faith et Brad dînèrent dans un restaurant chinois. Il lui raconta brièvement son rendez-vous fictif, en s'inspirant d'un cas qu'il avait traité à San Francisco. En réalité, il avait dormi deux heures à son hôtel, mais elle ne se douta de rien, très intéressé par l'histoire qu'il lui raconta. Ils se mirent ensuite à parler de leurs enfants respectifs. Les fils de Brad lui manquaient énormément, et de son côté, Faith redoutait sa prochaine conversation avec Ellie, qui entre-temps aurait eu Alex au téléphone.

— Comment penses-tu qu'elle prendra la nouvelle ? demanda Brad, sincèrement inquiet pour elle.

— J'ai peur qu'elle ne rejette la faute sur moi, avoua Faith. Dieu sait ce qu'Alex va lui raconter...

— Elle est assez grande pour faire la part des choses, fit valoir Brad avec optimisme.

— Oui, mais on ne sait jamais... Toute cette histoire est un vrai cauchemar, Brad. Je n'arrive pas à me mettre dans la tête que tout est fini entre Alex et moi. Il y a deux semaines, j'étais une femme mariée, et je pensais que tout allait bien...

En fait, il y avait déjà seize jours que le drame avait commencé.

— C'est un peu comme lorsque quelqu'un disparaît, poursuivit-elle. Tu n'arrêtes pas de te dire : « Il y a quelques jours, il était toujours en vie... », « Il y a trois semaines... », « Deux mois... » Et puis un jour, tu te rends compte que des années ont passé.

Tous deux pensaient à Jack à cet instant précis.

— Veux-tu que nous allions à l'église demain ? demandèrent-ils en même temps.

Faith se mit à rire.

— J'aimerais beaucoup, répondit-elle la première. A Saint-Patrick, ou dans une église de quartier ?

— Allons à Saint-Patrick. J'ai l'impression que c'est notre église.

Après le dessert, ils reçurent chacun un de ces petits biscuits chinois qui renferment un message censé prédire l'avenir. Celui de Faith disait qu'elle était vertueuse et patiente, et que son futur serait placé sous le signe de la sagesse. Celui de Brad annonçait qu'un événement agréable l'attendait.

— Je tombe toujours sur des prédictions terriblement ennuyeuses, soupira Faith. Je préférerais qu'on me dise « Vous allez tomber amoureux la semaine prochaine »... Mais ça n'arrive jamais. Je crois que maintenant j'ai compris pourquoi.

— Et pourquoi donc ? demanda-t-il doucement.

Quelque chose en elle le touchait au plus profond de son cœur.

— La chance est contre moi, répondit-elle en pensant à Alex.

Tout ce qui s'était passé depuis deux semaines lui semblait prouver qu'elle était née sous une mauvaise étoile. Une *très* mauvaise étoile.

— L'infortune conduit parfois au bonheur, dit-il posément.

— C'est un proverbe chinois, ou une pure création de ton esprit ? demanda-t-elle, amusée.

Il était heureux de constater qu'elle semblait infiniment plus détendue que le matin de son arrivée. Elle avait mangé, était sortie, et il avait même réussi à la faire rire.

— Je viens de l'inventer, mais c'est vrai. Parfois, même si tu ne t'en rends pas compte tout de suite, les pires malheurs peuvent te mettre sur la voie de choses merveilleuses.

— Ça t'est déjà arrivé ?

— Non, mais c'est arrivé à des gens que je connais. Il y a quatre ans, un de mes amis a perdu sa femme. Elle était formidable, et il a été anéanti. Elle a été emportée en six mois par une tumeur au cerveau. Mais depuis, il a rencontré quelqu'un d'autre, une femme tout aussi exceptionnelle, et il est très heureux avec elle. Tu ne sais jamais ce qui peut arriver, Fred. Il faut y croire. Souviens-toi, c'est ce que nous disions la dernière fois que nous avons discuté tous les deux, à propos des prières exaucées. Tu dois garder la foi. Tu vas parcourir un chemin un peu difficile pendant quelque temps, et puis ça ira mieux. Peut-être encore mieux que tu ne l'imagines.

Faith ne répondit pas.

— Je suis heureuse que tu sois venu à New York, dit-elle simplement.

— Moi aussi, dit-il en prenant sa main sur la table et en la serrant dans la sienne. J'étais inquiet pour toi.

— Pendant quelques jours, j'ai été très mal, c'est vrai. Ça va mieux, maintenant. Mais je suppose que je ne suis pas encore sortie du gouffre. Je ne compte pas sur Alex pour me faciliter les choses.

— Tu as sans doute raison, vu la façon dont il s'est comporté jusqu'ici.

Soudain, il eut une idée.

— Tu veux un banana split ? demanda-t-il, se remémorant son péché mignon de petite fille.

— Maintenant ?

Un grand sourire éclaira le visage de Faith. Il s'était montré si merveilleux toute la journée et toute la soirée ! Elle se sentait gâtée et protégée. Aimée, tout simplement. Comme avec Jack — et même presque plus, par moments.

— Nous venons de manger comme des ogres ! protesta-t-elle.

— Et alors ? Ils en font de délicieux chez Serendipity. Je pourrais en partager un avec toi.

— Heureusement que tu n'habites pas ici, dit-elle en riant, je deviendrais énorme ! Mais tant pis ! D'accord !

Il paya l'addition, et ils prirent un taxi auquel ils donnèrent une adresse sur la Soixantième Rue Est. L'établissement était bondé, comme tous les samedis soir, mais ils trouvèrent une petite table sous l'un des lustres Tiffany, et Brad commanda un banana split avec deux cuillères. On le leur apporta bientôt, nappé de crème Chantilly et de noisettes, arrosé de chocolat fondu et parsemé de fraises, avec trois parfums de glace et des bananes qui dépassaient de la coupe. Ils y plongèrent leurs cuillères avec plaisir.

— Je vais finir par être malade si je ne m'arrête pas ! dit Faith au bout d'un long moment avant d'avaler deux nouvelles bouchées.

Elle n'avait jamais su résister à un banana split.

— Si tu dois me vomir dessus, je préfère que tu t'arrêtes ! L'amitié a des limites !

Ils éclatèrent de rire tous les deux. Ils étaient bien ensemble, et ils évoquèrent des anecdotes de leur enfance — comme la fois où Faith, pour les faire enrager, avait fait croire à leurs petites amies que Jack et

296

lui sortaient avec d'autres filles... Ils avaient failli la tuer en découvrant le pot aux roses. Ils avaient alors quatorze ans, et elle douze.

— Pourquoi avais-tu fait ça ? demanda Brad avec un sourire en réglant l'addition.

— Vous aviez refusé de m'emmener au bowling, argua-t-elle. J'étais furieuse !

— Jack t'en voulait tellement que j'ai cru qu'il allait t'étrangler !

— Oui, moi aussi, j'ai eu peur ! Je crois qu'il aimait vraiment bien cette fille, alors que toi, dans mon souvenir, tu te fichais un peu de ta copine.

— Je ne me rappelle même plus qui c'était, dit Brad. Et toi ?

— Bien sûr ! C'était Sherry Hennessy. Et la petite amie de Jack s'appelait Sally Stein.

— Quelle mémoire ! J'avais totalement oublié Sherry Hennessy. Je crois que c'est la première fille que j'ai embrassée.

— Non, ce n'était pas elle, rectifia Faith d'un air assuré. C'était Charlotte Waller, quand tu avais treize ans.

— Espèce de petite peste ! s'écria-t-il en riant, se rappelant maintenant qu'elle avait raison. Tu m'espionnais, et c'est toi qui l'as dit à Jack ! Je ne voulais pas qu'il le sache, parce qu'il avait le béguin pour elle et que je craignais de lui faire de la peine.

— Elle en avait déjà parlé elle-même, de toute façon. A lui et à la moitié du quartier !

— Elle n'avait rien dit du tout, c'est toi qui l'as raconté à tout le monde, espèce de commère !

Que de souvenirs oubliés... Il en riait encore lorsqu'ils quittèrent le salon de thé et remontèrent les marches qui menaient à la rue.

— D'accord, concéda finalement Faith, je lui ai fait un peu de publicité. Mais elle n'avait pas vraiment besoin de moi, elle était très fière d'avoir attrapé une si belle proie.

— Eh oui ! J'étais une belle proie à l'époque.

— Tu es encore pas mal du tout, dit-elle en glissant une main innocente sous son bras. Malgré ton grand âge.

— Attention à ce que tu racontes, petite vipère !

Il lui proposa de rentrer à pied, pour digérer le banana split, idée qu'elle approuva vivement.

— J'ai l'impression que je vais exploser !

— Tu n'es qu'une petite souris, Fred. Quel dommage que tu n'aies jamais grandi !

— C'est bien ce que j'ai toujours pensé. Je maudissais ma petite taille.

— Ça ne t'empêche pas d'être jolie. Pour une fille, ajouta-t-il.

C'était une réflexion qu'il lui faisait souvent, quand elle était enfant. D'ailleurs, ce soir, à force d'évoquer le passé, elle avait l'impression d'être revenue en arrière. C'était amusant de penser de nouveau à toutes ces personnes aimées autrefois et oubliées depuis, de se demander ce qu'elles étaient devenues. Brad et elle avaient perdu le contact avec tout le monde, surtout depuis que Brad avait déménagé à l'autre bout du pays.

Ils remontèrent lentement la Troisième Avenue, en continuant d'évoquer ainsi leurs anciens camarades, leurs têtes, leurs noms qu'ils n'avaient pas prononcés depuis des décennies. Puis ils tournèrent à gauche au niveau de la Soixante-Quatorzième Rue. Quelques instants plus tard, ils se trouvaient devant la maison.

— Je suis bête de t'avoir laissé réserver une chambre d'hôtel. J'aurais dû te proposer de venir ici. Je dors dans la chambre de Zoe, tu aurais pu prendre la mienne.

— Je suis très bien à l'hôtel, affirma-t-il dans un bâillement. A quelle heure est la messe demain ?

298

— On peut y aller à n'importe quelle heure, il y a beaucoup de messes à Saint-Patrick, on en trouvera bien une. Et si tu venais prendre le petit déjeuner avec moi ?

— Je t'appellerai en me réveillant, et je passerai sans doute entre neuf et dix heures.

Elle glissa la clé dans la serrure et ouvrit la porte. La maison lui semblait sombre et vide. Elle se tourna vers Brad.

— Tu ne veux pas entrer boire un verre ?

— Je n'aurai jamais le courage de rentrer à l'hôtel après. Je suis épuisé, je crois qu'il vaut mieux que j'aille me coucher. Et toi aussi, tu as besoin de repos.

De fait, ils étaient tous deux fatigués, surtout après leur dessert gargantuesque. Mais ils avaient passé une délicieuse soirée, et la révélation qu'elle lui avait faite dans l'après-midi le touchait profondément. C'était une magnifique preuve de confiance.

— Je suis heureuse que tu aies dû venir à ce rendez-vous, dit-elle avec reconnaissance.

Les week-ends avaient été longs jusque-là, et ils le seraient encore pendant longtemps.

— Moi aussi, je suis heureux, répondit-il avec tendresse.

Et il la serra contre lui.

— Dors bien, Fred.

Avant de partir, il s'assura qu'elle avait bien allumé la lumière de l'entrée et verrouillé la porte derrière elle. Ensuite, il regagna l'hôtel, le sourire aux lèvres. Il chérissait et admirait Faith plus qu'aucun être humain sur terre.

18

Brad arriva le lendemain matin à neuf heures, avec ses bagages, alors que Faith sortait tout juste de sa douche. Elle lui ouvrit la porte en robe de chambre de cachemire, et il entra en lui tendant le journal du dimanche.

— Je suis désolé... Est-ce qu'il est trop tôt ? Je me suis réveillé à l'aube...

— Pas de problème, je serai prête dans cinq minutes, dit-elle en remontant l'escalier quatre à quatre, pieds nus et les cheveux mouillés.

Il pénétra dans la cuisine, et quand elle redescendit un quart d'heure plus tard, en jean et col roulé, il s'affairait au-dessus du plan de travail. Une délicieuse odeur de café emplissait la pièce.

— Mmm, ça sent bon ! dit-elle alors qu'il se tournait vers elle avec un sourire.

Il y avait des muffins dans le grille-pain, et il s'apprêtait à faire cuire des œufs pour eux deux.

— Au plat ou brouillés ? interrogea-t-il.

Il avait l'air détendu et à l'aise, comme s'il se sentait chez lui.

— Au plat, ce sera parfait. Veux-tu que je m'en occupe ?

— Non, c'est moi qui te prépare ton petit déjeuner, déclara-t-il d'un ton qui n'admettait pas de réplique.

Il lui servit une tasse de café et la lui tendit. Il voulait la choyer un peu avant de repartir. C'était pour cela qu'il était venu.

— Tu veux du bacon ? J'ai oublié de t'en proposer...

— Je ne crois pas qu'il y en ait, mais ça ira très bien comme ça.

Elle vérifia tout de même dans le réfrigérateur, en vain. A la place, elle proposa de préparer quelques fruits, et il la laissa peler des oranges et des pêches, pendant qu'il achevait de faire frire les œufs. Il les mit ensuite sur des assiettes, ajouta des muffins beurrés et apporta le tout sur la table qu'elle avait dressée pour deux. Les œufs s'avérèrent délicieux.

— Tu es un cuisinier hors pair, le félicita Faith alors qu'il mordait dans un muffin.

— Je suis le roi de la cuisine rapide. Hamburgers, chili con carne, crêpes... Je pourrai toujours aller travailler dans un bistrot, si je rate tout le reste.

— Je m'en souviendrai, en tout cas.

C'était bon de l'avoir auprès d'elle. Cela lui rappelait les visites de Jack quand elle était à l'université, ou plus tard, pendant les fréquentes périodes où il était séparé de sa femme. Faith était toujours aux anges quand il venait passer quelques jours avec elle, malgré la tension permanente qui régnait entre Alex et lui. Soudain, elle ne put s'empêcher de se demander où était ce dernier. Et s'il était avec cette fille, Leslie James ?

— A quoi penses-tu ? demanda Brad en prenant les pages sportives du journal pour lui laisser le reste. Tu t'es rembrunie d'un seul coup.

— A Alex. Et à cette fille. Je me demande s'ils sont ensemble.

— Essaie de ne pas y penser, dit-il gentiment après avoir bu une gorgée de café. La vie est étrange, non ? poursuivit-il en reposant sa tasse. Il y a six mois, qui aurait imaginé que nous serions là tous les deux, en train de prendre un petit déjeuner ensemble ?

Dire que, pendant une longue période, ils s'étaient complètement perdus de vue ! Cela paraissait incroyable.

— Oui... Et qui aurait pu deviner qu'Alex serait parti ? Tu sais, avant de penser à lui et à sa maîtresse, je me disais que c'était formidable que tu sois là. Est-ce que tu vas revenir souvent à New York ?

C'était sa troisième visite en quatre mois. Mais cette fois, il avait dû inventer un prétexte pour venir... Il ne le regrettait pas : elle semblait déjà en bien meilleure forme que la veille, et plus détendue. Son voyage n'avait pas été inutile.

— Je ne sais pas... J'ai l'occasion de venir de temps en temps, tout dépend des conférences auxquelles je m'inscris et de la quantité de travail qui m'attend au bureau. Souvent, malheureusement, j'ai du mal à m'échapper.

Il travaillait en général dans l'urgence, et il avait trop de clients pour s'absenter beaucoup de son cabinet.

— Je repasserai probablement par ici, quand je partirai en Afrique pour aller voir les garçons, le mois prochain. Pam sera avec moi, ajouta-t-il comme un avertissement.

— Peut-être que nous pourrions aller dîner tous les trois, suggéra Faith d'un ton léger.

Brad se mit à rire.

— Ce serait drôle ! Elle pense déjà que je suis amoureux de toi, alors si elle te voit, elle fera de ma vie un enfer !

— Je suis flattée, mais je ne suis pas une menace pour elle. Elle doit pouvoir comprendre que je ne suis qu'une espèce de petite sœur pour toi !

— Peut-être pas, répondit Brad.

Et il se plongea dans la lecture du journal. Elle le laissa lire, tout en emplissant de nouveau leurs tasses avant de ranger les reliefs du petit déjeuner. Quand elle eut terminé et qu'il releva la tête, il était dix heures et demie.

— Veux-tu toujours aller à l'église ? demanda-t-elle.

Elle ne voulait pas l'y forcer. Elle pourrait toujours s'y rendre quand il serait parti.

— Oui, en fait, j'aimerais bien, répondit-il.

Il se leva, s'étira et vint passer un bras autour d'elle. Une fois de plus, elle fut frappée de se sentir si bien contre lui, si heureuse en sa compagnie. Elle avait peine à croire que Pam pût ne pas s'entendre avec lui. C'était l'homme le plus merveilleux qu'elle ait jamais connu.

— Je vais chercher mon sac, annonça-t-elle en disparaissant dans l'escalier.

Elle se coiffa, prit son porte-monnaie, et cinq minutes plus tard elle était dans l'entrée, en train de chercher un manteau pour sortir. Elle choisit une grosse veste de drap et une écharpe de laine rouge. Brad, de son côté, portait un jean, un gros pull et une canadienne. Il faisait froid dehors, et le ciel plombé indiquait qu'il risquait de neiger.

Ils prirent un taxi jusqu'à Saint-Patrick et arrivèrent juste à temps pour la messe de onze heures. Faith fit une génuflexion avant de s'installer dans une travée, et Brad se glissa à côté d'elle. Ils demeurèrent côte à côte, en silence, pendant toute la messe. Quand elle alla communier, il l'attendit et remarqua avec bonheur qu'elle tenait dans sa main le chapelet qu'il lui avait offert. Après l'office, ils allumèrent un cierge pour Jack. Tous deux se sentaient en paix et sereins quand ils sortirent sur le parvis de la cathédrale. Dehors, il avait commencé à neiger.

— Tu veux rentrer à pied ? proposa Faith en levant les yeux vers son compagnon.

Elle adorait marcher dans la neige.

— Excellente idée ! approuva-t-il avec un grand sourire.

Il ne neigeait jamais à San Francisco, et c'était une des raisons pour lesquelles il aimait New York.

Ils remontèrent la Cinquième Avenue, et, au niveau de la Soixantième Rue, ils bifurquèrent pour se diriger vers Central Park. Ils dépassèrent le zoo et le terrain de jeu situé juste derrière. Ils avaient maintenant les cheveux couverts de neige et le visage rosi par le froid. Les flocons formaient partout une couche épaisse et semblaient assourdir la ville, créant une atmosphère magique. Pour la première fois depuis sa rupture avec Alex, Faith se sentait bien, marchant à côté de Brad, sa main gantée glissée sous son bras.

— Tu vas me manquer demain, quand tu seras parti, dit-elle d'une voix triste. C'était merveilleux de t'avoir ici. Comme une parenthèse... Après, il faudra retourner à la réalité, les cours, le divorce. Je n'ai pas hâte de retrouver tout ça. Alex a l'air tellement pressé...

Elle commençait à se demander pourquoi et ne pouvait s'empêcher de s'interroger sur le rôle que jouait Leslie James dans l'affaire. Peut-être allait-il l'épouser ?

— Que vas-tu faire de la maison ? interrogea-t-il.

Peut-être était-il encore trop tôt pour poser la question, mais il avait réellement envie de connaître ses projets.

— Je ne sais pas encore. Il n'a rien dit à ce propos. J'ignore s'il me laissera la garder, ou s'il exigera que je m'en aille pour pouvoir la vendre. C'est lui qui l'a achetée, alors j'imagine qu'il la considère comme à lui. Je me demande comment ça se passe, dans ces cas-là.

De toute façon, c'était avec l'argent d'Alex qu'ils avaient acheté tout ce qu'ils possédaient. Et maintenant, il allait sans doute tout réclamer... Il l'avait déjà avertie qu'elle n'obtiendrait de lui qu'une pension minimale, parce qu'elle était encore assez jeune pour travailler. Elle commençait à redouter de ne pouvoir prétendre à aucun droit...

— S'il t'oblige à partir, il doit te proposer un logement équivalent pour vivre, assura Brad afin de calmer ses angoisses. Il n'a pas le droit de te jeter à la rue.

— J'espère...

Mais elle n'en était pas certaine. Il était impossible de prévoir jusqu'où Alex pourrait aller.

— Maintenant que les filles sont parties, je suppose qu'il pourrait me trouver quelque chose de plus petit. Mais ce serait tellement bizarre de déménager, après dix-huit ans... Nous avons acheté la maison à la naissance de Zoe.

Soudain, tout s'écroulait de nouveau, et la confiance qu'elle avait recouvrée s'évanouissait en fumée.

— Peut-être qu'il ne vendra pas la maison et qu'il te laissera y rester, dit Brad d'un ton posé.

Il ne voulait pas l'effrayer. L'avocat qui s'occupait d'elle ferait certainement de son mieux pour lui assurer une situation convenable.

Ils firent un petit détour par le lac artificiel, et regardèrent la neige recouvrir les statues d'Alice au Pays des Merveilles. Des enfants jouaient dans la neige, juste assez épaisse pour leur permettre de faire des glissades sur des sacs-poubelles ou des plateaux en plastique. Brad et Faith s'attardèrent pour les regarder. Ils avaient l'air de s'amuser comme des fous.

— J'aimerais que mes filles aient encore cet âge-là, murmura Faith. Ça me manque tellement...

Cette période de sa vie avait été si heureuse ! Les journées étaient bien remplies, et pleines de petits bonheurs. Elle n'avait alors jamais le temps de penser à autre chose qu'à ses activités avec ses filles ou aux moments passés le soir avec Alex. Elle ne s'inquiétait jamais de ce que l'avenir lui réservait, se levant chaque matin heureuse de la journée qui s'annonçait. Tout avait bien changé. Les filles n'avaient plus besoin d'elle. Elles menaient leur propre existence, alors que la sienne paraissait si vide... Et en plus, Alex la quittait aussi. Elle avait l'impression d'avoir tout perdu d'un seul coup. Peut-être même sa maison... C'était lourd à digérer.

— Moi aussi, je regrette ce temps-là, avoua Brad avec franchise. Tout est allé si vite. C'est vraiment incroyable... On se sent vieux, et pourtant ce n'est qu'une impression. Il y a des gens qui ont leur premier enfant à nos âges.

— Oh, mon Dieu, je n'imagine pas ça ! dit Faith en riant.

— Tu recommencerais ?

Elle le regarda et vit dans ses yeux qu'il était sérieux.

— C'est une drôle de question, dit-elle après un temps de réflexion. Si tu me l'avais posée il y a un mois, j'aurais juré que non – d'ailleurs, Alex m'aurait tuée si j'avais envisagé d'avoir un autre bébé. Il a toujours pensé que deux enfants suffisaient. Moi, j'en aurais volontiers eu un ou deux de plus. Maintenant... Oh là là, je ne sais pas. Je me vois mal me remarier dans les mois qui viennent. C'est tout simplement impensable.

— C'est là où je voulais en venir, Fred. Vas-tu rester seule ?

La question la laissa sans voix. Elle semblait si prématurée ! Elle était encore obligée de se pincer pour réaliser que la trahison et le départ d'Alex n'étaient pas un mauvais rêve, mais bien la réalité.

— Si tu rencontrais un homme qui voulait d'autres enfants, que ferais-tu ?

— Je le présenterais à Eloise !

Elle se mit à rire, puis reprit son sérieux :

— Mon Dieu, Brad, je ne sais pas. J'adorerais avoir d'autres enfants, mais je ne suis plus toute jeune. A mon âge, je ne suis pas sûre que je pourrais encore. C'est vrai, d'autres femmes mûres en ont eu, mais... Je ne sais pas... Peut-être... Oui, peut-être que ce serait bien... Un bébé maintenant, ça me redonnerait de l'espoir, et envie de vivre... Mais ce n'est qu'un fantasme, conclut-elle en le regardant gravement. Je suis fatiguée, vieille et triste. Et, pire encore, seule.

— Ça ne durera pas, Fred, tu vas rencontrer quelqu'un. Quelqu'un de bien mieux qu'Alex. Tu verras, dans quelques mois, tu auras retrouvé des ailes, et d'ici un an tu seras sans doute remariée.

Paradoxalement, il avait l'air déprimé en disant cela... Mais Faith ne s'en rendit pas compte. Elle se contenta de sourire, amusée.

— Tu vas vite en besogne quand il s'agit de réorganiser ma vie ! dit-elle en riant. Et si on parlait un peu de la tienne ?

Elle savait très bien qu'il n'était pas heureux avec Pam, malgré sa détermination à vouloir rester avec elle coûte que coûte.

— Tu n'aspires pas à mieux ?

Elle lui posait la question, tout en sachant pertinemment que, de son côté, si Alex ne l'avait pas quittée, elle ne serait jamais partie.

— Bien sûr, dit-il avec franchise. Mais les choses sont ce qu'elles sont, et je ne me pose pas de questions.

— Peut-être que tu devrais, tant que tu es encore jeune. Que se passera-t-il si, dans dix ans, Pam te quitte comme Alex m'a quittée ? Tu auras l'impression d'avoir gâché ta vie. Alors que maintenant, tu peux encore rencontrer quelqu'un, recommencer à zéro et être heureux. Peut-être que ça vaut la peine d'y réfléchir un peu.

— C'est un trop grand risque à courir, décréta-t-il en regardant Faith droit dans les yeux. Je sais ce que je perdrais, même si ce n'est pas grand-chose. Je ne vais pas tout détruire pour un rêve qui ne se réalisera peut-être jamais. Ça ne marche que dans les films, pas dans la vraie vie. Dans la réalité, les gens font, en général, comme toi et moi : ils se contentent de compromis. Tu le sais bien.

— Oui, justement. C'est pour ça que je m'interroge, maintenant. Peut-être qu'Alex a eu raison de s'en aller. C'est horrible pour moi, mais peut-être a-t-il eu le courage de prendre une décision qui s'imposait depuis des années. La méthode est détestable, mais l'objectif n'est peut-être pas si mauvais.

— En tout cas, je pense que tout ça lui retombera dessus, parce qu'il a choisi de te blesser. Je ne crois pas qu'on gagne beaucoup à employer ce genre de procédé, au contraire. Pour courir après une fille en string, il n'a pas hésité à te mettre sur la touche. On paie un jour ou l'autre les infamies de ce genre. S'il reste avec elle, elle finira peut-être par lui faire subir le même sort.

— Voilà une perspective bien réconfortante, admit Faith avec un petit sourire. Mais ça ne répond pas à toutes les questions que je me pose aujourd'hui...

De minuscules flocons s'étaient accrochés à ses cils et parsemaient ses cheveux de reflets nacrés. Il n'avait jamais vu une femme aussi jolie, et le simple fait de la regarder lui serrait le cœur. Plus le temps passait, plus il regrettait de ne pouvoir revenir trente ans en arrière. Hélas, il était parfaitement conscient que son rêve ne se réaliserait jamais.

Son rêve, c'était Faith. Faith, qui n'avait aucune idée qu'une telle pensée lui traversait l'esprit. Nul doute qu'elle aurait été choquée, si elle avait su. Elle ne concevait même pas qu'il puisse la regarder avec d'autres yeux que ceux d'un frère ! De fait, depuis leur adolescence, il l'avait toujours considérée et traitée comme sa sœur. Mais soudain, il posait sur elle un autre regard, tout au moins quand il se laissait aller. En marchant ainsi avec elle dans Central Park, en la tenant par les épaules, il aspirait à quelque chose de plus fort.

— Tu as l'air bien sérieux, murmura Faith en se lovant un peu plus contre lui.

Il faisait vraiment froid à présent, et le vent s'était levé.

— Ça va ?

Il acquiesça et lui sourit. Il aimait tous les moments passés avec elle. Lui préparer son petit déjeuner, parler avec elle des heures durant, aller à l'église, faire de grandes promenades, même engloutir des banana split... Tout était bonheur. Elle avait été une petite fille adorable et était devenue une femme lumineuse.

— Je pensais que nous devrions peut-être rentrer chez toi et allumer un bon feu. Et, à vrai dire, je pensais aussi au déjeuner.

— Je n'arrête pas de manger, quand je suis avec toi ! se plaignit-elle en riant.

Mais elle adorait ces instants passés près de lui, et la marche lui avait creusé l'appétit.

— Il faut qu'on s'arrête quelque part pour faire des courses, je n'ai plus rien à la maison. Je n'ai quasiment rien avalé depuis qu'Alex est parti.

— Ça ne va pas t'aider beaucoup, gronda-t-il gentiment en lui prenant la main.

Sur le chemin du retour, ils s'arrêtèrent dans une épicerie et il l'obligea à acheter assez de provisions pour tenir toute la semaine, avant d'insister pour payer lui-même, ce que Faith jugea injuste.

— Tu ne seras pas là pour manger tout ça ! Pourquoi devrais-tu payer ?

— Alors je reviendrai dîner avec toi demain soir, déclara-t-il en empochant la monnaie.

— J'adorerais que tu restes. C'est vraiment dommage qu'on ne vive pas dans la même ville.

Il y avait pensé... Mais il mesurait le danger d'une telle situation. Il commençait à éprouver pour elle des sentiments nouveaux dont la force l'inquiétait. Tant qu'elle ne s'en rendait pas compte, et qu'ils étaient séparés par plus de cinq mille kilomètres, il savait qu'il était en sécurité. Et elle aussi.

Il porta les provisions jusqu'à la maison, et une demi-heure plus tard, elle préparait une soupe et des sandwiches pour le déjeuner, pendant qu'il allumait le feu. Dehors, la neige continuait de tomber. Faith avait aussi tenu à acheter des marshmallows, des crackers et des barres chocolatées, gourmandises dont ils étaient friands dans leur enfance. Ces moments passés avec Brad lui donnaient l'impression d'effectuer un pèlerinage dans le passé. Parfois, elle se surprenait à rêver de n'avoir jamais grandi... La vie serait alors si simple ! Et Jack serait encore vivant...

Il était presque seize heures quand ils finirent de déjeuner. Brad se mit soudain à rire en regardant son amie. Ils avaient fait rôtir les marshmallows dans le feu, comme lorsqu'ils étaient petits.

— Qu'est-ce qui te fait rire ? demanda Faith d'un air offensé.

— Tu as du marshmallow et du chocolat partout sur la figure !

Elle essaya de se nettoyer le visage de son mieux, mais ne réussit qu'à aggraver la situation, si bien qu'il lui prit la serviette des mains et lui essuya la bouche, le menton et le bout du nez, tandis qu'elle le regardait d'un air innocent. Alors qu'il plongeait ses yeux dans les siens, il lui fallut rassembler tout son courage pour ne pas s'abandonner et laisser libre cours à ses sentiments.

— Voilà, maintenant tu es propre ! parvint-il à déclarer sans rien laisser paraître de son trouble.

— Tu en veux encore ? demanda-t-elle avec un sourire.

Il s'étira devant le feu. Faith trouvait toujours ses jambes interminables, et ses épaules lui semblaient aussi larges et solides que lorsqu'il était adolescent.

— Non merci. Je me demande si mon avion va être retardé par la neige.

Il espérait presque que ce serait le cas... Certes, il devait rentrer, mais rien ne lui aurait fait plus plaisir que de rester bloqué avec elle à cause des intempéries. Pourtant, il savait qu'il valait mieux rentrer, tant qu'il était encore temps... avant de laisser exploser les sentiments qui s'étaient mis à l'assaillir et qui le prenaient au dépourvu. En même temps, cela le rendait malade de la laisser seule face aux difficultés qui l'attendaient, en ne lui offrant, en guise de soutien, que sa voix par téléphone ou quelques e-mails d'encouragements. Tout cela lui semblait dérisoire à présent. Il savait qu'Alex ferait tout son possible pour lui miner le moral et la priver de son dû, et il aurait voulu être là pour la protéger.

— Je vais appeler pour vérifier que ton vol est confirmé, proposa-t-elle en se dirigeant vers le téléphone de l'entrée.

Cinq minutes plus tard, elle était de retour.

— Il sera à l'heure.

— Dommage, dit-il avec un sourire rêveur.

Une heure plus tard, il se redressa enfin : il était temps de partir. Il rassembla ses affaires, tandis que Faith enfilait son manteau.

— Tu n'es pas obligée de m'accompagner, dit-il en la regardant s'habiller.

Elle n'avait aucune conscience de sa beauté, et cette innocence ajoutait à son charme.

— Je sais, mais ça me fait plaisir. Je n'ai rien d'autre à faire.

Elle voulait passer le plus de temps possible avec lui.

Brad héla un taxi dans la rue, mit ses affaires dans le coffre et se glissa à côté d'elle à l'arrière. Il neigeait encore plus fort que pendant leur promenade dans le parc, et la nuit tombait déjà. Mais il n'y avait pas beaucoup de circulation en ce dimanche après-midi et, malgré la neige, ils atteignirent l'aéroport Kennedy en un temps record. Le ministère des Transports assurait le déblaiement des routes, et tout semblait normal. Le vol était toujours annoncé à l'heure.

Faith suivit Brad, qui souhaitait s'acheter des magazines, et lui offrit un livre qu'elle pensait susceptible de lui plaire.

— Pour te remercier de m'avoir nourrie et promenée, dit-elle avec un sourire reconnaissant. J'ai passé un week-end merveilleux, et tu vas beaucoup me manquer.

— Je t'appellerai. Ne serait-ce que pour vérifier que tu es sage, que tu vas bien à tes cours, que tu ne travailles pas trop... Et ne laisse pas Alex te rendre folle. Suis bien les conseils de ton avocat. Sois sérieuse, brosse-toi les dents et ne te barbouille pas la figure de marshmallows ! Et surtout, prends soin de toi, Fred.

— Toi aussi, dit-elle avec un sourire douloureux alors qu'il la serrait dans ses bras et déposait un baiser sur son front.

— Je t'appellerai demain, promit-il. Il sera trop tard cette nuit, quand j'arriverai à la maison.

Il n'y serait pas avant deux heures du matin, heure de New York, et il espérait qu'elle dormirait à cette heure-là.

— Merci encore pour tout, répéta-t-elle sans se détacher de lui.

Se séparer de lui lui donnait l'impression que Jack disparaissait une nouvelle fois, et elle éprouva soudain une bouffée de panique, suivie d'une vague de chagrin et de désespoir. Mais elle se sentit ridicule de s'accrocher ainsi à lui et parvint finalement à se dégager de son étreinte. Il l'embrassa une dernière fois, tendrement, puis rejoignit les autres passagers dans le couloir qui menait à l'avion. Avant de disparaître, il lui adressa un dernier petit signe de la main.

Faith resta dans le terminal jusqu'à ce que l'avion ait décollé, puis elle tourna les talons et repartit prendre un taxi, les épaules voûtées. Le trajet jusqu'à la maison lui parut interminable, et elle eut l'impression de pénétrer dans un tombeau lorsqu'elle rentra enfin. La neige continuait de tomber, et le silence ne lui avait jamais paru aussi épais. Brad lui manquait tellement qu'elle n'eut pas le courage d'avaler quoi que ce soit ce soir-là. Elle se contenta de monter se coucher. Et elle dormait profondément quand le téléphone sonna, à deux heures du matin. Il lui fallut une bonne minute pour se rappeler où elle était. C'était Eloise qui l'appelait de Londres, avant de partir travailler.

— Oui ?... Quoi ?... Oh, Ellie... Bonjour, ma chérie... dit-elle d'une voix encore endormie. Non, non, tu ne me déranges pas...

Sans bien savoir pourquoi, elle mentait toujours quand les gens la réveillaient. Au bout de quelques instants, cependant, elle reprit ses esprits, et réalisa qu'il était tôt, même pour Eloise. A peine sept heures du matin.

— Ça va ? demanda-t-elle avec inquiétude.

— Oui.

Au ton de sa voix, Faith sut immédiatement que sa fille était furieuse.

— J'ai parlé à papa hier, dit-elle avec irritation. Il m'a raconté ce que tu avais fait.

— Ce que j'ai fait ? répéta Faith d'une voix blanche.

Un frisson glacé courut le long de son dos.

— Qu'est-ce que j'ai fait ?

— Il m'a dit que tu ne pouvais plus concilier tes études et ta vie de couple, et que tu avais choisi tes études.

— Il t'a raconté ça ?

Faith était anéantie. Comment Alex pouvait-il mentir à ses enfants ainsi ? Au moins, Zoe savait la vérité, elle.

— Oui. Maman, comment oses-tu détruire notre famille pour un stupide diplôme de droit ? As-tu pensé un peu à nous ? Et à lui, après toutes ces années ? Comment peux-tu te montrer aussi égoïste et déloyale ?

Au milieu de sa phrase, elle s'était mise à pleurer, et Faith aussi.

— Ellie, ce n'est pas... Ce n'est pas du tout ce qui s'est passé... C'est compliqué. C'est entre papa et moi.

Elle répugnait à révéler la sinistre vérité à ses filles. Alex pouvait se montrer aussi ignoble que possible avec elle, elle ne rentrerait pas dans son jeu. Elle espérait que ses filles finiraient par comprendre la vérité un jour ou l'autre, mais en attendant, elle s'accrochait à la décence comme à une bouée de sauvetage dans la tempête.

— Tu ne crois pas que ça nous concerne aussi ? Tu penses que ça nous est égal ? Nous ne saurons même plus où aller quand nous rentrerons, il a dit que tu voulais vendre la maison.

Faith connaissait à présent la réponse à sa question concernant la maison... Et comme d'habitude, Alex s'arrangeait pour faire retomber la responsabilité sur elle.

— Nous n'avons même pas parlé de la maison. Et, non, je ne veux pas la vendre. Mais peut-être que c'est ce qu'il souhaite, lui... Je n'ai jamais voulu ce divorce, Eloise, c'est lui qui l'a demandé.

— Ce n'est pas vrai, maman, il m'a dit que c'était toi. Que tu lui avais forcé la main en retournant à l'université.

— Je n'ai forcé personne à quoi que ce soit. Je lui ai même proposé d'arrêter mes cours.

— Je ne peux pas te croire. Papa m'a dit que tu planifiais tout ça depuis longtemps, que ça faisait un an que tu pensais au divorce.

Faith en avait la nausée. Le jeu d'Alex lui apparaissait clairement : s'il parvenait à convaincre ses filles qu'elle avait parlé de divorcer un an plus tôt, elles comprendraient mieux la présence de Leslie James dans sa vie si jamais elles la découvraient. Le plan était astucieux, et jusqu'ici, il fonctionnait parfaitement, tout au moins avec Eloise. Par la suite, les deux versions radicalement différentes de l'histoire ne manqueraient pas de dresser les deux sœurs l'une contre l'autre...

— Eloise, reprit Faith en s'efforçant de garder son calme, je préférerais ne pas avoir à te dire que ton père te ment, mais c'est le cas. Je ne lui ai jamais demandé le divorce. Je n'ai jamais voulu mettre fin à notre mariage. C'est lui qui a pris cette initiative, et c'est ce qu'il souhaite lui, pas moi. Et je ne veux pas vendre la maison. Il ne m'en a même pas parlé.

Elle était certaine que si elle s'en tenait à la vérité sans la déformer, Ellie finirait par comprendre. Mais elle n'était malheureusement pas disposée à prendre du recul vis-à-vis de son père...

— Tu es une menteuse, maman. Et je trouve que c'est dégoûtant de l'abandonner comme ça. J'espère que tu vas rater tes études et l'examen du barreau, parce que tu as fichu ma vie en l'air !

Et sur ce, elle raccrocha. Faith demeura assise à côté du téléphone, assommée, le visage baigné de larmes. Alex avait été odieux de dresser Ellie contre elle. En plus, il condamnait ses filles à un inévitable et violent conflit, parce que Zoe connaissait la vérité. Elle savait que c'était son père qui avait décidé de partir, même si elle ignorait encore pourquoi.

Faith avait voulu protéger ses enfants de cette horreur-là, afin de préserver l'image qu'elles avaient d'Alex. Mais lui n'avait pas hésité à frapper de la façon la plus cruelle qui soit, en dressant Eloise contre sa mère. Et en plus, Faith craignait maintenant de perdre la maison...

Elle resta allongée sur le lit de Zoe pendant une heure, puis, n'y tenant plus, elle composa le numéro de sa fille cadette. Elle savait qu'il lui arrivait souvent de veiller très tard. En effet, Zoe décrocha tout de suite.

— Tiens, maman ! s'écria-t-elle, manifestement heureuse de l'entendre.

— Je t'ai réveillée ? s'inquiéta Faith.

— Pas du tout, j'étais debout. Ça va ?

— Non, avoua Faith. Ellie vient d'appeler.

— Tu lui as dit ?

— Non... Mais ton père s'en est chargé.

De son côté, Zoe avait eu une rapide conversation avec son père, mais il ne lui avait pas beaucoup parlé. Dès qu'elle lui avait dit qu'elle avait passé le week-end avec sa mère, il avait saisi le premier prétexte venu pour raccrocher rapidement.

— Comment a-t-elle réagi ?

— Très mal. Elle m'en veut à mort. Ton père lui a raconté que je ne voulais plus rester mariée avec lui parce que j'avais repris mes études, et que c'était moi qui avais demandé le divorce. Il lui a même dit que j'en parlais depuis un an, ajouta Faith d'une voix entre-coupée de sanglots.

— Mais pourquoi aurais-tu fait une chose pareille ? C'est vrai ?

Zoe paraissait stupéfaite.

— Bien sûr que non. Je crois savoir pourquoi il a dit ça, mais ça n'a pas d'importance. Ce qui est grave, c'est qu'il ait réussi à convaincre Ellie. Maintenant, elle est persuadée que c'est moi qui ai voulu tout ça, que je l'ai poussé dehors. C'est tellement injuste...

— Et ça t'étonne ? demanda Zoe. Papa n'est jamais réglo, de toute façon, ce n'est pas une nouveauté.

Elle déclara qu'elle avait eu l'occasion de s'en rendre compte à propos de mille petites choses, et que c'était l'une des raisons pour lesquelles elle ne lui faisait pas confiance.

— Ellie finira par se rendre à la raison, ajouta-t-elle. Tu ne serais pas dans cet état si c'était toi qui avais demandé le divorce, c'est évident.

Mais l'argument ne suffit pas à rassurer Faith. Ellie se laissait complètement manipuler par son père.

— Elle ne sait pas dans quel état je suis. Elle m'a juste dit que j'étais un monstre et que j'avais gâché sa vie, sans me laisser le temps de parler.

Elle ne mentionna pas l'histoire de la maison. Elle voulait d'abord en parler avec Alex, pour connaître exactement sa position. S'il l'obligeait à vendre la maison, tout le monde en souffrirait, et elle entendait bien le lui faire comprendre.

— Laisse-la se calmer. Je lui parlerai. Et tu pourras lui expliquer ce qui s'est vraiment passé, quand elle viendra.

Eloise avait prévu de venir à New York au mois de mars, mais à présent, Faith se demandait si elle main-tiendrait sa visite...

317

— Peut-être que je devrais aller la voir, dit Faith, rongée par l'angoisse.

— Laisse-la d'abord se calmer. Ecris-lui une lettre, plutôt. Et rassure-toi, maman, elle finira par comprendre. Il est tellement évident que tu ne veux pas ce divorce !

Ce que Zoe ne comprenait pas, c'était pourquoi son père voulait se débarrasser de sa femme... La jeune fille se doutait que sa mère le savait mais ne voulait pas le lui dire. Comme toujours, son sixième sens lui soufflait qu'elle n'avait pas tous les éléments de l'affaire.

— Tout ça me rend malade, soupira Faith, soulagée toutefois de pouvoir parler à sa fille cadette.

Plus le temps passait et plus Zoe devenait pour elle une véritable amie, très sage et très mûre pour son âge.

— Ellie réagit toujours trop vite, et ensuite, elle réfléchit. Je pense que papa a été abject de lui raconter tous ces mensonges, mais je ne suis pas surprise.

D'ailleurs, Faith ne l'était pas non plus. Vraisemblablement, la perfidie d'Alex n'avait pas de limite. Il était même prêt à détruire les liens sacrés entre une mère et son enfant pour ramener la couverture à lui.

— Je vais l'appeler demain, conclut Faith en parlant d'Alex.

Elle pensait encore pouvoir le raisonner...

— En attendant, tu devrais aller te coucher, maman. Et essaie d'arrêter d'y penser, au moins pour cette nuit. Est-ce que tu as fait quelque chose ce week-end ?

Zoe regrettait de ne pas avoir téléphoné à sa mère comme elle se l'était promis. Elle n'en avait pas eu le temps.

— Mon ami Brad était là, dit Faith d'un ton évasif.

Sa conversation avec Ellie la bouleversait tellement que la visite de Brad ne lui semblait plus qu'un lointain souvenir.

— Il est venu exprès pour toi ? demanda Zoe d'un ton impressionné.

— Non, il avait des rendez-vous ici. Mais ça m'a fait du bien de le voir.

Zoe se posait des questions sur le véritable de sens de cette visite, mais elle décida que le moment était mal choisi pour taquiner sa mère. Quels que fussent les sentiments que ce Brad éprouvait pour elle, Zoe savait que Faith ne voyait en lui qu'un ami. En tout cas, elle se réjouissait qu'il l'ait distraite de ses soucis pendant quelques jours.

— Va te coucher, maman. Je t'appellerai demain. Je t'aime.

Sur ce, elles raccrochèrent, mais Faith ne put retrouver le sommeil. Elle ne cessait de ressasser ce que lui avait dit Ellie, et n'attendait plus qu'une chose : pouvoir parler à Alex. Pour cela, hélas, elle devrait attendre qu'il soit à son bureau, puisqu'il ne lui avait pas dit où il logeait.

A six heures, elle décida de se lever et d'envoyer un e-mail à Brad. Elle savait qu'il devait être rentré, et elle éprouvait le besoin de lui raconter ce qui la torturait. Elle rapporta, mot pour mot, sa conversation avec Ellie et éclata en sanglots en écrivant, comme si le fait de mettre tout cela par écrit rendait la situation encore plus réelle et plus affreuse.

Que penses-tu qu'elle ait voulu dire à propos de la maison ? J'ai l'impression qu'Alex veut la vendre. Pourquoi ne m'en a-t-il pas parlé d'abord ? Je suis à ramasser à la petite cuillère. Ça me rend malade qu'Ellie puisse croire ce qu'il lui a raconté. Comment lui faire entendre la vérité ? Je ne veux pas parler aux filles de Leslie James. Jamais. C'est trop humiliant, et je ne veux pas me montrer aussi basse et mesquine que lui. Elles ne lui pardonneraient jamais sa trahison, et je ne veux pas détruire leur relation avec lui. Pourquoi ne joue-t-il pas franc jeu de son côté ? Il a raconté à Ellie que j'avais demandé le divorce il y a un an, sans doute pour excuser sa conduite si je révélais la vérité. Ça me donne le sentiment qu'il tient vraiment à cette fille.

Elle continuait à essayer de rester loyale envers Alex, par une sorte d'absurde respect. Parfois elle se demandait si ses convictions religieuses ne la rendaient pas trop indulgente. Alex la connaissait bien, il savait où frapper, et comment...

Je suis désolée, conclut-elle. Je suis épuisée et anéantie, alors qu'on avait passé un si bon week-end ensemble. Je m'en veux de te fatiguer avec tout ça. Mais il est tellement odieux... Tu ne peux rien y faire, ça me fait seulement du bien de te le dire. Merci de m'avoir gâtée, nourrie, choyée comme tu l'as fait. J'ai passé des moments délicieux, comme toujours avec toi. Je te tiendrai au courant de la suite. Passe une bonne journée. Je t'embrasse, Fred.

A neuf heures, elle prit son téléphone pour appeler Alex.

Il venait d'arriver à son bureau et décrocha avec une voix irritée.

— Que se passe-t-il ?

— Des tas de choses, répondit Faith, nerveuse. J'ai appris ce que tu avais raconté à Ellie. C'est vraiment ignoble.

— Je n'ai pas le temps d'écouter tes insultes, Faith, rétorqua-t-il en menaçant de raccrocher. J'ai le droit de dire ce que je veux à ma fille.

Il était sur la défensive, sans doute parfaitement conscient de son comportement abject.

— J'aimerais bien que tu t'en tiennes à la vérité. Pourquoi avoir prétendu que c'était moi qui avais voulu divorcer ?

— C'est la vérité, non ? Tu as poussé notre couple au bord du gouffre en t'inscrivant à l'université.

— C'est faux, tu le sais très bien. C'est toi qui as mis une femme dans mon lit, est-ce que tu lui as dit ça ?

— Non. Et toi ?

— Non, par respect pour toi, Alex. C'est vraiment odieux de ta part de dresser Eloise contre moi.

— C'est bien ce que tu as dû faire avec Zoe, l'accusat-il.

— Pas du tout. Tu as menti à Ellie et tu t'es arrangé pour lui faire croire que tout était ma faute. Tu es allé jusqu'à lui dire que j'avais demandé le divorce il y a un an, ce qui est totalement faux.

Il ne répondit pas, et un lourd silence s'installa entre eux. Il avait vraiment dépassé les bornes.

— Elle pense aussi que je veux vendre la maison. Qu'est-ce que ça veut dire ?

Son cœur s'était mis à battre plus vite, tant elle appréhendait sa réponse.

— Nous n'avons pas le choix. Je veux récupérer mon argent. Tu auras ta part.

— Je ne veux pas d'argent, je veux garder la maison. Où est-ce que je vais habiter ?

De grosses larmes roulaient sur ses joues tant elle était révoltée par ce qu'il lui faisait.

— Tu n'as qu'à prendre une chambre à la fac, répliqua-t-il sèchement.

Faith resta sous le choc. Jamais elle ne l'aurait cru capable de se montrer aussi méchant. Quel homme était-il vraiment, pour lui dire des choses pareilles ? Ainsi, son attitude glaciale n'était pas qu'une façade. Il n'avait réellement pas de cœur.

— Est-ce que tu vas me mettre dehors ? demanda-t-elle, paniquée.

— Mon avocat verra ça avec le tien.

Au ton de sa voix, elle comprit qu'il en avait bel et bien l'intention. Il la chassait de leur foyer, de leur mariage, et lui volait une de ses filles en lui mentant. Il détruisait sa vie, et elle craignait de n'avoir aucun moyen légal de l'en empêcher. C'était lui qui avait acheté la maison. Elle avait investi tout son temps et toute sa vie dans leur couple, mais pour ce qui était de l'argent, lui seul avait apporté sa contribution.

— Pourquoi fais-tu tout ça, Alex ? Comment peux-tu me haïr à ce point ? C'est seulement parce que j'ai repris mes études ? Ça n'a aucun sens !

— Pas plus que ton comportement puéril. N'oublie pas que c'est toi qui m'as laissé tomber pour jouer les gamines.

Mais Faith savait bien que le problème n'était pas là. Elle devinait que la clé du drame n'était autre que cette fille en string. C'était Alex qui essayait de rattraper sa jeunesse, en détruisant au passage sa femme et ce qu'ils avaient partagé pendant plus de vingt ans.

— Tout ça, c'est à cause de cette fille, lança Faith. Même si tu essaies de le cacher. Ce que tu as fait est indigne, et maintenant tu cherches à redorer ton image devant tes filles, mais ça ne sert à rien, et tu le sais très bien. Qu'est-ce que tu veux, au nom du ciel ? Tu veux l'épouser ?

— Je n'ai rien d'autre à te dire, rétorqua-t-il froidement.

Et, sans lui laisser le temps de réagir, il lui raccrocha au nez.

Faith demeura immobile, les yeux dans le vide. Puis elle appela son avocat, pour lui demander de se renseigner, à propos de la maison. Il promit de le faire rapidement. Et c'est seulement alors qu'elle se rendit compte que Brad avait répondu à son e-mail, sans doute pendant sa conversation avec Alex.

Pauvre Fred... Quel immonde personnage. Ne t'inquiète pas trop pour Ellie, elle finira par comprendre. Les enfants comprennent toujours. Mes parents ont fait la même chose avec moi, ils m'ont raconté des histoires ; j'ai mis un peu de temps, mais j'ai compris ce qui s'était réellement passé. Ils étaient déterminés à se détruire, et tous deux essayaient de me prendre en otage. C'est dégoûtant. Mais toi au moins tu ne fais pas ça, et Ellie finira par s'en rendre compte. Sois patiente, et calme-toi. Défends-toi bien, parle avec ton avocat, et tiens bon pour la maison. Alex te doit bien ça. Sois forte ! Il faut que j'aille tôt au bureau, pour voir quels nouveaux désastres me sont tombés dessus pendant le week-end. Mais je suis heureux d'être allé te voir, c'était fantastique. Tu es un miracle dans ma vie, Fred. File manger un banana split... et pense à t'essuyer le menton. A plus tard. Je t'embrasse, Brad.

Il réussissait toujours à la faire sourire et à la réconforter. Depuis qu'il était revenu dans sa vie, il lui témoignait un soutien indéfectible.

Elle s'adossa à son siège, et relut encore une fois son e-mail. Elle se sentit apaisée, plus calme qu'elle ne l'avait été depuis des heures. Alors, elle remercia Dieu de lui avoir donné un tel ami.

19

Les angoisses de Faith concernant sa maison s'avérèrent fondées, au moins en partie. Son avocat lui donna des nouvelles dès le lendemain, alors qu'elle rentrait de l'université. Elle se débrouillait à peu près en cours, mais avait du mal à se concentrer. Elle ne parvenait pas à rendre des devoirs aussi fouillés qu'elle l'aurait voulu, et ses notes s'en ressentaient. Mais elle s'accrochait.

Elle répondit au téléphone, sans avoir eu le temps d'enlever son manteau.

— Vous aviez raison, il veut que vous déménagiez, dit l'avocat, annonçant d'emblée la mauvaise nouvelle. Il vous donne trois mois.

Ce qui signifiait qu'elle pourrait rester jusqu'à la fin du mois de mai.

— Oh, mon Dieu… dit Faith d'une voix blême. A-t-il le droit de faire ça ?

— Seulement avec votre accord. Et je crois que vous devriez refuser.

Elle éprouva un soulagement intense en apprenant cela. Elle s'était déjà imaginée sur le trottoir, avec toutes ses affaires…

— Il vous doit la moitié des biens de la communauté. Si vous voulez récupérer l'argent qui vous revient, alors il faut vendre la maison. De son côté, votre mari peut vous mettre à la porte et exiger la vente, mais il devra, de toute façon, conclure un accord global avec vous. Nous pourrions exiger sa part de la maison comme base de cet accord ; je pense pouvoir obtenir gain de cause. Mais s'il refuse de négocier et persiste à réclamer sa part sous forme d'argent tout de suite, je ne pourrai pas l'obliger à vous laisser la maison, à moins que vous ne puissiez la lui racheter.

— Je veux garder la maison, dit-elle d'une voix étranglée.

Elle ne souhaitait qu'une chose : rester chez elle, ne plus rien changer, s'accrocher à ce qu'il lui restait de son passé, des vingt-six années de mariage sur lesquelles Alex avait voulu tirer un trait.

— Nous poserons la question au tribunal. Je n'ai pas encore reçu d'avis officiel sur ce point. Attendons, et voyons ce qu'il décide. Il doit de toute façon vous accorder du temps. Il ne peut pas vous obliger à partir tant que le problème ne sera pas réglé.

Mais Alex ne traîna pas. A la fin de la semaine, l'avocat de Faith reçut une lettre de son confrère : Alex exigeait que Faith déménage et que la maison soit mise en vente le plus rapidement possible. Elle avait jusqu'aux premiers jours de juin pour plier bagage.

Ainsi, après l'avoir trompée avec une autre dans son propre lit et avoir menti à ses enfants, il la jetait dehors... Rien n'aurait pu être plus cruel.

Faith parla longuement à Brad, qui se montra rassurant, comme toujours. En revanche, elle ne reçut aucune nouvelle d'Ellie, en dépit de tous les messages laissés sur son répondeur londonien. Heureusement, à son grand soulagement, Zoe lui annonça que sa sœur viendrait comme prévu à New York la première semaine de mars.

— Pourquoi ne m'a-t-elle rien dit ? Elle n'a répondu à aucun de mes appels.

Zoe n'en fut pas surprise. Les deux sœurs s'étaient violemment disputées au téléphone, l'une défendant leur mère et l'autre leur père, toutes deux convaincues que l'autre s'était fait manipuler.

— Tu n'as rien compris ! avait hurlé Zoe sans se soucier de réveiller tout le monde.

C'était le milieu de la nuit pour elle, le matin pour sa sœur.

— C'est lui qui a abandonné maman ! Je l'ai vue juste après, tu ne peux même pas imaginer dans quel état elle était.

— Elle ne mérite pas mieux, avait répliqué Eloise. Ça fait un an qu'elle lui a demandé le divorce, dans notre dos ! Et maintenant, elle veut l'obliger à vendre la maison.

— Mais c'est complètement faux, espèce d'idiote ! Ça, c'est papa dans toute sa splendeur ! Il t'a embobinée. Figure-toi qu'il jette maman à la porte. Il veut qu'elle soit partie pour le premier juin.

— Il n'a pas le choix, le pauvre ! Il dit qu'elle lui réclame une somme monstrueuse ! C'est vraiment dégoûtant de la part de maman. Tout est sa faute, même si tu ne veux pas voir à quel point elle est perverse.

— Tu es complètement aveugle, ma pauvre fille, avait conclu Zoe. Il t'a lavé le cerveau.

Elles avaient fini par se raccrocher au nez, et Zoe s'était retrouvée chargée d'annoncer à sa mère qu'Ellie habiterait chez son père pendant la semaine qu'elle passerait à New York. Elle logerait dans l'appartement qu'il avait loué et ne viendrait à la maison que pour récupérer quelques affaires.

Elle arriva le jour de la Saint-Patrick, pour une semaine, mais il s'écoula deux jours avant qu'elle n'appelle sa mère, qui restait à côté du téléphone en attendant désespérément son coup de fil. Faith avait fini par obtenir de Zoe le numéro de téléphone de l'appartement d'Alex, mais elle tombait toujours sur le répondeur. Et Ellie ne répondait à aucun de ses messages. Faith attendait de ses nouvelles avec tant d'impatience qu'elle n'était même pas allée à ses cours, cette semaine-là, se contentant de réviser en vue des examens.

Elle faillit éclater en sanglots lorsqu'elle reconnut enfin la voix de sa fille. Mais leur conversation fut de courte durée. Ellie lui annonça qu'elle allait passer chercher quelques vêtements, et qu'elle espérait que Faith ne serait pas là. Son attitude sembla terriblement immature et cruelle à Faith, qui se demanda ce qu'elle avait fait pour mériter cela...

Elle était dans sa chambre quand Eloise arriva. Elle en avait enfin repris possession, mais il lui avait fallu un mois entier avant de s'y résoudre. Elle avait fini par ravaler sa fierté et surmonter sa répulsion, car elle n'était pas à l'aise non plus dans la chambre de Zoe. Du lit où elle était assise, elle vit Ellie pénétrer dans le hall, en bas. Sa fille leva la tête et la vit aussi, mais elle ne prononça pas un mot. Faith se leva, s'approcha du seuil de la chambre et s'immobilisa, en la regardant droit dans les yeux.

— Est-ce que tu vas me dire bonjour ? demanda-t-elle doucement, une douleur insondable dans les yeux.

Zoe aurait tué sa sœur si elle avait vu sa mère dans cet état, mais Eloise était d'une tout autre nature. Elle avait le cœur froid, comme son père.

— Je t'avais demandé de ne pas être là, répliqua-t-elle en lui décochant un regard glacial.

C'était incroyable de la voir ainsi prendre parti. Alex avait bien travaillé...

— Je souhaitais te voir, déclara Faith d'un ton posé. Je ne veux pas que tu te sentes obligée de choisir entre papa et moi. Même s'il est décidé à divorcer, nous devons nous arranger pour rester une famille.

— Comment peux-tu dire ça ? C'est toi qui as fait exploser la famille, pas lui. Tu veux même vendre la maison !

— Je peux te montrer les lettres de l'avocat de ton père m'expliquant que je dois partir. Il essaie de me mettre dehors, Ellie. Et moi, je fais tout pour rester.

— Il n'a pas le choix, riposta-t-elle comme une petite fille capricieuse, avec tout l'argent que tu lui réclames !

— Nous n'avons pas encore parlé de ça ! Je ne sais même pas ce que je vais demander ! Pour l'instant, je ne souhaite qu'une chose, c'est de pouvoir rester dans cette maison. Je te jure sur nos têtes à tous que c'est la stricte vérité.

— Menteuse ! lança Eloise.

Et elle courut s'enfermer dans sa chambre, tandis que Faith se demandait comment sa propre fille pouvait la haïr, lui manquer de respect et se défier d'elle à ce point. Comment cela avait-il pu arriver, avec l'éducation qu'elle lui avait donnée ? Eloise n'était pas une enfant, c'était une adulte, et elle n'hésitait pas à utiliser les pires armes pour détruire sa mère… Certes, c'était Alex qui les lui avait mises entre les mains, mais elle n'avait eu aucun scrupule à les employer. Faith en avait le cœur brisé. Leur famille ne serait plus jamais la même. C'était le cadeau d'adieu d'Alex : avant de partir, il avait voulu semer la zizanie et la haine entre elles.

Une demi-heure plus tard, Eloise ressortit de sa chambre avec des sacs de vêtements, sous le regard désespéré de Faith.

— Pourquoi est-ce que tu me détestes autant, Ellie ?

Elle voulait vraiment le savoir. Elle ne comprenait pas ce qu'elle avait fait pour provoquer une telle réaction.

— Ce n'est pas toi que je déteste, c'est ce que tu as fait à papa.

Pendant une seconde, Faith fut tentée de lui révéler ce que son père lui avait fait à elle, de lui raconter qu'il avait amené une femme dans son lit... Son code de l'honneur lui interdisait de salir l'image du père aux yeux de ses enfants, mais il était de plus en plus difficile de résister, surtout face aux accusations d'Ellie. Elle dut faire appel à tout son courage pour ne pas entraîner ses enfants dans la guerre qui l'opposait à Alex.

— Je ne lui ai rien fait, Ellie, plaida-t-elle seulement. Je ne sais pas comment t'en convaincre. Ça me rend malade que tu aies si peu confiance en moi.

— Tu n'aurais jamais dû reprendre tes études. Tu as brisé le cœur de papa.

Elle ne se rendait même pas compte de l'absurdité de ce qu'elle disait. L'emprise que son père avait sur elle était totale.

— Je voudrais passer un peu de temps avec toi pendant que tu es là, dit Faith en essayant de rester calme et de ne pas pleurer.

— Je n'ai pas le temps, rétorqua méchamment Eloise. Et je veux profiter un peu de papa.

— On pourrait quand même déjeuner ensemble ?

— Je t'appellerai, conclut la jeune fille.

Elle dévala l'escalier et claqua la porte d'entrée derrière elle. Faith se laissa glisser à terre et éclata en sanglots. Elle n'avait souffert à ce point que le jour de la mort de Jack et le jour où Alex était parti. Elle avait l'impression qu'on lui avait arraché son enfant. Elle n'eut même pas le courage d'appeler Zoe ou Brad, ni d'allumer la lumière. Elle sanglota toute la journée, et finit par aller se coucher.

Ce que Faith ignorait, c'était que Zoe avait, elle aussi, décidé de venir à New York pour voir sa sœur, et qu'elles avaient eu une nouvelle dispute, aussi violente que la première. Zoe était révoltée de voir Eloise trahir leur mère et prendre fait et cause pour leur père. Elles s'affrontèrent pendant des heures, jusqu'à ce que Zoe reprenne son avion pour rentrer à Providence.

Les jours suivants, Faith eut l'impression qu'on lui maintenait la tête sous l'eau. Elle s'efforçait de continuer à suivre ses cours et de faire la paix avec Eloise, mais en vain : sa fille repartit à Londres sans qu'elles se soient revues. Deux jours plus tard, Faith était clouée au lit par une vilaine grippe.

Elle n'avait pas récupéré lorsqu'elle reçut les papiers du divorce. Alex continuait à se montrer intraitable et persistait à exiger qu'elle parte. Noyée dans sa détresse, Faith n'avait même pas le courage d'écrire à Brad. Il l'appelait tous les jours pour savoir comment elle allait, et parfois elle ne répondait même pas. Elle se contentait de rester assise dans son lit, le regard dans le vide, en écoutant ses messages sur le répondeur.

— Je suis inquiet pour toi, dit-il lorsqu'elle décrocha enfin, après quatre jours de silence.

Il l'avait même appelée à minuit, et elle n'avait pas répondu.

— Ça va, mentit-elle.

Elle toussait encore un peu, mais était retournée en cours.

— Tu parles ! Tu as une voix de tuberculeuse, et tu as l'air au fond du gouffre.

Il savait qu'Eloise était rentrée à Londres sans la revoir, et cela le rendait malade. La jeune fille était de toute évidence complètement manipulée par Alex, et Brad était révolté de voir à quel point Faith souffrait.

— Tu as besoin de vacances, déclara-t-il. Je devrais t'emmener avec moi en Afrique.

— Je suis sûre que Pam adorerait ça...

— Au contraire, elle serait ravie que tu prennes sa place. Elle déteste les pays du tiers-monde, et le voyage l'angoisse. Je n'ai jamais vu autant de médicaments et de produits antimoustiques de ma vie ! Elle en emporte une pleine valise, ainsi qu'une tonne de boîtes de conserve. Pam ne laisse jamais rien au hasard.

— Va-t-elle t'obliger à voyager en smoking ? demanda Faith avec un petit rire.

Une fois de plus, il avait réussi à la dérider.

— Sûrement. En fait, je vais passer par New York. Elle prendra un vol d'ici, et on se retrouvera à Londres. Malheureusement, je ne serai à New York que pour une journée et une nuit.

Cette fois, il devait vraiment rencontrer un magistrat au sujet d'un jeune garçon qu'il redoutait de voir condamner à la peine capitale. Il voulait prendre l'avis d'un procureur new-yorkais qu'il connaissait et respectait beaucoup, et avait pour cela besoin d'au moins deux heures de liberté.

— Dîneras-tu avec moi si tu es toujours en vie ? demanda-t-il, soucieux de détendre l'atmosphère. Qu'est-ce que tu prends pour soigner cette vilaine toux ?

— Pas grand-chose... Les médicaments me font dormir, et j'ai trois devoirs à rendre.

— Je ne sais pas si tu es au courant, mais les étudiants morts n'ont pas de bonnes notes.

— C'est bien ce que je craignais ! répondit Faith en riant. Quand arrives-tu ?

— Jeudi. Réserve un endroit pour dîner, à moins que tu ne préfères que je cuisine pour toi.

Il était prêt à tout pour passer un peu de temps avec elle, et se réjouissait que Pam ait refusé de transiter par New York.

— J'ai hâte de voir mes fils, tu ne peux pas imaginer ! lança-t-il gaiement.

Mais il regretta aussitôt d'avoir dit cela, en songeant qu'il venait sans doute de lui rappeler sa dispute avec Eloise...

— Et moi, j'ai hâte de te voir, toi, dit-elle en guise de réponse.

Presque un mois s'était écoulé depuis sa dernière visite à New York.

— Moi aussi, Fred. Prends bien soin de toi.

Il l'avait trouvée très déprimée, et s'inquiétait sincèrement pour elle. De plus, il savait qu'à tous ses tracas s'ajoutait l'attente des résultats de sa procédure d'admission en faculté de droit... Mais en vérité, c'était le cadet des soucis de Faith pour le moment.

Trois jours plus tard, quand Brad arriva, elle se sentait mieux et presque guérie de sa grippe, mais elle était encore plus pâle qu'un mois plus tôt. Dès qu'il franchit le seuil de la maison, Brad mesura sur son visage le mal que lui avaient causé Ellie et l'histoire de la maison.

Elle l'accueillit comme le grand frère qu'il était pour elle, en se jetant littéralement dans ses bras. Il la souleva et la serra contre lui comme une petite fille, en constatant avec horreur qu'elle était encore plus maigre qu'avant.

Elle lui annonça qu'elle avait décidé de cuisiner à la maison et qu'elle n'avait pas envie de sortir, ce qui l'inquiéta encore davantage. Il parvint toutefois à la convaincre d'aller manger un banana split chez Serendipity, et fut heureux de la voir se jeter dessus, alors qu'elle n'avait pratiquement pas touché au dîner qu'elle avait préparé.

— Alors, combien de temps vas-tu rester en Afrique ? demanda-t-elle en prenant une grande cuillérée de glace au chocolat.

Il lui sourit et essuya une goutte de chantilly sur le bout de son nez.

— Comment fais-tu pour te barbouiller de nourriture à chaque fois que tu manges ? la taquina-t-il.

Puis il lui dit qu'il resterait deux semaines avec ses fils. La perspective de ne pas pouvoir lui parler pendant tout ce temps le paniquait un peu... Il aimait savoir comment elle allait et rester à son écoute. Ils se parlaient ou s'écrivaient quasiment tous les jours, depuis maintenant cinq mois. Elle faisait partie de sa vie, et communiquer avec elle lui était devenu indispensable. Il ne se contentait pas d'écouter ses problèmes et ses soucis, il lui confiait aussi les siens. Et il redoutait de la laisser ainsi, sans possibilité de le joindre pendant deux semaines. Il lui avait donné une liste de numéros de téléphone, mais ils ne correspondaient qu'à des endroits où elle pouvait lui laisser des messages, rien de plus. De même qu'il n'avait pu joindre ses fils à la réserve où ils vivaient, elle ne pourrait lui parler tant qu'il serait auprès d'eux.

— Deux semaines sans t'entendre, ça va me paraître long, dit-il d'un ton morose.

Il pourrait faire la queue pendant des heures à la poste, comme ses fils, en espérant obtenir une ligne... Mais Pam trouverait certainement cela étrange.

— Je sais... C'est justement ce que j'étais en train de penser.

Faith avait toujours eu des amies – des femmes dont les enfants avaient grandi avec ses filles, des bénévoles travaillant dans les mêmes associations qu'elle... Mais depuis la mort de Jack, elle s'était isolée de tout le monde. C'était en partie à cause d'Alex : ce dernier n'appréciait guère les amies de sa femme, et comme il était devenu de plus en plus difficile de leur expliquer pourquoi il ne voulait jamais les voir, Faith avait fini par s'éloigner d'elles. A présent, Brad était la seule personne à qui elle pût se confier. Depuis qu'elle avait repris ses études, et surtout depuis qu'Alex avait annoncé son intention de divorcer, elle ne voyait plus personne d'autre. Brad était devenu non seulement son meilleur ami, mais le seul.

— Pendant mon absence, tu as intérêt à être raisonnable, Fred, prévint-il en lui volant un peu de banana split. Est-ce que je peux compter sur toi pour prendre soin de toi ?

Il était profondément inquiet pour elle.

— Non, je suppose que non. Mais ça ira. Peut-être que j'aurai des nouvelles de mes inscriptions en faculté avant ton retour, ça me changera les idées... Mais il est probablement encore trop tôt.

— En attendant, sois bien sage. Mange, dors, va en cours, et parle avec Zoe autant que possible.

Il n'avait encore jamais rencontré la jeune fille, mais après tout ce que Faith lui avait raconté à son sujet, il avait l'impression de la connaître ; il l'admirait et estimait qu'elle était de bon conseil pour sa mère. De son côté, Faith songeait que Brad allait passer par Londres, la ville où vivait Eloise... Etrange coïncidence. Hélas, il ne pourrait ni la voir, ni lui porter de message. Faith mettait un point d'honneur à continuer à l'appeler plusieurs fois par semaine, pour laisser la porte ouverte. Mais Ellie la rejetait toujours. Leurs conversations étaient brèves et sans issue – quand Ellie décrochait, car, la plupart du temps, elle filtrait les appels de sa mère.

Comme à leur habitude, ils rentrèrent à pied jusqu'à chez elle, et Brad entra un moment. Cette fois, ils s'installèrent dans la chambre de Faith. Brad fit du feu, avant de s'installer dans le fauteuil qu'Alex avait occupé pendant tant d'années. Elle s'assit à ses pieds, et il lui caressa doucement les cheveux. Il dégageait tant de chaleur humaine, tant d'affection que Faith ne pouvait s'empêcher d'envier Pam. Mais manifestement, celle-ci ne le voyait plus ainsi, ou ne voulait plus le voir ainsi. Elle le tenait à distance, et ce depuis des années. Si elle avait besoin de réconfort, sans doute se tournait-elle vers ses amis... Alors que Faith savourait avec délices l'affection qu'il lui réservait.

— Tu vas me manquer, Fred, murmura-t-il alors qu'elle posait sa tête sur ses genoux.

Il se baissa pour lui prendre la main, et ils restèrent ainsi côte à côte un long moment, à regarder le feu en silence. Et, pour la première fois, Faith eut l'impression d'éprouver pour lui un sentiment nouveau. C'était comme si une digue s'ouvrait d'un seul coup en elle, laissant déferler une vague d'émotions... Elle ne savait comment réagir, et parut soudain effrayée.

— Ça va ? demanda Brad, qui avait vu passer un éclair de panique dans ses grands yeux. Qu'est-ce qui se passe ?

« Quelque chose d'affreux », répondit-elle intérieurement. Elle n'avait pas le droit d'éprouver de tels sentiments pour lui !

Elle se contenta de secouer la tête sans répondre.

— Tu as eu l'air effrayée, d'un seul coup. Tu pensais à la maison ?

Ne trouvant pas d'autre explication, elle acquiesça. Mais la maison n'avait rien à voir dans ce qu'elle ressentait... Elle redoutait soudain que Zoe n'eût raison – non à propos de Brad, mais d'elle-même. Elle était tellement bien avec lui qu'elle avait soudain envie de partager plus... Elle était tout simplement en train de tomber amoureuse de Brad. Il eût été aussi horrifié qu'elle si elle le lui avait dit... Et elle ne voulait en aucun cas perturber sa vie et semer le trouble dans son esprit. Quels que fussent ses sentiments, elle devait les refouler. Il ne fallait pas qu'il les devine.

Elle resta étrangement calme tout le reste de la soirée, et Brad s'en aperçut. Il était aussi soucieux qu'elle de ne pas se laisser aller, de ne pas lui donner l'impression de profiter de la situation. Il voulait simplement qu'elle soit bien, qu'elle se sente en sécurité avec lui. Et c'était le cas.

Il était presque minuit quand il prit congé. Le lendemain matin, il devait se lever tôt pour se rendre à son rendez-vous, et de là filer directement à l'aéroport. A ce moment-là, elle serait en cours. Elle lui proposa de « sécher » pour l'accompagner, mais il refusa qu'elle perturbe son emploi du temps pour lui.

— Je t'appellerai de l'aéroport, à Londres. Et ensuite, il faudra que nous fassions un gros effort pendant deux semaines. Tu crois que ça ira ?

Il n'y avait pas d'autre choix. Mais la perspective d'être privés de moyens de communication pendant quinze jours les rendait nerveux. Faith savait que les liens qu'ils avaient tissés étaient exceptionnels, et qu'ils y étaient tous deux très attachés. Ils allaient devoir apprendre à se débrouiller l'un sans l'autre, véritable test d'autonomie...

— Je vais me sentir bien seule, sans personne à qui écrire.

— Oui, moi aussi...

Mais ils ne pouvaient rien y faire.

Il la serra longuement dans ses bras, si fort qu'elle pouvait à peine respirer.

— Je t'aime, Fred, lui dit-il, exactement comme Jack l'aurait fait.

Mais ce qu'elle éprouvait était si différent, brusquement... C'était comme si, insidieusement, à son insu, Brad s'était glissé dans une autre partie de son cœur. Maintenant, elle devait l'en déloger, sans qu'il apprenne jamais ce qui s'était passé. C'était à elle de faire ce travail, elle en avait conscience, et elle ne lui dit rien en l'embrassant tendrement sur la joue, avant de le laisser partir.

Le lendemain, elle quitta la maison vers sept heures et demie et se dirigea vers l'église Saint-Jean-Baptiste, à deux pâtés de maisons de chez elle. Il tombait une petite pluie glacée, qui lui apparut comme une punition bien méritée. Avant la messe, elle se confessa, impatiente de se soulager du fardeau qu'elle venait de se découvrir. Elle en avait besoin, convaincue d'être coupable d'une faute terrible : elle était amoureuse de Brad, de tout son cœur et de toute son âme, alors qu'il était marié à quelqu'un d'autre et tenait à le rester. Elle n'avait pas le droit de mettre sa vie et son couple en péril, ni de troubler sa tranquillité d'esprit. Elle se disait, et dit au prêtre dans le confessionnal, qu'elle avait abusé de l'amitié fraternelle dont il lui avait fait cadeau, et qu'à présent elle devait trouver un moyen d'enfouir les sentiments qu'elle éprouvait pour lui.

Le prêtre lui donna son absolution et lui ordonna de dire dix « Je vous salue Marie », ce qui parut à Faith une pénitence bien légère. Elle était convaincue de mériter une punition sévère.

Elle récita les dix prières et dit un rosaire entier, avec le chapelet qu'il lui avait offert. Mais, en le tenant dans ses mains tremblantes, elle ne pouvait s'empêcher de penser à lui.

Elle était encore profondément troublée quand elle rentra chez elle, toujours sous la pluie. En écoutant les messages sur le répondeur, elle reconnut immédiatement sa voix. Il l'avait appelée avant de quitter l'hôtel pour se rendre à son rendez-vous ; il la remerciait pour la soirée de la veille. Sa voix était aussi douce que d'habitude, ses mots aussi tendres, et elle ferma les yeux, se laissant submerger par une vague d'amour pour lui. Elle était maintenant soulagée de le savoir en route pour l'Afrique. Etre complètement séparée de lui pendant deux semaines lui ferait du bien : elle avait besoin de temps pour recouvrer ses esprits et revenir à des sentiments plus sages.

20

Avant d'embarquer pour Londres, Brad n'appela pas Faith car il savait qu'elle se trouvait encore à l'université. Mais il ne cessa de penser à elle en attendant à l'aéroport, puis tout au long du vol. Les yeux rivés au hublot, il était incapable de la chasser de son esprit. Le souvenir des moments qu'ils avaient passés ensemble, à bavarder devant le feu, l'emplissait de nostalgie émerveillée. C'était tout ce dont il avait toujours rêvé.

Faith méritait une vie heureuse, avec quelqu'un qui l'aimerait et serait présent à son côté. Il n'avait aucune intention de quitter Pam et ne voulait pas imposer à Faith une relation épisodique avec un homme marié. Jamais il ne lui ferait une chose pareille, et pour cette raison il se réjouissait qu'elle ne sache rien des sentiments qu'il éprouvait pour elle. Mais, contrairement à Faith, il n'espérait pas les faire disparaître. Il désirait simplement les cacher, les garder au plus profond de lui-même comme un trésor. Après ses fils, elle était devenue l'être le plus cher à son cœur.

Au bout d'un moment, il finit par s'endormir, ne se réveillant que pour le dîner avant de sombrer de nouveau jusqu'à l'atterrissage. Mais, lorsqu'il s'éveilla, il pensait encore à elle et avait l'impression qu'elle avait peuplé tous ses rêves.

L'avion se posa vers une heure du matin, heure de New York, et il fonça vers une cabine téléphonique pour l'appeler. Il voulait lui dire au revoir avant de rejoindre Pam à l'hôtel. Ils partaient pour la Zambie le soir même.

Le téléphone sonna deux fois avant que Faith ne réponde d'une voix ensommeillée.

— Allô ?

Elle n'avait aucune idée de qui pouvait la réveiller ainsi. Mais elle sourit en reconnaissant la voix de Brad.

— Désolé de te réveiller, s'excusa-t-il, je voulais seulement te dire au revoir encore une fois.

— Comment s'est passé ton rendez-vous à New York ? demanda-t-elle en s'asseyant au bord du lit, complètement réveillée.

— Très bien. Mon ami m'a donné des conseils intéressants. Je ne sais pas si ça marchera, mais je me battrai jusqu'au bout en rentrant.

Faith savait à quel point son métier lui tenait à cœur. Deux mois plus tôt, il avait perdu un procès, ce qui avait eu pour conséquence d'envoyer un adolescent en prison pour cinq ans. Brad en avait été malade, convaincu que c'était sa faute parce qu'il n'avait pas bien fait son travail.

— Je suis sûre que ça marchera, dit Faith d'un ton rassurant. Quel temps fait-il à Londres ?

— Froid et humide, comme d'habitude.

— C'est pareil ici, nota-t-elle avec un sourire.

Malgré elle, elle était contente qu'il ait appelé.

— Je regrette de ne pas pouvoir aller voir Eloise à ta place. Je crois que j'aurais pu la convaincre de m'écouter... En tout cas, j'aurais essayé de toutes mes forces.

Mais tous deux savaient qu'une telle visite était inconcevable. Il n'était qu'un étranger pour la fille de Faith.

— J'aurais aimé aussi… Tu as quelque chose de spécial à faire à Londres ?

Faith avait du mal à l'imaginer passant deux semaines complètes avec Pam, alors qu'elle savait bien qu'ils menaient des vies quasiment séparées. Il lui avait d'ailleurs dit qu'il appréhendait ces vacances. Peut-être qu'elle aussi, d'ailleurs. Ils étaient devenus des étrangers l'un pour l'autre, et leurs fils étaient leur seul lien.

— Pas grand-chose. Pam voudra aller faire du shopping, alors je pense que j'irai faire un tour au British Museum. Sinon, peut-être que je l'accompagnerai, mais le lèche-vitrines me rend dingue assez rapidement.

Soudain, il eut une idée.

— Mais peut-être que j'irai dans une église et que je mettrai des cierges pour toi et pour Jack.

Toujours assise dans le noir, Faith sourit en imaginant la scène.

— On devient vite dépendant, n'est-ce pas ?

— Oui, admit-il en riant. Et, curieusement, je crois très fort au pouvoir du symbole. Tant que la petite flamme brûle, c'est comme si la personne pour qui tu l'as allumée était protégée, ou comme s'il allait lui arriver quelque chose de bien. Je voudrais t'offrir ça.

— C'est très gentil. Je suis désolée d'avoir raté tes appels ce matin, je suis allée très tôt à la messe.

— C'est drôle, c'est ce que je me suis dit. Tu avais l'air terriblement grave hier soir, Fred. Ça allait ?

Elle n'avait pas cessé de penser à lui, et à ce qu'elle ressentait pour lui. Mais bien sûr, il était hors de question de le lui dire, sans quoi elle n'aurait plus qu'à retourner se confesser tout de suite.

— Ça va, assura-t-elle. Simplement, il se passe beaucoup de choses dans ma vie en ce moment…

— Je sais. C'est précisément pour ça que je m'inquiète.

Puis, après un instant de silence, il poussa un soupir et déclara sans enthousiasme qu'il allait devoir rejoindre Pam.

— Fais bien attention à toi, Fred. Je t'appellerai dès mon retour.

— Toi aussi, prends soin de toi. Et profite bien de ce séjour.

Et ce fut tout.

Faith resta allongée sur son lit dans le noir pendant plusieurs heures. Chasser Brad de son cœur n'allait pas être facile... Pas plus que de se convaincre que tout ce qu'ils avaient vécu jusqu'à présent n'était que de l'amitié. Elle ne savait pas du tout comment s'y prendre.

Il était à peine plus de six heures du matin quand Brad avait atterri, mais le temps de passer la douane, d'appeler Faith et de prendre un taxi jusqu'au centre, il était près de neuf heures lorsqu'il arriva au Claridge, où Pam était descendue pour la nuit. Quand il entra dans la chambre, elle était déjà partie. Un petit mot de sa main lui expliquait qu'elle serait de retour à temps pour partir à l'aéroport, et que toutes ses affaires étaient prêtes. Comme d'habitude, elle en avait apporté beaucoup trop...

Brad prit une douche et se rasa, avant de commander un petit déjeuner et d'aller faire un tour au British Museum. En sortant, il trouva une jolie église sur Kingsway, pas très loin du musée, et entra comme il l'avait promis à Faith. Il alluma deux cierges, un pour elle et un pour Jack, et resta assis dans l'église pendant un long moment, en pensant à elle. Quelle femme exceptionnelle... Il aurait tant aimé pouvoir faire plus pour l'aider.

En sortant de l'église, il marcha longtemps au hasard des rues. Arrivé sur New Bond Street, il flâna d'une galerie marchande à l'autre, s'arrêtant chez Asprey pour admirer les animaux en argent et les objets en cuir. Soudain, il aperçut Pam qui sortait de chez Graff, l'un des plus grands joailliers du monde.

— Ne me dis pas que tu viens d'acheter quelque chose ou je vais avoir une crise cardiaque, dit-il avec une angoisse feinte.

Elle éclata de rire.

— Rassure-toi, je regardais seulement les vitrines, dit-elle d'un air innocent.

Elle n'avait pas besoin de lui dire qu'elle venait de s'offrir un nouveau bracelet en diamants et une montre... La boutique les expédierait directement chez eux. Elle aurait tout le temps alors de lui en parler.

Ils regagnèrent l'hôtel ensemble dans le taxi qui attendait devant la boutique. Pam était très sophistiquée, avec son tailleur-pantalon et son imperméable doublé de fourrure. Brad avait du mal à l'imaginer en Afrique...

Le chauffeur avait entassé sur le siège avant une demi-douzaine de sacs contenant ses achats de la journée, et Brad ne put réprimer un soupir en les découvrant.

— J'espère que tu as pensé à acheter une valise, si tu comptes emporter tout ça en Zambie...

Il ne voulait même pas imaginer ce qu'elle avait pu acheter exactement. Les sacs venaient de chez Gucci, Hermès, Saint Laurent et Chanel...

— J'ai de la place dans mes valises, ne t'inquiète pas, dit-elle en pénétrant dans le hall de l'hôtel d'un pas décidé, suivie des grooms qui portaient ses emplettes.

« Quel contraste avec Faith », songeait Brad. Pam était forte, pleine d'assurance, prompte à donner des ordres aux gens. Elle aurait volontiers gouverné le monde entier, si on lui en avait donné l'occasion. Faith, au contraire, était infiniment douce et calme, toute en subtilité. Auprès d'elle, Brad éprouvait toujours une profonde sérénité, alors qu'avec sa femme il avait l'impression d'être assis dans le cratère d'un volcan sur le point d'entrer en éruption. Elle n'était qu'énergie et tension mal contenues.

Ils n'échangèrent pas une parole dans l'ascenseur, mais, alors qu'ils entraient dans leur chambre, Pam se tourna vers lui. Elle le regardait comme si elle ne l'avait pas vu depuis très longtemps — ce qui, en un sens, n'était pas faux, même s'ils vivaient en théorie sous le même toit.

— C'est trop bête que les garçons soient en Afrique, dit-elle en se laissant tomber dans l'un des gros fauteuils de leur suite.

Elle ne fréquentait que les hôtels de luxe et choisissait toujours une des plus grandes suites.

— Si seulement ils avaient choisi un endroit plus civilisé comme Paris ou New York ! poursuivit-elle.

D'un coup de talon, elle envoya ses chaussures voler à l'autre bout de la pièce.

— Je ne pense pas qu'ils en auraient profité autant, répondit Brad en prenant une bouteille de vin dans le réfrigérateur.

— Peut-être...

Elle accepta le verre qu'il lui proposait sans le quitter des yeux. Elle le connaissait bien et devinait sans peine que quelque chose le tracassait.

— Alors, comment s'est passé ton petit séjour à New York ?

— Très bien, dit-il d'un air satisfait. Joel Steinman m'a dit ce que je voulais savoir sur le cas dont je m'occupe en ce moment. Tu sais, le gosse passible de la peine de mort.

— Tant mieux.

Brad était vaguement surpris ; d'ordinaire, elle ne s'intéressait jamais à son travail.

— Et ta petite amie ?

Touché, songea Pam. Il pourrait bien répondre ce qu'il voudrait, elle lisait la culpabilité dans ses yeux.

— Faith ? demanda-t-il aussi naturellement que possible.

Il n'allait pas lui cacher qu'il l'avait vue et lui donner le plaisir de le découvrir elle-même plus tard.

— Elle va bien, j'ai dîné avec elle hier soir.

— Est-ce qu'elle s'est rendu compte que tu étais amoureux fou d'elle ?

Il n'y avait aucune émotion dans la question de Pam. De toute façon, Brad lui donnait tout ce qu'elle attendait de lui. La respectabilité, une sorte de partenariat limité, et l'agrément de ne pas avoir à rompre, ce qui l'aurait contrariée autant que lui. Le statu quo leur convenait à tous les deux.

Néanmoins, sa question déplut à Brad.

— Non, parce que c'est faux.

Pam avait compris la vérité bien avant lui, mais il n'avait aucune intention d'admettre qu'elle avait raison. Même s'il savait que c'était le cas, au plus profond de lui-même. Un tel aveu, surtout à Pam, aurait été bien trop dangereux à tous les égards. Et il devait protéger Faith.

— Je te l'ai déjà dit, nous sommes amis depuis des lustres.

— Je ne comprends pas comment tu peux être aussi malhonnête, que ce soit avec toi, avec moi ou avec elle. Sans doute avec les trois, en fait.

— Jolie façon de voir les choses, observa Brad avec aigreur en avalant une gorgée de vin.

— Arrête de prendre cet air hautain, railla-t-elle. Plus tu es sur la défensive, plus tu prouves que tu es amoureux. Mais ça n'a pas d'importance, Brad, on connaît ça tous les deux ! Pourquoi prends-tu la mouche comme ça ? Qu'a-t-elle donc de sacré, cette fille ?

— C'est la sœur de mon meilleur ami, qui est mort. J'ai grandi avec elle, je la considère comme ma petite sœur, et je trouve tes allusions particulièrement déplacées.

— Excuse-moi, chéri. Je suis comme ça : je dis les choses comme je les vois. Je te connais bien, et je devine que tu ressens quelque chose pour elle. Pas de quoi en faire un drame ! Ça ne me fait ni chaud ni froid, alors pourquoi est-ce que ça a l'air de te troubler à ce point ?

Elle avait une détestable tendance à s'immiscer dans sa vie sans la moindre once de tact, et c'était sans doute ce qui avait gâché leur union. Elle trouvait toujours le moyen de le martyriser. Au contraire, il appréciait infiniment la délicatesse de Faith, qui déployait toujours des trésors de douceur avec lui.

— Je propose qu'on laisse tomber ce sujet de conversation pour le reste du voyage, ça se passera beaucoup mieux.

Ils étaient sur le point de passer ensemble plus de temps qu'ils n'en avaient passé depuis des années. A San Francisco, ils pouvaient aisément s'éviter, et avaient chacun leur vie, mais pendant les vacances qui s'annonçaient, ils seraient condamnés à tout faire ensemble. Ce qui était loin de réjouir Brad.

Ils parvinrent à se tenir à l'écart l'un de l'autre durant les deux heures qui suivirent. Pam prit un bain pendant que Brad faisait une sieste, puis ils commandèrent des sandwiches avant de partir pour l'aéroport. La nuit s'annonçait longue... Un premier trajet de douze heures les attendait, puis une fois à Lusaka, en Zambie, ils devraient prendre un second avion pour Kalabo, de l'autre côté du fleuve Zambèze. Les garçons avaient promis de venir les chercher avec une camionnette, pour les conduire dans la réserve où ils vivaient et travaillaient.

Une fois à l'aéroport d'Heathrow, Pam disparut pour faire les boutiques. Brad, de son côté, alla s'acheter un livre. Il essaya de téléphoner à Faith, mais elle était sortie. Il se contenta donc de lui laisser un message, lui disant qu'il l'embrassait.

Quand Pam et lui se retrouvèrent une demi-heure plus tard devant la porte d'embarquement, elle lui tendit un petit paquet cadeau.

— Qu'est-ce que c'est ?

— Un cadeau pour toi. Je voulais m'excuser de m'être moquée de toi à propos de ta petite amie.

Elle voulait faire la paix avec lui avant le voyage.

— Merci, Pam, dit-il, surpris.

Il ouvrit la boîte et découvrit un petit appareil photo avec objectif panoramique. Idéal pour leur voyage.

Brad regarda sa femme, sincèrement touché.

— C'est un cadeau superbe, merci beaucoup.

Pendant un bref instant, il se rappela qu'ils s'étaient aimés un jour, et qu'ils avaient été proches. Il y avait si longtemps de cela… Beaucoup d'eau avait coulé sous les ponts, charriant trop de déceptions pour que renaisse un jour leur amour, ou même leur amitié. Mais pour ce voyage, il leur suffirait d'être en bons termes.

Ils prirent place à bord de l'avion, commandèrent leur repas, et choisirent chacun les films qu'ils voulaient regarder sur leur écran individuel. Pam sortit aussi la pile de magazines féminins qu'elle avait achetés spécialement pour le voyage, ainsi que des dossiers apportés de son bureau. Au moment de leur départ, elle travaillait sur plusieurs grosses affaires, heureusement son père avait promis de prendre le relais en son absence. Au sein du cabinet, il était le seul en qui elle eût réellement confiance. En général, elle ne comptait que sur elle-même. Malgré le nombre d'avocats et de personnes compétentes qui l'entouraient, elle préférait faire cavalier seul, mal à l'aise en équipe. Sur ce point, Brad lui ressemblait. A l'époque où ils travaillaient ensemble, ils ne s'étaient jamais vraiment fait confiance, chacun préférant s'occuper de ses propres clients car ils n'étaient jamais d'accord. C'était l'une des raisons qui avaient poussé Brad à partir.

Pam avait très mal vécu ce départ, parce qu'elle avait du même coup perdu tout contrôle sur lui. Or, c'était précisément ce que Brad appréciait depuis qu'il travaillait seul. Il n'avait plus de comptes à rendre à Pam ou à son père.

Pendant le trajet, ils se parlèrent très peu. Tous deux arrivèrent épuisés à la première escale ; ils n'avaient pas fermé l'œil. Brad n'avait même pas réussi à se concentrer sur les films, car il n'avait cessé de penser à Faith. Il se serait fait hara-kiri plutôt que de l'admettre, mais Pam avait raison : Faith occupait toutes ses pensées. Il s'inquiétait de ce qu'elle ressentait, se demandait si elle allait bien, pensait à ce que lui avait fait Alex et à ce que ce dernier risquait d'inventer de nouveau pour lui nuire...

— Tu as vraiment une sale tête, asséna Pam sans ménagement alors qu'ils attendaient leur correspondance.

— Je suis fatigué, reconnut-il.

— Moi aussi. J'espère que les garçons apprécieront qu'on ait fait tout ce trajet pour venir les voir. Je commence à me dire que nous aurions pu attendre qu'ils rentrent à la maison.

Mais Brad ne regrettait rien. Ils lui avaient tellement manqué... Il s'efforça de convaincre Pam qu'ils allaient en profiter pour faire un voyage formidable, mais à peine étaient-ils montés à bord du second avion qu'elle commença à s'inquiéter de la qualité de la nourriture. Même l'eau minérale lui semblait suspecte. Heureusement, cette fois, ils s'endormirent tous les deux, tant ils étaient épuisés.

Ils arrivèrent à Kalabo à l'aube et s'éveillèrent en même temps, lorsque l'avion amorça sa descente. Le soleil se levait, énorme ballon orange au-dessus des montagnes, et dans la savane ils distinguèrent des troupeaux d'animaux. Brad n'avait jamais rien vu de plus beau. L'espace semblait s'étendre à l'infini, et seules quelques routes et de très rares véhicules troublaient l'immensité. Au bord de la piste, des Africains en costume tribal attendaient que les passagers descendent de l'avion.

— Eh bien, nous y voilà, dit Pam d'un air un peu tendu. On dirait bien qu'on a quitté l'Amérique...

Brad se mit à rire. Pam n'aimait pas s'éloigner de son cadre familier ; elle préférait rester là où elle se sentait à l'aise. Or, rien n'aurait pu être plus exotique que l'endroit où ils venaient d'atterrir... Brad, lui, était ravi, et il avait déjà oublié le long et pénible voyage. Il allait revoir ses fils après neuf mois de séparation, et seul cela comptait pour lui. Il serait allé jusqu'en enfer s'il l'avait fallu.

Ils descendirent sur la piste et gagnèrent le terminal pour passer la douane. Un homme pieds nus, vêtu d'un short et d'une chemisette à épaulettes, leur sourit à tous les deux, vérifia leurs passeports et les laissa passer. Brad savait qu'en n'importe quelle autre circonstance, Pam aurait été terrifiée de croiser un tel individu ! En vérité, elle aurait donné cher pour rentrer chez elle. Seule la perspective de voir ses fils la réconfortait, mais elle trouvait le prix à payer un peu élevé...

Quand il aperçut les garçons, Brad laissa échapper un cri de joie. Ils attendaient dehors, à côté d'une camionnette, et dès que leurs parents franchirent les portes de l'aérodrome, suivis d'un porteur, ils se précipitèrent vers eux pour se jeter à leur cou. Ils étaient superbes, les cheveux décolorés par le soleil et si bronzés qu'on eût dit des surfeurs. Ils ressemblaient trait pour trait à leur père, jusqu'à la fossette au menton. Seuls détonnaient leurs cheveux blonds, dont personne n'avait pu retrouver la trace dans la famille. Brad avait conclu qu'ils devaient avoir un ancêtre suédois... Tout petits, ils avaient des cheveux si blonds qu'on eût dit des albinos. A présent, Brad songea qu'ils avaient exactement la même couleur de cheveux que Faith... Une raison de plus pour penser à elle, même ici.

— Vous êtes beaux comme des princes ! s'écria-t-il.

Non seulement ils avaient bonne mine, mais ils s'étaient musclé le dos, les épaules et les bras à force de travailler. C'était un tel bonheur de les voir tous les deux ! Même Pam semblait ravie, maintenant qu'elle les avait retrouvés.

— Toi aussi tu as l'air en super forme, papa ! dit Dylan pendant que Jason prenait les sacs de sa mère.

Seul Brad était capable de les distinguer l'un de l'autre. Il les trouvait réellement différents, alors que Pam ne savait jamais vraiment auquel elle s'adressait. Quand les jumeaux étaient petits, elle avait contourné le problème en leur mettant des baskets de couleurs différentes, qu'ils avaient rapidement appris à échanger... Même à présent qu'ils étaient adultes, il restait difficile de les différencier. Jason mesurait un ou deux centimètres de plus que son frère, mais cela ne se voyait pas.

Ils abreuvèrent leurs parents d'informations et de statistiques, tout en les conduisant au parc national de Liuwa Plain, près du fleuve Zambèze, leur lieu de résidence et de travail. Ils leur décrivirent les paysages, nommèrent les animaux qu'ils voyaient, parlèrent des tribus qui vivaient dans la savane, le long de la piste. Tout ce qu'ils découvraient ressemblait exactement à ce que Brad avait imaginé, et il se réjouissait de plus en plus d'être venu. A présent, il comprenait mieux l'expérience extraordinaire que ses fils vivaient ici. Il savait qu'ils ne l'oublieraient jamais et qu'il leur serait difficile de connaître de nouveau quelque chose d'aussi fort. Leur retour était prévu au mois de juillet, mais ils envisageaient de passer un an à Londres, ou de voyager pendant six mois en Europe avant de rentrer aux Etats-Unis pour continuer leurs études ou chercher du travail. Pam était bien décidée à les pousser à devenir avocats, mais en les voyant si heureux ici, Brad n'était pas certain qu'elle ait beaucoup de chance de parvenir à ses fins. Ils avaient découvert un autre monde, bien plus grand. Cette expérience n'avait pas de prix... Et par ailleurs, ni l'un ni l'autre n'avait jamais exprimé la moindre envie de faire du droit.

Il leur fallut rouler quatre heures sur une mauvaise route, étroite et poussiéreuse, pour atteindre le parc national où se trouvait la réserve. Pam avait l'impression d'être perdue au bout du monde... Brad, comme ses fils, était enchanté de ce dépaysement, mais pas elle. En réalité, elle paraissait prête à rentrer immédiatement en Amérique.

Et ce fut pire en arrivant au camp. Le personnel de la réserve dormait sous des tentes dressées dehors, tandis que deux bâtiments étroits servaient respectivement de bureau et de réfectoire. Deux petites cases étaient destinées aux invités, et les garçons en avaient réservé une pour eux, mais Brad proposa de partager leur tente.

— Hors de question pour moi ! s'exclama Pam, ce qui les fit tous rire.

Une grande tente équipée d'un tuyau d'arrosage faisait office de douche, et les toilettes se trouvaient dans une sorte de caravane. C'était l'un des plus beaux parcs naturels de la région, mais la réserve ne jouissait pas du même prestige et du même confort que certaines réserves kenyanes, que Pam eût peut-être préférées... La perspective de passer deux semaines dans cet environnement la plongeait dans une profonde détresse.

— Oh, mon Dieu... murmura-t-elle quand Dylan ouvrit une porte pour lui montrer les toilettes. C'est vraiment *ça* ?

On aurait dit qu'elle espérait qu'une salle de bains allait tomber du ciel.

— Ça ira très bien, tu verras, dit calmement Brad en posant une main rassurante sur son épaule.

Mais dès que les garçons furent partis chercher des couvertures, elle se retourna pour lui jeter un regard noir.

— Rappelle-moi qui a eu l'idée de venir ici !

Brad se mit à rire.

— Tes fils voulaient nous montrer l'endroit où ils vivent depuis neuf mois ! Quoi de plus naturel ? Tu verras, tu t'habitueras.

— Ça m'étonnerait fort.

Et Brad la connaissait suffisamment pour savoir qu'elle avait raison... Mais il savait aussi qu'elle ferait un effort. Quoique gâtée et attachée à son confort quotidien, elle était capable de s'adapter à des situations difficiles. Pour ses fils, elle ferait contre mauvaise fortune bon cœur, il en était certain.

La tâche s'annonçait toutefois ardue... Elle manqua s'évanouir en voyant son premier serpent, et quand les garçons l'avertirent que des punaises volantes, de la taille de son poing, lui rendraient probablement visite la nuit, elle eut envie de faire sa valise pour reprendre le premier avion.

Ils passèrent la soirée dehors, autour du feu, à écouter les mille bruits de la nuit africaine. Brad n'avait jamais rien connu de pareil de sa vie, et il était aux anges.

Le lendemain, il partit faire une longue promenade en voiture avec les garçons, sur les pistes sablonneuses, jusqu'à la petite ville de Lukulu. Pam resta au camp, refusant de s'aventurer trop loin de peur de voir le 4x4 attaqué par un lion, chargé par un rhinocéros ou renversé par un buffle. Elle n'avait pas complètement tort, car c'était déjà arrivé... Mais les gens de la réserve savaient ce qu'ils faisaient, et au bout de neuf mois, leurs fils aussi.

Brad revint enchanté de son expédition et ne vit pas passer les jours qui suivirent. Son seul regret était de ne pas pouvoir téléphoner à Faith pour lui raconter tout ce qu'il voyait. Pam, de son côté, rêvait d'une douche et de toilettes dignes de ce nom, mais elle avait cessé de se plaindre.

Les garçons les emmenèrent aussi à Ngulwana, sur l'autre rive du fleuve. Ils y avaient creusé des tranchées, construit des maisons et restauré une église désaffectée, avant d'associer leurs efforts à la construction d'un dispensaire, où un médecin viendrait chaque semaine pour soigner les malades des villages voisins. L'hôpital le plus proche se trouvait à Lukulu, soit à deux heures de route à la saison sèche et quatre à la saison des pluies – si toutefois la route restait carrossable. La seule autre solution était de prendre un avion. Mieux valait ne pas tomber malade dans la région, avait observé Pam. Brad n'avait pu qu'acquiescer... Mais il était surtout impressionné par le travail accompli par ses fils pour aider la population locale. Tout le monde semblait les connaître et les apprécier, et chaque fois qu'ils passaient quelque part, on les accueillait à grands renforts de gestes et de sourires de bienvenue. Pam et lui avaient de quoi être fiers d'eux.

Au bout de deux semaines, Brad était tombé amoureux de l'Afrique, de ses habitants, de ses bruits, de ses senteurs, des nuits chaudes, des extraordinaires levers et couchers de soleil, de cette lumière impossible à décrire… Il ne se séparait jamais de son appareil photo, et comprenait de mieux en mieux pourquoi ses fils se plaisaient tant là. C'était un monde magique, où il aurait volontiers passé un certain temps lui aussi. Pam s'était efforcée de jouer le jeu jusqu'au bout, mangeant de tout et apprenant à utiliser la douche de la tente ; mais elle ne pouvait réprimer un haut-le-cœur chaque fois qu'elle pénétrait dans les latrines, criait toujours quand elle voyait une punaise géante et, malgré tout son amour pour ses fils, elle rêvait de repartir. Ce n'était pas un monde pour elle.

Le dernier soir, son visage trahissait son soulagement à l'idée de rentrer.

— Tu as été formidable, maman, la félicita Jason tandis que Dylan la serrait dans ses bras.

Brad, lui, repartait à regret. Il avait passé deux semaines à les suivre dans leurs expéditions, à dormir dans leur tente, à se lever avec eux avant l'aube. Il avait vu des animaux chasser, des troupeaux paniqués s'enfuir dans la savane, il s'était arrêté au bord d'une étendue d'eau près de laquelle les éléphants malades ou trop vieux venaient mourir… Autant de choses qui resteraient à jamais gravées dans sa mémoire. Il avait adoré partager ces moments avec ses fils, et ces derniers avaient savouré sa présence, se confiant à lui comme jamais auparavant. Comme il s'y attendait, ils ne s'intéressaient pas du tout au droit, sans oser l'avouer à leur mère. Dylan envisageait de faire médecine, afin de revenir travailler dans le tiers-monde. Jason, de son côté, pensait à une formation en santé publique, à une plus grande échelle, sans bien savoir encore laquelle. Tous deux se préparaient en tout cas à des études longues, et ils voulaient commencer rapidement, si possible l'année suivante. Ils rejetaient catégoriquement l'idée d'entrer à la faculté de droit.

— Qui de vous deux va parler à votre mère ? avait demandé Brad pour les taquiner pendant une de leurs grandes promenades à l'aube.

— Je crois qu'il faudrait que ce soit toi, papa ! avait répliqué Dylan.

— Merci les gars... Et à quel moment voudriez-vous que j'accomplisse ma petite mission ?

Pam les imaginait déjà travaillant dans la société de leur grand-père. Mais Dylan et Jason ne l'entendaient pas de cette oreille.

— On pensait que ce serait mieux d'attendre que vous soyez repartis, dit Jason en riant.

— Génial... Eh bien, moi, je pense que je devrais vous laisser faire le sale boulot. Ça fait partie de votre apprentissage de la vie.

Mais, en fin de compte, il accepta de parler à Pam et décida de s'acquitter de sa tâche quand ils seraient rentrés, une fois qu'elle aurait récupéré un peu. Les deux derniers jours, elle avait souffert de légers troubles intestinaux qui n'avaient fait que renforcer son envie de regagner ses pénates.

Le jour de leur départ, elle affichait l'expression rayonnante d'un prisonnier sur le point d'être libéré. Certes, elle avait été heureuse de revoir ses fils, mais, hormis cela, le séjour ne lui avait pas beaucoup plu. Elle ne s'était pas départie de son appréhension et s'était sentie mal à l'aise en permanence, voyant partout des dangers ou des risques de maladie, sans parvenir à apprécier ni les sons, ni les odeurs, ni les paysages extraordinaires. Brad en avait profité pour deux, et aurait adoré revenir voir les garçons, si ceux-ci n'avaient pas prévu de rentrer aux Etats-Unis dans trois mois. Il regrettait de ne pas être venu plus tôt, sans Pam...

Devoir la rassurer sans arrêt lui avait pesé, mais il s'était montré patient, compatissant à ses frayeurs. C'était une terrible épreuve pour elle, il en avait conscience... Elle aurait mille fois préféré passer ses vacances à Hawaï, à Londres ou à Palm Springs. L'Afrique était au-dessus de ses forces.

Quand l'heure du départ fut venue, elle embrassa ses fils avec un soulagement manifeste.

— Merci d'être venue, maman, lui dirent-ils tous les deux avec émotion.

Ils savaient combien cela lui avait coûté et appréciaient d'autant plus son effort, même si ce séjour ne les avait pas vraiment rapprochés d'elle. En revanche, il avait renforcé leurs liens avec leur père, et ce dernier avait été extrêmement heureux de partager ces moments africains avec eux.

— A bientôt à la maison, dit Pam en insistant sur le mot « maison », ce qui les fit tous rire.

— On sera là en juillet, assurèrent les garçons.

Ils avaient promis de venir passer un peu de temps chez leurs parents avant de repartir vers d'autres horizons pour finir leur année. Dylan rêvait de visiter l'Australie et la Nouvelle-Zélande, tandis que Jason essayait de le convaincre d'aller plutôt au Brésil... En tout cas, ni l'un ni l'autre n'était prêt à redevenir sédentaire tout de suite.

— Il faudrait qu'ils commencent à penser un peu à leurs études d'avocat, observa Pam alors que Brad et elle montaient dans l'avion. C'est le moment de postuler, s'ils veulent être admis dans une bonne université.

Brad acquiesça sans rien dire. Il était encore trop tôt pour lui annoncer la mauvaise nouvelle. Mieux valait attendre d'avoir quitté l'Afrique et lui laisser le temps de se remettre un peu de ses émotions. Pour l'heure, elle n'avait pas l'air en forme, recroquevillée dans son siège… Elle ne bougea pas jusqu'à Lusaka, mais parut se sentir déjà mieux sur le vol à destination de Londres. Lorsqu'ils arrivèrent au Claridge, où ils devaient passer la nuit avant de reprendre un avion pour San Francisco, elle rayonnait comme si elle venait de franchir les portes du paradis. Si Brad avait l'impression d'être un homme neuf, qui venait de conquérir le monde, Pam, elle, était simplement soulagée d'avoir survécu.

— Je n'irai pas les voir au Brésil, déclara-t-elle en se glissant dans le lit avec un bonheur indicible.

Elle avait passé une heure dans son bain, s'était lavé les cheveux, limé les ongles… Après ces deux semaines épouvantables, elle se sentait comme une reine dans ce grand lit immaculé. Elle souhaita bonne nuit à Brad, éteignit la lumière et s'endormit aussitôt.

Il s'installa au salon avec un livre et attendit une bonne heure pour s'assurer qu'elle dormait bien. Ensuite seulement, il alla téléphoner à Faith.

Elle répondit au bout de deux sonneries, et son cœur fit un bond dans sa poitrine : elle était si heureuse de reconnaître la voix de Brad ! Presque autant que lui l'était d'entendre la sienne. Dès l'instant où elle décrocha, il se demanda comment il avait pu tenir deux semaines sans lui parler.

— Tu as l'air en pleine forme, Fred. Ça va ?

— Ça va, oui, confirma-t-elle d'une voix sereine.

C'était l'après-midi pour elle, et elle était en train de travailler sur l'un de ses devoirs.

— Comment s'est passé ton voyage ?

— C'était fantastique. Si beau que je manque de mots pour le décrire. Je t'enverrai des photos. En tout cas, je rêve d'y retourner.

Son bonheur faisait plaisir à Faith. Elle s'était fait beaucoup de souci pour lui… Elle s'était aussi demandé, au plus profond d'elle-même, si ce voyage n'avait pas pris des allures de seconde lune de miel pour Pam et lui... Sa raison lui disait de le souhaiter à Brad, mais en son for intérieur, elle espérait que ça n'avait pas été le cas.

— Comment vont tes fils ? demanda-t-elle en s'efforçant de ne pas y penser.

— Merveilleusement bien. Ils sont grands, beaux, musclés, et surtout ils sont heureux. Je crois que c'est la plus belle expérience de leur vie, et je regrette de ne pas avoir fait la même à leur âge. Mais je n'en aurais pas eu le courage.

— C'était dangereux ? demanda-t-elle alors, d'un ton inquiet.

— Non, répondit-il en riant, quoique... Pam ne serait pas d'accord avec moi ! Je crois que tout l'or du monde ne suffirait pas à la convaincre d'y retourner. Elle a dû dormir dans une petite hutte, terrorisée par les bêtes, et en plus elle a été malade les deux derniers jours. Moi, j'ai dormi avec les garçons sous la tente.

La nouvelle soulagea profondément Faith, qui se maudit aussitôt. Elle avait prié pendant deux semaines pour que le ciel lui donne le courage de lutter contre ses sentiments, mais en vain. Même sa confession à un prêtre ne l'avait pas aidée ; il lui avait seulement conseillé de prier saint Jude, ajoutant que des miracles se produisaient parfois, ce qui n'avait fait qu'ajouter à sa confusion.

Saint Jude, constatait-elle, n'avait pas été d'un grand secours... Son cœur s'était littéralement emballé lorsqu'elle avait reconnu la voix de Brad au bout du fil. Elle avait bien tenté de dire des rosaires, mais son chapelet ne faisait que lui rappeler Brad, encore et encore... Depuis quelques jours, un véritable combat intérieur faisait rage en elle.

Pendant ce temps, Alex continuait à s'acharner contre elle, mais elle commençait à s'y habituer. Et elle avait une grande nouvelle à annoncer à Brad. Elle le laissa d'abord raconter son voyage en détail, puis elle déclara avec un grand sourire qu'elle avait une surprise pour lui.

— Laisse-moi deviner, dit-il en réfléchissant.

Il était infiniment heureux de pouvoir lui parler de nouveau. Il y avait tant de choses qu'il avait rêvé de partager avec elle, et dont un trop-plein d'émotion et de fatigue l'empêchait de se souvenir à présent...

— Tu as eu des A à tous tes examens ! lança-t-il.

— Oui, en quelque sorte... En fait, j'ai eu A moins à l'un de mes cours, et A à l'autre. Mais ce n'est pas ça, ma surprise.

— Ellie a compris que son père était ignoble et elle s'est excusée.

— Pas encore, dit Faith d'une voix soudain assombrie.

— Alors, je ne sais pas, donne-moi un indice.

Mais elle était trop impatiente de partager la nouvelle avec lui. Il y avait dix jours qu'elle attendait de pouvoir la lui annoncer.

— Je suis admise en droit à l'Université de New York.

— Bravo ! C'est formidable ! Je suis fier de toi, Fred !

— Moi aussi, je suis heureuse. C'est bien, non ?

— C'est mieux que bien ! Mais j'en étais sûr. Et Columbia ?

— Je ne sais pas encore, ils doivent envoyer leur réponse la semaine prochaine. Mais de toute façon, je préfère aller à New York. J'y suis déjà, et ça se passe très bien.

Ils commentèrent la bonne nouvelle, puis ils parlèrent de sa procédure de divorce. Alex la harcelait toujours à propos de la maison, mais il avait accepté qu'elle continue à y habiter en attendant qu'ils aient négocié un accord global. Elle ne voulait pas de pension alimentaire, même si elle avait droit à quelque chose ; elle souhaitait seulement garder la maison, sans partage, ainsi que quelques-uns de leurs investissements communs. Etant donné les revenus d'Alex, ce n'était pas beaucoup demander. La mère de Faith lui avait laissé suffisamment d'argent pour lui permettre de vivre quelques années, et une fois diplômée, elle pourrait gagner correctement sa vie. Contrairement à ce que pensait Ellie, elle ne réclamait pas grand-chose. Son avocat l'encourageait même à exiger davantage, mais elle ne voulait pas. Brad n'en était pas étonné ; il savait que sa morale et ses scrupules étaient sans faille.

Ils bavardèrent presque une heure, mais au bout d'un moment, malgré le plaisir qu'il éprouvait à lui parler, il commença à bâiller, et elle lui ordonna d'aller se coucher. Il devait reprendre un avion pour San Francisco le lendemain à midi.

— Je te donnerai des nouvelles par téléphone ou par mail dès mon arrivée, promit-il.

— Merci d'avoir appelé, dit Faith avec reconnaissance.

Ces deux semaines de silence lui avaient semblé interminables, mais elle y avait survécu. Et la bonne nouvelle de son admission à l'Université de New York lui avait mis du baume au cœur, malgré les perfidies d'Alex. En revanche, elle n'avait pas eu de nouvelles d'Eloise et en souffrait profondément. Il devenait de plus en plus difficile de lui parler, car la jeune fille campait sur ses positions et continuait à prendre systématiquement le parti de son père.

Ce qui faisait le plus de peine à Faith, comme elle l'avait confié à Brad, était de constater qu'Alex la chassait de sa vie comme si elle n'avait jamais existé, jamais compté pour lui. Il l'avait balayée d'un revers de main, comme un trait de craie sur un tableau noir. Et malgré toutes les explications qu'elle pouvait trouver pour se consoler, la blessure demeurait, vive et douloureuse. Comment imaginer faire un jour confiance à quelqu'un d'autre ? De toute façon, elle n'envisageait pas une seconde de refaire sa vie, ou même de sortir simplement avec un autre homme. A présent, elle voulait se consacrer à ses études, à sa foi et à ses filles. Et revenir à des sentiments plus sains envers Brad.

Aussi forte que fût l'attirance qu'ils éprouvaient l'un pour l'autre, tous deux étaient fermement décidés à ne pas franchir la frontière de l'amitié. Hélas, les efforts de l'un comme de l'autre semblaient voués à l'échec...

21

A la fin du mois d'avril, deux semaines après le retour de Brad, Alex profita d'un week-end où Zoe revenait de Brown pour l'inviter à dîner. Elle logeait bien sûr chez sa mère, et n'avait aucune envie de voir son père, mais Faith insista pour qu'elle accepte.

— Pour quoi faire, maman ? demanda-t-elle d'un air contrarié.

Elle préférait de loin sortir avec ses amis.

— Il va me dire les pires horreurs sur toi, c'est tout ! ajouta-t-elle.

— Il reste quand même ton père, et tu ne l'as pas vu depuis longtemps. Peut-être veut-il essayer de se rapprocher un peu de toi.

Comme toujours, Faith tentait de se montrer juste, alors que de son côté Alex continuait à monter Eloise contre elle. Faith était déterminée à aller voir sa fille aînée dès qu'elle aurait fini ses cours, dans quelques semaines. Et puisque Zoe serait de retour à la mi-mai, elle lui avait proposé de venir avec elle à Londres.

Finalement, Zoe se résigna à aller dîner avec son père. Il l'invita dans un petit restaurant qu'il aimait bien. De toute évidence, il s'efforçait de faire la paix avec elle... Elle avait emprunté une jolie robe à sa mère et avait natté ses cheveux, ce qui lui donnait une allure fraîche et jeune. A dix-neuf ans tout juste, c'était une magnifique jeune fille.

Mais, lorsqu'elle entra dans le restaurant, son beau sourire s'évanouit : son père n'était pas seul. Une femme était assise à côté de lui.

Il fit les présentations avec un grand sourire, et Zoe le trouva ridicule. Sa compagne n'avait pas la moitié de son âge.

— Leslie, laisse-moi te présenter ma fille Zoe. Zoe, voici Leslie James.

Une vingtaine d'années ou à peine plus, estima Zoe en dévisageant la fille. Elle portait une robe moulante très courte, et ses cheveux noirs lui arrivaient à la taille.

Elles bavardèrent pendant un petit moment dans une atmosphère tendue, pendant qu'Alex commandait du vin. Au bout de quelques minutes, Zoe comprit que Leslie James et son père travaillaient ensemble, mais elle trouvait particulièrement déplacé de la part d'Alex de l'avoir invitée en même temps qu'une de ses collègues.

— Vous êtes dans la même société que papa depuis longtemps ? se força-t-elle à demander pour être polie, tout en regrettant d'être venue.

— Ça fait un peu plus d'un an. Je viens d'Atlanta, avec ma petite fille.

Zoe nota qu'effectivement, elle s'exprimait avec une pointe d'accent du Sud. Faute d'autre sujet de conversation, elle demanda quel âge avait la petite fille.

— Cinq ans, répondit Leslie avec un sourire enfantin.

Zoe surprit le regard attendri que son père posait sur elle. On aurait dit qu'il voulait forcer Zoe à admirer Leslie. C'était d'autant plus maladroit de sa part que la jeune fille avait l'impression de trahir sa mère en restant là avec eux deux.

— C'est une belle petite fille, commenta Alex avec fierté. Elle est adorable.

De toute évidence, il avait créé des liens étroits avec cette Leslie et son enfant.

— Elle apprend le français, elle est dans une école maternelle française, précisa Leslie James. Votre père pensait que ce serait bien pour elle.

Zoe haussa les sourcils, surprise... Mais elle parvint à se contrôler. Jamais son père ne s'était intéressé aux écoles dans lesquelles elle était inscrite, petite.

— C'est bien pour elle, conclut Zoe en avalant une gorgée de vin.

Leslie, elle, avait commandé du champagne. Zoe manqua s'étrangler lorsqu'elle leva sa coupe.

— C'est un soir très spécial pour nous, dit-elle avec un sourire mutin en direction d'Alex.

Ce dernier parut soudain un peu gêné. Mais c'était lui qui avait eu l'idée de présenter Leslie à ses filles. Il tenait à ce qu'elles la rencontrent.

— C'est une date anniversaire pour votre père et moi, précisa Leslie en rejetant ses cheveux noirs par-dessus son épaule.

Zoe la considéra avec stupeur.

— Quel anniversaire ? interrogea-t-elle d'une voix blanche.

Mais, déjà, elle se doutait de la réponse.

Ainsi, son père sortait avec cette fille, et ils devaient fêter leur premier ou deuxième mois ensemble... C'était pathétique.

— Il y a un an, nous sortions tous les deux pour la première fois.

Alex se figea pendant un instant, puis il recouvra contenance sous la pression du regard de sa fille.

— Vous êtes ensemble depuis un an ? articula Zoe.

— Pas vraiment, objecta-t-il. Leslie veut dire que ça fait un an que nous nous connaissons. Je l'ai rencontrée peu de temps après son arrivée.

— Pas du tout ! rétorqua Leslie d'un air vexé. Ce soir, c'est l'anniversaire de notre premier rendez-vous !

Zoe blêmit et regarda la maîtresse de son père bien en face.

— C'est intéressant, étant donné que mon père n'a quitté ma mère qu'il y a deux mois. Je suppose que vous étiez déjà ensemble depuis un petit moment...

— Oui, bien sûr, reconnut Leslie avec un petit sourire.

Alors Zoe se leva comme un ressort, renversant son verre de vin au passage. Leslie recula pour éviter les éclaboussures.

— Tu me dégoûtes, papa, lança Zoe à Alex. Comment as-tu osé me faire venir ici pour fêter une infamie pareille ? Après avoir tout mis sur le dos de maman ! Ça me rend malade ! Pourquoi n'as-tu pas eu le courage de dire la vérité à Eloise, au lieu de la monter contre maman ? Pourquoi n'as-tu pas avoué que tu t'envoyais en l'air avec ta petite copine depuis un an, quand tu as quitté la maison ? Au moins, ç'aurait été honnête !

Les yeux d'Alex lançaient des éclairs. Il ne s'attendait sans doute pas à ce que Leslie trahisse ainsi son secret... De toute évidence, elle n'était pas très intelligente. Mais il était complètement sous le charme, au point de n'avoir pu imaginer qu'elle commettrait une telle gaffe.

— Assieds-toi, Zoe, nous allons en parler calmement, ordonna-t-il d'une voix posée.

Mais Zoe secoua la tête avec colère.

— Non, merci, j'ai d'autres projets.

Et elle tourna les talons avec un aplomb remarquable compte tenu du choc qu'elle venait de subir. Alex, coincé derrière la table, ne put rien faire pour la retenir.

A peine eut-elle franchi la porte du restaurant qu'elle éclata en sanglots. Elle héla un taxi et rentra immédiatement à la maison. Quand elle arriva, en larmes, Faith était dans son bureau, au téléphone avec Brad, qui lui parlait d'un cas qui le préoccupait. Elle lui avait dit que Zoe dînait avec son père et fut stupéfaite d'entendre la porte claquer. L'instant d'après, sa fille apparut, en pleurs, sur le seuil du bureau.

— Que s'est-il passé ? demanda aussitôt Faith, interrompant brusquement sa conversation avec Brad.

Le joli maquillage de Zoe avait coulé sur ses joues, et elle ressemblait à une petite fille battue.

— C'est une ordure, maman ! Pourquoi ne m'as-tu pas parlé de cette fille ? Tu savais qu'elle existait ?

— Quelle fille ? interrogea Faith d'une voix abasourdie. Attends une seconde... Brad, je te rappelle.

Il avait compris qu'il se passait quelque chose et raccrocha immédiatement.

— Que s'est-il passé ? répéta Faith. De quoi parles-tu ?

— Papa était avec une femme. Une espèce de traînée de quinze ans qui s'appelle Leslie – une pétasse avec de longs cheveux noirs et des gros seins, qui s'est permis de me dire que c'était le premier anniversaire de leur relation, et qu'ils voulaient le fêter avec moi ! C'est ignoble ! Tu étais au courant, maman ?

— Assieds-toi, répondit Faith doucement en lui tendant un mouchoir. Essuie-toi les yeux et calme-toi. Oui, j'étais au courant.

Elle n'alla pas plus loin, soulagée qu'Alex se soit trahi tout seul. C'était vraiment stupide de sa part.

— Pourquoi ne m'as-tu rien dit ?

— Parce que ce n'était pas à moi de le faire.

Elle n'avait pas l'intention de donner plus de détails.

— C'est à cause d'elle qu'il t'a quittée ?

— Je suppose. Peut-être avait-il aussi d'autres raisons. Il a dit qu'il s'ennuyait avec moi, et qu'il voulait une vraie vie. Elle est beaucoup plus jeune que moi, elle doit être beaucoup plus amusante.

— C'est une gourde siliconée, point final. Qu'est-ce qu'il fabrique avec elle ? Et comment a-t-il pu te quitter pour elle ? Et oser m'inviter à dîner en sa présence ?

Jamais de toute sa vie elle n'avait subi pareille humiliation. Elle se sentait trahie, trompée, utilisée, et le peu de respect qu'elle avait encore pour son père s'était totalement évanoui.

— Peut-être qu'il l'aime vraiment, avança Faith avec fatalisme.

Elle avait l'impression d'avoir reçu une nouvelle gifle en plein visage. Mais cette fois, Alex avait frappé Zoe aussi, et Faith lui en voulait.

— S'il l'épouse, je me tue. Ou je le tue, lui.

— Il n'épouse personne pour l'instant, il est encore marié avec moi, répondit Faith.

Dans cinq mois, en revanche, ce ne serait plus le cas. Pourquoi n'avait-il pas attendu que le jugement soit rendu pour présenter cette femme à sa fille ?

Il lui fallut une bonne heure pour apaiser Zoe, et elle ne put l'empêcher de décrocher le téléphone pour appeler sa sœur. Il était trois heures du matin à Londres ; Faith essaya de convaincre Zoe de se calmer d'abord, mais la jeune fille ne voulut rien entendre.

Eloise décrocha d'une voix endormie.

— Réveille-toi, ordonna sa sœur. C'est moi... Non, je ne te rappellerai pas plus tard, tu vas m'écouter. Sais-tu ce que notre ordure de père a fait ce soir ? Il m'a invitée à dîner avec sa maîtresse, pour fêter le premier anniversaire de leur relation. Et c'est pour ça qu'il a quitté maman. Maintenant, que penses-tu de ton héros ? Après tout ce que tu as dit comme horreurs à maman, tu lui dois d'énormes excuses.

Un long silence suivit sa déclaration, puis Zoe continua, confirmant ce qu'elle avait vu et entendu.

Elles discutèrent longtemps, et Faith préféra quitter la pièce.

Elle descendit à la cuisine et rappela Brad sur l'autre ligne téléphonique. Il était toujours à son bureau et émit un petit sifflement lorsque Faith lui eut expliqué ce qui s'était passé.

— Ça a dû être une sacrée scène... Qu'il est bête d'avoir fait ça ! Qu'a-t-il donc dans la tête ?

— Je suppose qu'il était assez naïf pour espérer vendre ses salades à Zoe... En ce moment, elle est au téléphone avec sa sœur. J'ai l'impression que les mensonges d'Alex vont se retourner contre lui.

— Je dirais que c'est déjà fait, acquiesça Brad en riant. Je n'aimerais pas être à sa place. Il n'y a pas de créature plus féroce qu'une fille confrontée aux petites amies de son père ! Je crois que tu es sur le point d'être vengée !

La nouvelle semblait le réjouir et l'amuser à la fois.

— Oui, sans doute, dit simplement Faith.

Ils reparlèrent pendant un petit moment du cas qui le préoccupait, puis ils raccrochèrent. L'instant d'après, Zoe pénétrait dans la cuisine d'un air décidé.

— Alors ? demanda Faith avec appréhension. Qu'a-t-elle dit ?

Elle espérait que Zoe avait fourni suffisamment de preuves à sa sœur pour que celle-ci change d'avis et cesse de lui en vouloir.

— Elle va revenir à la maison ce week-end pour te voir, maman. Elle a dit qu'elle t'embrassait très fort.

Faith sourit, infiniment soulagée. Enfin, elle reprenait espoir !

Eloise revint, comme promis, le week-end suivant, et elle passa deux jours à pleurer dans les bras de sa mère. Elle s'excusa en sanglotant, outrée par ce que son père avait fait, et implora le pardon de Faith.

Sa sœur et elle eurent une violente altercation avec Alex. Faith ne sut jamais exactement ce qu'ils s'étaient dit, mais quand il téléphona, aucune de ses filles n'accepta de lui parler. Il était en totale disgrâce, et du point de vue de Faith, ce n'était que justice.

— Tu crois qu'il va l'épouser ? demanda Eloise d'un ton angoissé en se lovant contre sa mère.

Ces derniers jours, non seulement l'amour d'Eloise pour sa mère avait grandi en intensité, mais elle éprouvait à présent pour elle plus de respect que jamais. Elle avait enfin compris que Faith était d'une droiture infaillible.

— Je n'en ai aucune idée, avoua Faith. C'est à lui qu'il faut le demander.

Mais aucune d'elles ne tenait à le savoir, et encore moins à lui poser la question.

— Maman, dit finalement Eloise lorsqu'elle se retrouva seule avec sa mère, je crois que je ne pourrai jamais te faire comprendre à quel point je suis désolée de toutes les horreurs que j'ai pu te dire. Je n'avais rien compris. Papa m'a toujours répété que j'étais comme lui, et je crois que j'ai voulu lui prouver que c'était vrai, pour avoir son approbation et gagner son amour. Il n'a jamais dit de mal de toi ouvertement, mais il a laissé entendre qu'il avait raison et toi tort. Les derniers mois m'auront donné une bonne leçon sur la confiance, la naïveté, la manipulation... Je me suis persuadée qu'il disait la vérité et que tu mentais. J'ai été épouvantable avec toi, et je ne sais même pas si tu pourras encore m'aimer, après tout ce que j'ai fait.

Les larmes roulaient sur ses joues pendant qu'elle parlait, et Faith s'était mise à pleurer aussi.

— Je n'ai jamais su voir à quel point tu étais formidable, maman... Et à quel point papa était ignoble. J'ai l'impression d'avoir perdu mon père. Je ne pourrai plus jamais lui faire confiance.

Mais Faith espérait qu'elle se trompait. Alex demeurait leur père, et tôt ou tard, Eloise et Zoe lui pardonneraient probablement. En tout cas, elle le souhaitait. C'était sa façon de voir les choses : elle jugeait tout le monde digne d'être pardonné... Sauf elle, en réalité. Pour l'heure, en tout cas, les paroles d'Eloise guérissaient toutes ses blessures.

— Je t'aime, Ellie. Je suis désolée de ce qui nous est arrivé. J'ignore pourquoi ton père a fait ça, mais maintenant il doit assumer sa décision.

Elle savait qu'elle n'éprouverait plus jamais d'amour ou même d'affection pour Alex, mais elle espérait que ses filles, elles, parviendraient un jour à renouer des liens avec lui. Il était suffisamment dur pour elles de voir le couple de leurs parents se désintégrer, sans qu'en plus elles perdent leur père dans l'affaire. Aussi imparfait fût-il, elles avaient besoin de lui.

Elles quittèrent la pièce bras dessus, bras dessous pour rejoindre Zoe, et une fois que la colère des jeunes filles fut apaisée, elles passèrent toutes les trois un bon moment ensemble. Elles sortirent manger des hamburgers, et achevèrent leur repas en dégustant un banana split chez Serendipity. Faith leur confia qu'elle y était déjà venue, quelques semaines plus tôt, avec Brad.

— Qu'est-ce que c'est que cette histoire ? demanda Eloise avec un grand sourire qui soulagea Faith.

Quel bonheur de retrouver ses filles ! Sans pour autant souhaiter de mal à Alex, elle se réjouissait qu'Ellie soit revenue à la raison, et surtout qu'elle ait fait ce long voyage pour passer le week-end avec elle. Geoffrey et elle avaient rompu, mais elle avait déjà deux nouveaux soupirants, qu'elle semblait apprécier l'un comme l'autre.

Pour l'heure, elle était aussi curieuse que Zoe d'en savoir plus sur Brad.

— Je l'ai déjà expliqué à ta sœur, nous sommes seulement amis. C'était le meilleur ami de votre oncle Jack, et il était comme un deuxième grand frère pour moi, quand nous étions enfants. De toute façon, il est marié, et nous resterons amis, sans plus.

Elle avait asséné ces mots avec tant de force que Zoe trouva cela suspect.

— Je pense qu'il est amoureux de toi, maman. C'est évident. Aucun homme ne passerait autant de temps à téléphoner et à envoyer des e-mails à une simple amie.

— Il aime bavarder avec moi, c'est tout ! assura Faith.

— Et toi ? demanda Ellie. Tu l'aimes ?

— Non. Je ne tombe pas amoureuse des hommes mariés.

Elle aurait tant aimé que ce soit vrai...

Elle avait dit mille prières, et s'était répété sans relâche qu'elle n'avait pas le droit de l'aimer, aussi formidable fût-il. A la fin, ses prières finiraient bien par être exaucées... Il le fallait.

— Tu ne ressens vraiment rien pour lui ? insista Ellie.

— Si, une amitié purement platonique.

Elle parvenait à conserver un air imperturbable.

— Est-ce que tu sors avec quelqu'un d'autre ?

— Non, et je n'en ai pas l'intention.

Sur ce point, au moins, elle ne mentait pas. Elle ne s'était pas remise du choc de sa rupture avec Alex et ne savait pas si elle s'en remettrait un jour. Elle en doutait fortement. La simple idée de subir une seconde fois le même traumatisme lui était insupportable. Elle était bien mieux seule ; ses échanges avec Brad et avec ses filles lui suffisaient largement.

— Je ne veux pas me remarier, insista-t-elle.

— Tu n'as pas besoin de te remarier ! observa Zoe. Tu pourrais très bien sortir simplement avec quelqu'un !

— Pour quoi faire ? Je suis parfaitement heureuse avec vous deux.

Mais un peu plus tard, une fois seules, les deux sœurs convinrent qu'une telle solitude n'était pas saine pour leur mère. Même s'il était sans doute trop tôt pour le lui faire comprendre... Contrairement à leur père, qui n'avait pas hésité à partager son « dîner d'anniversaire » avec Zoe, Faith était quelqu'un de droit, d'honnête et de fidèle.

Lorsque Eloise repartit pour Londres, le dimanche soir, elle était complètement réconciliée avec sa mère. Et quand Brad téléphona à Faith tard ce soir-là, après le départ des deux filles, il la trouva plus joyeuse que jamais. Pour elle, une partie du cauchemar était finie. Elle avait enfin retrouvé sa fille.

22

Tout allait bien pour Faith quand Zoe rentra de l'université dans le courant du mois de mai. La jeune fille avait trouvé un emploi d'été dans une galerie, et Faith se réjouissait de passer un peu de temps avec elle avant de commencer ses études à la faculté de droit.

Pour ajouter à sa joie, Eloise parlait de revenir à New York. Sa sœur et sa mère commençaient à lui manquer, surtout après le week-end qu'elles avaient passé ensemble. En revanche, Zoe et elle ne tenaient pas à revoir leur père pour le moment. Et les choses ne s'arrangèrent pas quand il leur annonça son intention d'épouser Leslie en octobre, aussitôt le divorce prononcé.

Pour Faith, ce fut un nouveau choc. Quand elle apprit la nouvelle, elle passa deux heures à pleurer, enfermée dans sa chambre. Le lendemain, elle envoya un e-mail à Brad pour tout lui raconter, car elle se sentait incapable de l'appeler.

Par ailleurs, Alex essayait toujours de l'obliger à vendre la maison. A présent, il était facile de comprendre pourquoi : il achetait un appartement sur la Cinquième Avenue, pour y vivre avec Leslie et sa fille. Eloise et Zoe lui en voulaient à mort.

La semaine suivante, assise à son bureau, Faith se demanda où elle pourrait emmener ses filles en août.

Elle pensait à Cape Cod, ou peut-être à louer une maison dans les Hamptons. Ellie avait promis de venir pour quelques semaines, et Faith voulait passer un peu de temps avec Zoe et elle avant la rentrée universitaire. Depuis le matin, elle classait paresseusement des papiers tout en réfléchissant à une destination de vacances, quand Brad téléphona. A sa voix, elle comprit immédiatement que quelque chose n'allait pas ; elle s'aperçut bientôt qu'il pleurait.

— Brad, qu'y a-t-il ?

— C'est Jason, répondit-il d'une voix paniquée. Je n'ai pas encore de précisions mais nous avons reçu un message de Dylan, il y a une heure. Ils travaillaient au village, et une construction s'est effondrée... Jason est resté coincé sous les gravats pendant sept heures...

Sa voix se brisa de nouveau.

— Fred, tu n'imagines pas l'état déplorable des infra-structures sanitaires, là-bas... Il y a un seul médecin, qui passe seulement quelques heures par mois. Et l'hôpital se trouve à plusieurs heures de route ! D'ailleurs, je ne sais même pas s'ils peuvent le transporter. Pour l'ins-tant, nous n'avons aucune autre information. Nous avons envoyé un message à Dylan pour lui demander de nous rappeler, mais il faut qu'il aille à la poste s'il veut téléphoner, et peut-être vaut-il mieux qu'il reste avec son frère...

Pour Brad, le monde s'était écroulé, et les yeux de Faith s'emplirent de larmes de compassion.

— Que vas-tu faire ? demanda-t-elle dans un souffle.

— J'y vais, répondit-il avec détermination. Je pars dans une heure. Il y a un avion pour New York à midi, de là je prendrai un autre vol pour Londres. C'est telle-ment compliqué d'aller là-bas... Il va me falloir plus de vingt-quatre heures pour le rejoindre. Dieu seul sait s'il sera encore en vie...

Il était effondré, et c'était bien compréhensible.

— A quelle heure arrives-tu à New York ?

Elle ne pensait qu'à une chose : le voir. Même si Pam était avec lui.

— Vers huit heures ce soir. L'avion de Londres part à dix heures, je n'aurai que deux heures de battement.

— Je te retrouverai à l'aéroport. Je peux t'apporter quelque chose ?

— Non, ça ira, Pam prépare mes bagages. Elle ne peut pas venir avec moi, elle plaide demain, mais elle me rejoindra juste après.

Il s'abstint de dire à Faith combien il en voulait à sa femme de ne pas avoir tout lâché pour partir avec lui.

Il lui donna son numéro de vol, puis raccrocha, laissant Faith désemparée, les yeux dans le vide. Tout comme lui, elle imaginait le pire. Pendant ce temps, à San Francisco, le ton montait...

— Au nom du ciel, appelle le juge, criait Brad, et explique-lui ce qui s'est passé ! Il peut très bien reporter l'audience jusqu'à ton retour ! Il me semble que c'est suffisamment important, non ?

Il était blême et avait envie de l'étrangler.

— Je ne peux pas faire ça à mon client, rétorqua-t-elle en bouclant sa valise.

Elle semblait aussi soucieuse que lui, mais estimait que son devoir l'obligeait à rester pour son client, ce que Brad jugeait absurde et révoltant. Même si Jason s'en sortait, il aurait besoin de sa mère. C'était la première fois que Brad exigeait quelque chose d'elle depuis des années, et à ses yeux, c'était une requête plus que justifiée. Les garçons étaient en difficulté, ils se devaient de les rejoindre.

— Je ne comprends pas ton sens des priorités, lança-t-il d'un ton abrupt. C'est de ton fils qu'il est question ici, pas de ton client !

— Dylan n'a pas dit qu'il était en danger de mort, que je sache ! rétorqua-t-elle.

Ils étaient tous les deux à cran. Brad s'habillait à la hâte, plus nerveux que jamais.

— Est-ce qu'il faut qu'il meure pour que tu te décides à annuler ta fichue audience ? Bonté divine, tu ne comprends pas ce qui est en train de se passer ?

— Si, très bien, et je vous rejoindrai dans deux jours. Je ne peux pas faire mieux.

— Je rêve...

Jamais elle ne lui avait paru aussi dure et inaccessible, et ils se disputaient encore quand le taxi vint le chercher pour l'emmener à l'aéroport. Il savait qu'il n'oublierait pas sa défection et ne la lui pardonnerait jamais s'il arrivait quelque chose à Jason. D'ailleurs, elle aussi s'en voudrait toute sa vie si un drame se produisait, mais elle était bien trop butée pour s'en apercevoir...

— Je t'enverrai un message dès que je l'aurai vu, conclut-il avant de donner sa valise au chauffeur.

Il ne savait même pas ce qu'elle avait mis dedans.

Le voyage fut un vrai supplice, car l'absence de nouvelles lui était insupportable. Il appela Pam dès l'atterrissage, mais elle n'avait rien de nouveau à lui dire. Torturé par l'angoisse, le visage décomposé et les cheveux en bataille, il gagna le terminal de transit, où il retrouva Faith, qui l'attendait comme promis. En jean et chemisier blanc, chaussée de mocassins, elle avait l'air jeune, fraîche et jolie, mais Brad était trop inquiet pour s'en rendre compte. Il la serra contre lui, et tous deux se mirent à pleurer en se dirigeant vers le premier café ouvert. Il lui répéta ce qu'il savait, puis ils se mirent à envisager toutes les éventualités, impuissants et désemparés. Brad espérait seulement que Dylan aurait pris les bonnes décisions, et qu'une fois sur place lui-même, il pourrait trouver un avion pour rapatrier son fils, si c'était nécessaire.

— Tu ne peux pas savoir à quel point tout est archaïque là-bas... Le moindre déplacement est une épopée. S'il doit être transporté, ce sera dans un camion bringuebalant, sur une piste pleine de nids-de-poule, avec au moins deux heures de trajet... Ça pourrait le tuer.

L'avion restait son ultime espoir, en espérant qu'il y en aurait un de disponible... Faith l'écoutait sans rien dire, aussi inquiète que lui. Ces deux heures d'attente leur parurent interminables. Brad remercia Faith d'être venue lui tenir compagnie. Puis il rappela Pam, qui n'avait toujours pas de nouvelles. Il faillit s'étouffer quand elle lui annonça qu'elle sortait dîner dehors.

— Tu es folle ? Ton fils a eu un accident ! Reste à côté du téléphone au cas où quelqu'un nous appellerait, bon Dieu !

Elle répliqua qu'elle avait son téléphone portable, et que Dylan connaissait le numéro. Brad raccrocha, à bout de nerfs, et se tourna vers Faith avec un air désespéré.

— Tu sais, dit-il, c'est dans des moments pareils que tu prends vraiment la mesure de quelqu'un.

Pam était tout simplement incapable d'être présente, même pour ses enfants. Faith s'abstint sagement de tout commentaire.

— J'aurais tellement aimé que tu viennes avec moi, ajouta Brad.

Il savait qu'elle aurait été un véritable soutien, et il s'apercevait qu'il avait immensément besoin d'elle. L'idée que Jason pût succomber à ses blessures le hantait... Il éprouvait un besoin impérieux de le voir.

— Moi aussi, j'aurais aimé t'accompagner, dit doucement Faith.

Mais hélas, c'était impossible. Elle ne pouvait que lui apporter un soutien moral — et encore, par la pensée uniquement, car il leur serait de nouveau impossible de communiquer.

— Donne-moi des nouvelles dès que possible, supplia-t-elle.

Elle savait qu'elle se ferait beaucoup de souci en attendant.

— Promis.

Puis le haut-parleur annonça son vol. Il prit son passeport et sa carte d'embarquement, et elle dut le quitter au niveau du contrôle de sécurité.

— Sois prudent, Brad. Essaie de te détendre. Pour l'instant, il n'y a rien que tu puisses faire.

C'était précisément le plus pénible. Brad ne cessait de songer que Jason ne serait peut-être plus en vie quand il arriverait…

— J'irai à l'église, et je prierai pour lui, ajouta Faith avec ferveur.

— Allume un cierge pour lui… Je t'en prie, Fred…

Il la regarda avec intensité, les yeux pleins de larmes. Elle mourait d'envie de lui crier qu'elle ne pensait qu'à lui, que son cœur lui appartenait… Mais elle devait se taire, même face à ses larmes.

— Je le ferai, murmura-t-elle avec autant d'assurance que possible. J'irai à l'église tous les jours. De ton côté, dis-toi qu'il va s'en sortir. Essaie de croire…

— Si seulement je pouvais… Oh, mon Dieu… S'il lui est arrivé quelque chose…

Pour couper court à ses suppositions tragiques, ou simplement pour le réconforter, elle se hissa sur la pointe des pieds. Brad, mû par la même impulsion incontrôlable, se pencha vers elle, et leurs lèvres s'unirent. Alors, pendant quelques longues secondes, ils oublièrent le monde qui les entourait et s'embrassèrent encore et encore, serrés l'un contre l'autre. Quand il se dégagea, Faith avait l'air étourdie. Brad aussi, mais, au lieu de s'excuser, il l'embrassa encore.

— Je t'aime, Fred.

Cet aveu était une libération, après presque quarante ans d'amour refoulé et sept mois de rapprochement de plus en plus intense.

Faith demeura pétrifiée. Elle aussi l'aimait, mais même en cet instant, elle savait que cet amour lui était interdit.

— Ne dis pas ça... Moi aussi, je t'aime... Mais je n'ai pas le droit...

Il la fit taire d'un nouveau baiser, mais elle fondit en larmes.

— Arrête, supplia-t-elle. Tu vas le regretter, Brad... Et quand ce sera fini, tu me détesteras. Il ne faut plus jamais recommencer ça, c'est mal !

— Ça m'est égal. J'ai besoin de toi, Fred. Vraiment. Je t'aime, et je veux prendre soin de toi.

Il était brusquement redevenu le petit garçon qui s'était cassé le bras, à l'âge de douze ans, celui à qui Faith avait promis, dans la voiture qui les emmenait aux urgences, que jamais elle ne révélerait à quiconque qu'elle l'avait vu pleurer.

— Je serai toujours là pour toi, Brad... Mais je ne peux pas te voler à une autre femme.

— On en parlera plus tard.

Il ne voulait pas rater l'avion, c'était impossible. Mais brusquement, une situation nouvelle venait d'apparaître, et elle exigeait qu'ils réfléchissent, qu'ils se parlent... Hélas, il ignorait quand il la reverrait. Peut-être serait-il absent pendant des mois. Dieu seul savait ce qui pourrait se passer en son absence.

— J'ai peut-être perdu le contrôle de moi-même, Fred, mais je ne suis pas devenu fou. Il y a très longtemps que je rêvais de ça, et que je ne me retenais que par respect pour toi.

Pour lui comme pour elle, cet amour avait un goût de fruit défendu.

— J'ai prié pour que ça n'arrive pas. C'est ma faute... Je n'aurais pas dû...

Mais il l'interrompit encore une fois en l'embrassant, avant de s'enfuir en courant. Quand il jeta un coup d'œil par-dessus son épaule, il vit qu'elle pleurait. Peiné, il lui fit un dernier signe de la main, puis il disparut.

Faith pleura pendant tout le trajet du retour. Ils avaient commis une faute terrible... Elle l'avait autorisé à franchir la frontière sacrée entre amour et amitié, elle l'y avait même poussé. C'était sa faute, cela ne faisait aucun doute à ses yeux. Et elle savait que, quand il rentrerait, il leur faudrait oublier tout ce qu'ils s'étaient dit et tout ce qu'ils avaient fait et se promettre de ne jamais recommencer, sans quoi ils seraient contraints de cesser de se voir. Comme si l'accident de Jason ne suffisait pas, ils avaient ajouté un poids à leur douleur... A présent, il ne lui restait plus qu'à prier.

Elle arrêta le taxi devant Saint-Patrick. Il était onze heures du soir, mais les gens, des touristes pour la plupart, se pressaient encore nombreux à l'intérieur de la cathédrale. Faith se dirigea droit vers l'autel de saint Jude et alluma un cierge avant de tomber à genoux et de laisser libre cours à ses larmes, la tête baissée. Elle serrait entre ses doigts le chapelet de Brad, mais elle avait l'impression que ce simple geste était sacrilège, après le péché qu'elle venait de commettre. Il était marié, et ils savaient tous les deux qu'il tenait à le rester.

Elle resta agenouillée pendant une heure, priant pour Jason, pour que Dieu prodigue courage et sagesse à Dylan, et pour que Brad retrouve un peu de sérénité pendant son long voyage. Il était plus de minuit quand elle sortit de la cathédrale, et elle rentra chez elle en taxi. Une fois arrivée, elle monta l'escalier, blême et hagarde, anéantie par tout ce qui venait de se passer – la terrible nouvelle, l'inquiétude, la douleur qu'elle avait lue dans les yeux de Brad, et sa faute insensée. Malgré tout l'amour qu'elle lui portait, elle devait disparaître de sa vie. Elle l'avait compris en priant devant l'autel de saint Jude, le patron des causes perdues. Il n'y avait pas d'autre solution. Elle était devenue dangereuse pour Brad.

Elle demeura debout dans sa chambre, dans le noir, pendant un bon moment, puis elle alluma une petite lumière, et s'aperçut alors de la présence de Zoe, qui était debout sur le seuil de la pièce et la dévisageait, désemparée. Elle n'avait pas vu sa mère dans un tel état depuis le départ de son père.

— Ça va, maman ? demanda-t-elle avec inquiétude.

— Non, avoua Faith d'une voix éteinte.

Et, sans ajouter un mot, elle referma doucement la porte.

23

Brad ne put téléphoner à Faith de Londres, car il devait changer de terminal pour attraper son troisième avion. Il eut tout juste le temps d'appeler Pam. Celle-ci n'avait eu aucune nouvelle de Dylan ou de quiconque, et il monta dans l'avion la mort dans l'âme, rongé par l'angoisse. Depuis qu'il avait appris l'accident, l'état de Jason l'obsédait, et il ne pouvait penser à rien d'autre. Sauf à Faith... Il aurait aimé la rassurer et la convaincre qu'ils n'avaient rien fait de mal. Pour l'instant, hélas, il était pieds et poings liés et ne pouvait qu'espérer qu'elle attendrait son retour avec confiance. Il n'avait aucune idée de ce qu'ils feraient ensuite, mais il était certain d'une chose : il l'aimait. Et depuis très longtemps.

Il dormit pendant une partie du trajet, puis il changea une nouvelle fois d'avion pour monter dans le coucou qui devait l'acheminer jusqu'à Kalabo. Cette fois, personne ne l'attendait à l'aéroport. Il paya un homme pour l'emmener en camion jusqu'à la réserve.

Lorsqu'ils traversèrent le village de Ngulwana, il comprit ce qui s'était passé. Le toit de l'église, que ses fils restauraient, s'était effondré. Instantanément, Brad sentit les larmes lui monter aux yeux, et il ordonna à son chauffeur de s'arrêter.

— Il s'est passé quelque chose de triste ici, Bambo, lui dit l'homme. Quatre personnes ont été accidentées.

Brad acquiesça en silence. Le chauffeur l'avait appelé « père », ce qui était une marque de respect.

— Je sais, répondit-il. Un de mes fils a été blessé.

L'homme hocha la tête à son tour mais ne dit rien de plus, et Brad sauta du camion. Il chercha quelqu'un qui puisse l'aider à retrouver Jason ; il fut enfin renseigné par un vieil homme au visage couvert de cicatrices, qui lui désigna un bâtiment tout proche.

Brad se précipita mais se figea sur le seuil, saisi d'horreur par le spectacle qui l'attendait à l'intérieur. Des femmes entourées d'enfants pleuraient, des mouches bourdonnaient autour des hommes blessés. Il reconnut immédiatement Dylan, agenouillé à côté de son frère ; Jason gisait sans connaissance, et sa tête était couverte d'un bandage ensanglanté.

Dès qu'il aperçut son père, Dylan se leva et se jeta dans ses bras en sanglotant. Il était si épuisé qu'il ne pouvait plus s'arrêter de pleurer. Brad comprit qu'il ne pouvait se raccrocher qu'à une seule bonne nouvelle : Jason était encore en vie. Mais apparemment, son état était plus que préoccupant, et Dylan annonça qu'un des autres blessés était mort quelques heures plus tôt.

— Est-ce que Jason a été examiné par un médecin ? demanda Brad en s'efforçant de dominer sa panique.

Il savait qu'il devait se montrer fort pour ses deux fils, surtout pour Dylan, qui avait affronté seul la situation pendant deux jours.

— Il est venu hier, mais il a dû repartir, dit ce dernier.

— Qu'a-t-il a dit ?

— Pas grand-chose. J'ai essayé d'obtenir un avion, mais je n'ai pas réussi.

— Tu sais où est l'appareil ?

— On m'a dit qu'il se trouvait aux chutes Victoria, mais personne n'en est sûr.

— Bon, je vais aller voir ce qu'on peut faire.

Brad ressortit du bâtiment, un peu perdu. Mais soudain, il crut entendre la voix de Faith lui conseiller de prier. Alors il obéit, tout en se dirigeant vers la poste. Là, il demanda à l'unique employé à qui il devait s'adresser pour affréter l'avion. L'homme lui donna un numéro et lui indiqua un vieux téléphone.

Brad n'obtint la ligne qu'au bout d'une demi-heure, mais personne ne répondit. Il eut alors l'idée d'utiliser la radio de la réserve. Le préposé lui indiqua où trouver une radio. Brad put ainsi contacter la réserve ; il demanda à son correspondant d'envoyer un message radio pour prévenir l'avion. Enfin, il rejoignit Dylan, qui veillait toujours sur son frère, chassant inlassablement les mouches qui se collaient à ses bandages. Jason n'avait pas repris conscience depuis deux jours.

Il fallut six heures à la réserve pour entrer en contact avec l'avion, puis un jeune homme arriva en Jeep, pour prévenir Brad que l'appareil serait à l'aérodrome le soir même, à onze heures. S'ils pouvaient acheminer les blessés jusque-là, ils pourraient être transportés à l'hôpital de Lukulu.

Brad et Dylan hissèrent délicatement les deux autres hommes à l'arrière du camion, puis ils allongèrent Jason sur des couvertures, à côté d'eux, et partirent pour l'aéroport. Brad monta à côté du chauffeur, tandis que Dylan restait à côté de son frère à l'arrière. Les parents et amis des autres blessés les suivirent, et c'est une petite foule qui accueillit l'avion quand il finit par arriver, avec deux heures de retard sur l'horaire annoncé.

L'installation à bord prit encore pratiquement une heure, puis ils décollèrent enfin. Brad avait l'impression de se trouver sur une autre planète, où tout se passait au ralenti.

Plus tard, l'avion atterrit enfin sur un terrain connu du pilote. Une ambulance, prévenue par radio, les attendait. Elle effectua trois allers et retours pour transporter les blessés, pendant que Brad payait le pilote.

Une fois à l'hôpital, Brad respira. L'essentiel du personnel était anglais ; il y avait aussi un médecin néozélandais, et un Australien. Il n'était pas difficile de comprendre pourquoi Jason souhaitait s'occuper de médecine dans des pays comme celui-là, tant il était évident que le personnel et les moyens manquaient désespérément. Sans aucun doute, dans de tels endroits, il y avait beaucoup à faire. Si toutefois il survivait.

Après l'avoir examiné, le médecin expliqua à Brad et à Dylan que la blessure à la tête était sérieuse, car le cerveau risquait d'être atteint. Un drainage s'imposait.

En temps normal, ce n'était pas une opération compliquée, mais ici, même réduire une fracture s'avérait délicat. Brad donna toutefois son autorisation au médecin, et quelques secondes plus tard, il se retrouvait seul avec Dylan, tandis qu'on emmenait Jason en salle d'opération.

Le père et le fils patientèrent, échangeant quelques mots de temps à autre, tout en regardant les gens aller et venir. Les minutes leur paraissaient interminables.

Quand le soleil se leva, ils étaient toujours sans nouvelles, et il leur fallut attendre encore de longues heures avant qu'on ne leur annonce que l'opération était finie et que Jason était en vie, même s'il n'avait toujours pas repris connaissance.

Ils n'en savaient pas plus lorsque la nuit tomba. Ils furent alors autorisés à prendre des tours de veille à son chevet.

Jason ne manifestait aucun signe de vie. Pendant trois jours, ils ne le quittèrent pas une seconde. Brad était épuisé, mais il refusait de s'éloigner de son fils. Depuis son arrivée, il n'avait pris le temps ni de se raser, ni de se laver. Il ne mangeait que lorsqu'une infirmière compatissante lui apportait quelque chose.

Au bout de trois jours, il constata que Pam n'était toujours pas là. Peut-être les attendait-elle à la réserve, mais il n'avait aucun moyen de le vérifier. Il finit par demander à quelqu'un d'envoyer un message par radio. La réponse arriva, laconique : Pam ne viendrait pas. Il n'obtint aucune autre information. Et l'attente reprit.

Enfin, le quatrième jour, Jason émit un faible geignement. Puis il ouvrit les yeux et leur sourit, avant de pousser un soupir et de replonger dans le sommeil. Pendant une fraction de seconde, Brad crut qu'il était mort, et il attrapa le bras de Dylan, les yeux écarquillés. Mais l'infirmière le rassura : il était sorti du coma et dormait à présent d'un sommeil normal. Alors Dylan et Brad sortirent de la chambre et laissèrent libre cours à leur joie. C'était le plus beau jour de leur vie.

— Tu pues le vieux rat mort ! se moqua Dylan alors qu'ils s'asseyaient dehors pour souffler un peu et manger le pain et le fromage qu'on leur avait gentiment apporté.

L'hôpital fonctionnait dans un dénuement extrême et manquait cruellement de moyens, mais le personnel s'était montré extraordinaire.

— Tu ne sens pas très bon non plus, riposta Brad en riant.

Après être repassé au chevet de son fils, Brad demanda à une infirmière où ils pouvaient se rafraîchir un peu. Elle lui indiqua une douche à l'extérieur, et il piocha parmi les vêtements propres qu'il avait apportés, pour en prêter à son fils. Quand ils regagnèrent la chambre du malade, rhabillés de frais, ils trouvèrent ce

dernier éveillé. Il essaya même de leur parler, à la satisfaction du médecin.

— Vous avez une sacrée chance, jeune homme, dit le
Néo-Zélandais avec un sourire. Vous devez avoir la tête
dure.

Et quand Brad le prit à part pour lui parler, le
médecin avoua que c'était un miracle que Jason ait survécu. Parmi les trois blessés, c'était lui le plus
sérieusement atteint.

Un peu plus tard, Brad demanda s'il y avait un téléphone quelque part, et tout le monde lui rit au nez
quand il expliqua qu'il voulait appeler aux Etats-Unis.
On ne pouvait lui proposer qu'une liaison avec la poste
de Ngulwana. Il appela donc, et le préposé lui promit
d'essayer de contacter la mère de Jason aux Etats-Unis,
si toutefois elle s'y trouvait toujours.

Ils ne reçurent la réponse que le lendemain, par le
même circuit : Pam était bien à San Francisco, et elle
était soulagée d'apprendre que son fils allait « bien ».
Brad se demanda ce que « bien » signifiait pour elle. En
tout cas, il en déduisit qu'elle n'avait jamais tenté de
venir le rejoindre, ce qu'il jugeait inadmissible. Malgré
toute la répulsion que pouvait lui inspirer l'Afrique, elle
aurait dû accourir.

Il n'en dit pas un mot à ses fils, mais, il savait qu'il ne
lui pardonnerait jamais cet abandon.

Le lendemain, il fit envoyer un message à Faith,
l'informant de l'état de Jason et la remerciant pour ses
prières. Brad était convaincu que c'était un peu grâce à
elles que Jason avait été sauvé. Il regrettait de ne pouvoir
lui annoncer la nouvelle de vive voix, mais c'était décidément impossible.

Trois jours plus tard, une infirmière leur annonça
qu'ils avaient reçu un nouveau message de Pam. Celle-
ci répétait qu'elle était heureuse que tout aille bien,

confirmait qu'elle ne pourrait pas venir et disait qu'elle avait hâte de les revoir à leur retour. Pour Brad, ce fut la goutte d'eau qui fit déborder le vase. Dès lors, il sut que leur couple était mort.

Dylan et lui expliquèrent à Jason que Pam était bloquée à San Francisco et qu'il était trop compliqué pour elle de venir. Le jeune blessé ne fit aucun commentaire.

Dylan voyait bien que son père était furieux contre sa mère. Il rassura son frère du mieux qu'il put.

— Ç'aurait été trop éprouvant pour maman de te voir dans cet état, dit-il doucement.

Brad hocha la tête, sans desserrer les dents.

Que dire d'autre ? Pam et lui avaient passé vingt-cinq ans ensemble, et Brad pensait naturellement qu'en cas de coup dur, ils seraient toujours là l'un pour l'autre, même s'ils ne partageaient plus grand-chose au quotidien. Mais le jour où quelque chose de vraiment grave s'était produit, elle avait brillé par son absence, et soudain il avait compris ce qu'il refusait d'admettre depuis le début. Non seulement Pam n'était plus sa femme, mais elle n'était même plus son amie. Il était si déçu, si écœuré par son comportement que même s'il avait eu la possibilité de l'appeler, il n'aurait pas su quoi lui dire.

Le médecin estima que Jason devrait rester hospitalisé pendant un mois, et l'hôpital leur fournit deux lits de camp. Tous les jours, ils passaient des heures avec lui puis allaient se promener un peu le soir, quand la chaleur retombait. Brad faisait aussi de longues promenades solitaires au lever du jour. Il n'avait jamais vu d'endroit plus beau sur terre. Peut-être éprouvait-il cette impression parce que son fils, après avoir failli mourir, y était revenu à la vie... Brad se sentait revivre aussi. Soudain, il était empli d'espoir et d'énergie, comme si le miracle qui avait sauvé Jason les avait touchés tous les trois. Il savait qu'aucun d'eux n'oublierait les liens nouveaux que ce drame avait tissés entre eux.

Pendant ses longues marches matinales, il ne pensait pas seulement à ses enfants, mais aussi à Faith... Il regrettait qu'elle ne soit pas là pour admirer avec lui la beauté de cet endroit, car il savait qu'elle aurait été émue de la même façon et qu'elle aurait compris sans peine ce que cela représentait pour lui.

Un mois après son entrée à l'hôpital, ils rapatrièrent Jason à Kalabo. Il était encore très fatigué et avait perdu beaucoup de poids, mais le médecin estimait que quelques semaines de repos supplémentaires à la réserve, avec une alimentation correcte, le remettraient suffisamment sur pied pour qu'il puisse envisager de voyager.

En définitive, Jason se déclara prêt pour le départ au bout de trois semaines, quand les violents maux de tête dont il souffrait se furent enfin calmés. Ce fut avec une émotion intense que les trois hommes quittèrent la réserve pour entreprendre le long voyage du retour.

Brad était allé à la poste deux fois pour essayer de prévenir Faith, mais il avait attendu des heures sans obtenir de ligne internationale. Il n'avait pas pu joindre Pam non plus ; mais de toute façon, ce qu'il avait à lui dire était trop important pour être expliqué dans de telles conditions.

Comme à l'aller, ils durent prendre deux vols pour rejoindre Londres, où ils passèrent deux jours. Il y avait maintenant deux mois que Brad avait quitté les Etats-Unis, mais il tenait à ce que Jason se repose un peu et voie un médecin à Londres avant d'effectuer le reste du trajet.

A la grande joie de tous, les résultats des examens de Jason s'avérèrent normaux. Le médecin londonien leur expliqua en détail ce qui s'était passé lors de l'accident, et pourquoi l'opération l'avait sauvé. Il leur montra les radios et conclut, comme son confrère, que le jeune homme avait eu beaucoup de chance, car il aurait facilement pu mourir des suites de sa blessure. Heureusement, aucune séquelle à long terme n'était à prévoir, à condition que Jason se repose encore quelques mois. L'intéressé promit de faire attention ; il avait encore l'impression de s'être fait écraser par un train.

Quand ils arrivèrent au Claridge, Jason appela sa mère et se mit à pleurer en lui parlant. Dylan prit le combiné pour tout lui raconter, avant de le passer à Brad. Ce dernier demanda à Pam de patienter et alla prendre l'appel dans l'autre pièce. Il n'éprouvait plus de colère envers elle et ne haussa pas la voix. Il ne l'accusa pas non plus, car il ne voulait pas entendre les excuses qu'elle n'aurait pas manqué de se trouver.

— Dieu merci, il va bien, dit-elle d'une voix nerveuse.

Brad ne répondit pas tout de suite, car il redoutait que ses fils entendent la conversation.

— Allô ? Brad ? dit-elle au bout d'un moment.

— Que veux-tu que je te dise, Pam ?

Il avait soudain envie de lui crier des injures, de lui lancer mille choses cruelles au visage, mais la situation était trop grave. D'ailleurs, cela n'aurait eu de sens que s'il avait encore éprouvé quelque chose pour elle. Or, ce n'était plus le cas. Ce qu'elle avait fait, ou plutôt ce qu'elle n'avait pas fait, avait tout détruit.

— Je suis désolée, je n'ai pas pu m'arranger pour venir... J'ai été coincée ici.

Brad, lui, estimait qu'on « s'arrangeait pour venir » quand on était invité à une soirée, à un dîner ou à un concert, pas quand son propre fils était en train de mourir au bout du monde.

— J'ai essayé, mais au moment où j'aurais pu me libérer, il était déjà remis.

— Il n'est pas encore remis, Pam. Il ne le sera pas avant des mois.

— Tu sais bien ce que je veux dire, dit-elle avec irritation. Quand on a appris qu'il s'en sortirait.

— Donc, pour toi, ça suffisait.

— Je ne sais pas, Brad... Peut-être que j'ai eu peur... J'ai tellement détesté cet endroit... Ça me terrifiait... Et puis, je n'ai jamais été douée pour soigner les enfants, conclut-elle avec franchise mais sans aucun remords.

— Il a failli mourir, Pam. Plusieurs fois, j'ai cru que l'heure fatidique était arrivée.

Brad savait que Dylan et lui n'oublieraient jamais ces instants.

— Et le pire, c'est que pendant tout le reste de sa vie, il saura que tu ne te souciais pas assez de lui pour aller le voir au moment où il avait le plus besoin de toi. C'est un sacré fardeau à porter, pour lui. Tu es sa mère, tout de même.

Et elle le resterait, même lorsqu'elle ne serait plus sa femme...

— Je suis désolée, dit-elle finalement d'un ton contrit. Je pense qu'il comprendra.

— Tu auras de la chance, s'il comprend. A sa place, je ne te le pardonnerais pas.

— Arrête de dramatiser, Brad. Tu y es allé, toi, que je sache.

Cette réponse ne fit qu'énerver Brad davantage.

— Oui, et pas toi. Je crois que ça résume la situation.

— De quoi a-t-il l'air ?

Elle semblait soudain inquiète... C'était la moindre des choses.

— On dirait qu'il a été battu à mort, mais je crois qu'il est heureux d'être en vie. Nous serons à la maison dans quelques jours.

— Brad, dit-elle comme si le ton glacial de sa voix l'inquiétait, est-ce que ça va ?

— Moi, je vais très bien, répondit-il sèchement. Jason est en vie, c'est tout ce qui compte. Pour le reste, on verra plus tard.

Il était si froid que Pam raccrocha avec une certaine appréhension, les sourcils froncés. Brad ne comprenait pas... Elle se souciait de son fils. Simplement, elle n'avait pas voulu retourner là-bas. Elle se sentait un peu coupable, certes, mais elle n'avait rien fait de mal !

Elle avait simplement fait passer sa petite personne avant tout le reste, comme toujours.

Après avoir raccroché, Brad appela Faith, mais elle n'était pas chez elle. Il rappela de nouveau tard dans la soirée, après avoir installé Jason dans sa chambre. Dylan était parti voir des amis.

Cette fois, elle répondit.

— Brad ?

Elle semblait abasourdie d'entendre le son de sa voix, comme s'il était revenu d'entre les morts. Et de fait, il avait été absent pendant sept semaines... On était maintenant à la mi-juillet. Ils n'avaient pas eu de contact direct depuis le mois de mai.

— Comment va Jason ? demanda-t-elle sitôt le premier moment de surprise passé.

— Incroyablement bien. Tu m'as manqué, Fred.

Rien qu'en entendant sa voix, il se sentait plus détendu.

— Est-ce qu'il va se remettre ?

Elle avait prié pour lui sans relâche et était allée à l'église deux fois par jour.

— Oui, ça va aller, assura Brad. Si tu dois prendre un clocher sur la tête, il vaut mieux que ça t'arrive tant que tu es encore jeune, semble-t-il !

Et il se mit à rire, pour la première fois depuis des lustres. Il pleurait presque, tant il était heureux de lui parler.

— Je me suis fait tellement de souci pour lui, et pour vous tous...

En son absence, tout comme lui, elle avait pris une grave décision : elle s'était promis que, dès qu'elle saurait le fils de Brad hors de danger, elle cesserait de lui parler. C'était une torture pour elle de s'imposer un tel sacrifice, mais ce qui s'était passé à l'aéroport avant son départ l'avait convaincue que c'était nécessaire. Elle ne pouvait plus avoir confiance ni en lui, ni en elle-même.

— Comment va Dylan ? demanda-t-elle, autant par inquiétude que pour retarder le moment fatidique.

— Il s'est comporté comme un vrai héros. Nous avons passé des moments très forts ensemble, c'était extraordinaire. Fred, le médecin a dit que c'était un miracle que Jason ait survécu, et je suis sûr que c'est grâce à tes prières.

Elle sourit, flattée et heureuse.

— J'ai presque réduit ton chapelet en miettes...

— J'en suis certain.

Il aimait tant le son de sa voix...

— Est-ce que Pam a pu vous rejoindre sans problème ?

Elle n'avait évidemment aucune idée de ce qui s'était passé...

— Elle n'est pas venue, dit-il seulement, sans autre commentaire.

Mais Faith devina tout ce qu'il préférait taire. Elle le connaissait bien.

— Je vois... Ça a dû être dur pour toi.

— Je me suis débrouillé. C'était surtout dur de ne pas pouvoir t'appeler. Comment ça va, de ton côté ?

— Bien. Rien d'important par rapport à ce que tu as vécu. J'ai trouvé un arrangement avec Alex au sujet de la maison, il me laisse la garder.

— C'est bien généreux de sa part !

— Je crois qu'il se sent coupable de se remarier si vite.

— Et il a raison.

— Quand rentres-tu à San Francisco ?

C'était étrange de lui parler de nouveau, surtout après la décision qu'elle avait prise... Mais elle n'avait pas changé d'avis. Au contraire, car chaque mot qu'il prononçait lui rappelait à quel point elle l'aimait.

— Dans deux jours. Je ne voulais pas que Jason fasse tout le voyage d'une traite. Il faut qu'il se repose. Mais je t'appellerai demain.

Lui aussi était épuisé et avait besoin de dormir. Ce qu'il avait à lui dire attendrait.

— Rentrez bien, recommanda-t-elle.

Elle était déterminée à ne pas être là le lendemain quand il téléphonerait. Elle laisserait le répondeur s'enclencher et lui écrirait une lettre. Il pourrait répondre ce qu'il voudrait, elle ne changerait pas d'avis, car elle savait que sa décision était la bonne, pour lui comme pour elle. Elle n'était pas comme Alex, ou comme Leslie. Jamais elle ne se rendrait complice d'un adultère ou ne provoquerait un divorce, même pour Brad, et même s'il se prétendait malheureux avec sa femme. C'était une question de respect. Elle en avait longuement parlé avec le prêtre, et s'était fait cette promesse.

Brad se laissa tomber sur son lit, à bout de forces. Et comme chaque nuit depuis des semaines, il s'endormit en songeant à Faith.

Pendant ce temps, celle-ci, à New York, se rendait à l'église pour allumer un cierge et demander à Dieu de lui donner la force de se tenir à sa résolution. D'avance, elle savait à quel point ce serait dur.

24

L'avion qui ramenait Brad et ses fils se posa à San Francisco le dix-sept juillet.

Alors que Brad se tournait vers Jason avec un sourire, il s'aperçut que le jeune homme pleurait.

— J'ai cru que je ne reviendrais jamais ici, papa, dit-il à travers ses larmes alors que Brad serrait sa main dans la sienne.

Il ne voulait pas lui avouer qu'il avait redouté la même chose. A présent, ils rentraient sains et saufs ; cela seul comptait.

Pam les attendait à l'aéroport, et elle se jeta dans les bras de son fils, avant d'embrasser Dylan. Brad, lui, alla récupérer les bagages sans lui adresser la parole. Dans la limousine qui les ramenait chez eux, les garçons bavardèrent gaiement avec leur mère, qui posa des millions de questions sans parvenir à détacher son regard de Jason, comme pour s'assurer qu'il était bien vivant. De toute évidence, ils étaient tous les trois ravis de se retrouver... Mais Brad ne desserra pas les dents.

Elle attendit qu'ils soient montés dans leur chambre pour se tourner vers Brad.

— Tu m'en veux vraiment, hein ? demanda-t-elle abruptement.

Il ne l'avait pas approchée et l'avait fuie quand elle avait voulu l'embrasser à l'aéroport. Il avait tout simplement cessé de jouer le jeu.

— Non, Pam. En fait, non. C'est terminé.

— Qu'est-ce que ça veut dire ? demanda-t-elle sans comprendre.

— Cela me semble clair. Ce n'est pas à moi de te pardonner de ne pas être venue, c'est à Jason. Mais pour ma part, je ne peux plus rester marié avec toi. D'ailleurs, nous aurions dû cesser cette mascarade bien plus tôt. Tu n'es plus là pour moi, ni même pour nos enfants. Je veux arrêter de vivre dans le mensonge. J'ai vu notre fils frôler la mort, à l'autre bout du monde, Pamela. Tout le monde dit que c'est un miracle qu'il soit en vie ; sans ce miracle, je n'aurais rien pu faire pour lui, seulement le regarder mourir. J'ignore où tu étais, et pourquoi tu n'étais pas là. A vrai dire, je m'en fiche, je ne veux même plus le savoir. Ça ne rime plus à rien. Tous les deux, nous méritons mieux que cette relation vide de sens. Autant nous séparer.

— Brad, c'est un modus vivendi qui nous convient très bien depuis toujours !

Elle essayait de se montrer raisonnable, mais il décela une note de panique dans sa voix.

— C'est vrai, nous nous sommes accommodés de cette situation parce que nous n'avions pas le courage de recommencer à zéro. Mais je réalise aujourd'hui que ce n'est pas une raison suffisante pour rester mariés. En tout cas, pas pour moi.

Il avait fini par se résoudre à divorcer. Comme ses parents. Car soudain ce n'était plus leur histoire qui lui posait un problème, mais la sienne avec Pam. Personne d'autre n'était concerné. Pas même Faith.

— Tu as quelque chose de mieux à te mettre sous la dent ? lança-t-elle d'un ton accusateur.

— Je ne sais pas ce qui va m'arriver, Pam, mais je sais que nous n'avons plus d'avenir tous les deux. Toi et moi n'avons rien à faire ensemble, tu le sais aussi bien que moi. J'en ai assez de jouer. Notre couple est mort depuis longtemps ; il est temps de l'enterrer, parce que je ne veux pas mourir avec lui. Je m'en suis rendu compte un jour, à cinq heures du matin, dans un village d'Afrique dont je ne sais même pas prononcer le nom. Et je me suis promis qu'en rentrant à la maison, je te dirais que je partais.

— Tu es encore sous le choc de ce qui est arrivé à Jason, répondit-elle en espérant le calmer. Ça a été un traumatisme pour vous trois...

Certes, la colère de Brad était prévisible, mais elle n'était pas prête à entendre tout ce qu'il venait de lui dire.

— Oui, c'est le moins qu'on puisse dire, concéda-t-il posément. Heureusement, toi, tu as échappé à ça... Mais tu vois, je ne t'envie pas, parce que c'était la plus belle expérience de ma vie. Un moment que Dylan, Jason et moi n'oublierons jamais. Tu as raté le coche, Pam. Complètement. Tu es restée ici pour ne pas t'éloigner de ton petit confort, et tu as raté le plus important.

— Je sais, avoua-t-elle tristement.

Mais, en vérité, elle avait été infiniment soulagée que Brad prenne les choses en main.

— Je suis désolée, Brad.

— Moi aussi.

Et il était sincère.

— Nous n'aurions sans doute jamais dû nous marier. Mais au moins, nous avons des enfants formidables.

— Tu es vraiment sérieux ?

Elle commençait à réaliser qu'il mesurait parfaitement ses paroles, et cette pensée la terrifiait.

— Tout à fait sérieux.

Son visage confirmait sa détermination.

— Qu'est-ce que tu vas faire ? demanda-t-elle alors, d'une petite voix qu'il ne lui connaissait pas.

— Je pars à New York, dès ce soir.

— Que vas-tu faire là bas ?

Brad se moquait de son air soupçonneux ; il n'avait plus rien à lui cacher.

— Je vais voir Faith. J'ai beaucoup de choses à lui dire et à lui demander.

— J'ai toujours su que tu étais amoureux d'elle, commenta Pam à la fois satisfaite et dépitée d'avoir eu raison.

— Tu es plus intelligente que moi, rétorqua-t-il. Je ne m'en suis rendu compte que très récemment. Je ne sais pas si elle voudra de moi, mais je vais lui ouvrir les bras. J'espère qu'elle ne me repoussera pas.

Immobile face à lui, le regardant fixement, Pam hocha lentement la tête, comme pour indiquer qu'elle acceptait la situation.

— Tu en as parlé aux garçons ?

— Je pensais que nous ferions ça ensemble, à mon retour.

— Et dans combien de temps reviendras-tu ?

— Tout dépend de ce qui se passera.

Voilà, elle en savait autant que lui. Il mettait un point d'honneur à se montrer totalement honnête envers elle.

— Quelques jours, peut-être une semaine... On verra. Je te tiendrai au courant.

— J'aimerais l'annoncer à mon père, avant qu'on en parle aux garçons.

— Très bien.

— Sait-elle que tu vas venir ?

Sa curiosité se réveillait tout à coup.

— Non.

Elle hocha de nouveau la tête. Elle semblait un peu sonnée et contrariée, mais elle ne versa pas une larme et n'essaya même pas de le faire changer d'avis. C'était inutile, il était déjà parti.

Brad passa l'après-midi avec ses fils, puis il appela les deux avocats qui avaient repris ses dossiers. Tout s'était bien passé en son absence, affirmèrent-ils. Brad leur promit de rentrer dans une semaine. Il aurait alors beaucoup de retard à rattraper... Et son départ à préparer. Comme Alex, mais avec un peu plus d'élégance, il laisserait la maison à Pam. Il ne voyait pas l'intérêt de se battre. Ils avaient vécu dans l'illusion pendant des années, maintenant il voulait quelque chose de réel.

Lorsqu'il annonça aux garçons qu'il s'envolait pour New York le soir même, ils parurent surpris mais ne lui firent aucun reproche. Avant de partir, il les serra fort dans ses bras. Il voulut aussi dire au revoir à Pam, mais elle était allée à un dîner prévu de longue date avec des amis. Il se contenta donc de mettre quelques affaires propres dans une valise, puis il partit pour l'aéroport, où il arriva juste à temps pour attraper son avion. Il s'endormit dès le décollage, et l'hôtesse dut le réveiller lorsqu'ils atterrirent à New York. Il était six heures du matin, et le lever de soleil était spectaculaire.

Il arriva devant la maison de la Soixante-Quatorzième Rue à sept heures. Il espérait que Faith serait bien chez elle... Il ne lui avait pas reparlé depuis son escale à Londres, car il ne voulait rien lui dire avant de la voir en chair et en os. Et c'est avec un sentiment d'exaltation fébrile qu'il appuya sur la sonnette. Debout devant cette porte, il savait que sa vie était sur le point de basculer, pour le meilleur ou pour le pire.

Quelle ne fut pas sa surprise de découvrir, dans l'entrebâillement de la porte, le sosie de la jeune fille avec qui il avait grandi... C'était comme s'il venait de remonter le temps. Zoe ressemblait trait pour trait à sa mère au même âge. Elle avait l'air endormie, drapée dans sa robe de chambre... Mais elle remarqua immédiatement à quel point il était beau.

— Je suis désolé de vous réveiller, s'excusa-t-il, un peu nerveux. Je viens voir votre mère. Je suis Brad Patterson, j'arrive juste de San Francisco. Est-ce qu'elle est réveillée ?

— L'homme du chapelet, murmura Zoe avec un sourire encore ensommeillé.

Et elle ouvrit grand la porte pour le laisser entrer.

— Je vais la prévenir que vous êtes là. Est-ce qu'elle savait que vous veniez ?

Sa mère ne lui avait rien dit... Mais il secoua la tête.

— Ah, une surprise... conclut Zoe en le regardant d'un air mutin.

Elle hésita, puis proposa :

— Est-ce que vous voudriez aller la réveiller vous-même ?

Elle pensait que cela ferait plaisir à sa mère. Et ce Brad lui plaisait, bien qu'elle n'eût pas échangé plus de trois mots avec lui.

— Peut-être que c'est une bonne idée, dit-il, espérant que Faith ne lui en voudrait pas.

Alors il monta l'escalier, frappa doucement à la porte et l'ouvrit sans faire de bruit pour pénétrer dans la pièce. Il demeura un moment debout à côté du lit, alors que Faith se retournait paresseusement dans ses draps, les paupières encore closes... C'était la vision la plus touchante qu'il ait jamais eue d'elle. Puis elle ouvrit les yeux, et le vit. Pendant une longue minute, elle crut que c'était un rêve... Brad ne bougea pas. Il se contentait de la regarder en souriant.

— Que fais-tu ici ? articula-t-elle enfin en se redressant dans son lit.

— Je suis venu te voir, Fred, dit-il simplement.

— Je croyais que tu rentrais à San Francisco ?

— J'y suis retourné hier. J'en viens.

— Mais tu es arrivé quand ?

— Il y a une heure, à peu près.

Elle paraissait abasourdie.

— Je ne comprends rien.

— Moi non plus, répliqua-t-il. Ou plutôt, il m'a fallu une éternité pour comprendre. J'espère que tu seras moins lente que moi... J'ai perdu des années et des années. J'aurais dû m'enfuir avec toi quand tu avais quatorze ans.

— Jack t'aurait tué, répondit-elle avec un sourire endormi.

— Alors pour tes dix-huit ans.

— Ç'aurait été mieux.

Elle tapota le drap à côté d'elle, oubliant sa résolution de ne plus jamais le voir. Il accepta l'invitation et s'assit sur le lit avant de se tourner de nouveau vers elle.

— Je t'aime, Fred, dit-il gravement.

— Moi aussi, avoua-t-elle. Mais ça ne va pas nous avancer à grand-chose. Il faut qu'on arrête de se voir, et même de se parler. J'ai pris ma décision.

Brad ne se laissa pas décourager. Il y avait tant de choses qu'elle ignorait...

— Et pourquoi cette décision ?

— Parce que tu es marié, et que je ne veux pas gâcher ta vie. J'ai prié pendant tout ton séjour en Afrique pour que Dieu me donne de la sagesse et du courage. Nous n'avons pas le choix...

— Je divorce.

— Quoi ?

Elle n'en croyait pas ses oreilles.

— Mais... Comment est-ce que... Quand ?

— J'ai pris ma décision en Afrique, quand j'ai compris que Pam ne viendrait pas. Je ne veux plus vivre dans le mensonge, et je l'ai dit à Pam. Je suis libre. Qu'est-ce que ça t'inspire ?

— Je ne sais pas, répondit Faith, sous le choc. Je croyais que tu étais marié pour la vie...

C'était ce qu'il avait toujours dit.

— Moi aussi je le croyais. Mais ça n'a plus de sens. Alors que toi et moi, ce « nous »-là, a un sens. Ce n'est pas pour ça que j'ai quitté Pam, mais c'est ce que je souhaite de toute mon âme, Fred. Est-ce que tu voudrais... Est-ce que tu pourrais... ?

— Ce n'est pas une plaisanterie ? demanda-t-elle.

— Non. C'est pour ça que je suis venu. Pour qu'on clarifie tout. Pour faire des projets. Voudrais-tu m'épouser, Fred ?

Elle le considéra avec des yeux effarés.

— C'est vraiment ce que tu désires ? Tu en es sûr ?

Mais elle voyait bien qu'il était sérieux.

— Arrête de me poser des questions, ordonna-t-il doucement, et donne-moi une réponse. Maintenant !

Il s'efforça de rester grave, mais elle éclata de rire.

— D'accord, d'accord ! dit-elle en riant. Oui.

— Oui ?

A présent, c'était lui qui n'en revenait pas.

— Oui !

Alors il se pencha pour l'embrasser, mais elle recula d'un mouvement brusque.

— Non, je ne veux pas que tu m'embrasses.

— Pourquoi ? demanda-t-il, de nouveau paniqué. Tu ne veux pas m'épouser ?

— Si. Je t'ai dit oui !

On aurait dit deux gamins, et Faith se sentait heureuse comme jamais.

— Alors pourquoi ne veux-tu pas m'embrasser ?

— Parce que je veux d'abord me brosser les dents. Ensuite, on pourra se fiancer.

Et elle se précipita dans la salle de bains, en claquant la porte derrière elle, tandis que le visage de Brad s'illuminait d'un grand sourire. C'est alors que Zoe passa la tête dans l'entrebâillement de la porte.

— Alors ? souffla-t-elle. Comment ça s'est passé ?

— Pas mal ! répondit-il en souriant.

— Où est maman ?

— Dans la salle de bains, elle se brosse les dents.

Zoe approuva d'un signe de tête : c'était bien parti.

— Bonne chance ! chuchota-t-elle en disparaissant dans sa chambre, alors que Faith ressortait de la salle de bains, fraîche et coiffée, un peignoir passé sur sa chemise de nuit.

Brad se leva et la prit dans ses bras.

— Je t'aime, Fred, murmura-t-il.

Il voulait qu'elle se souvienne de ces mots toute sa vie.

— Moi aussi, je t'aime, répondit-elle.

Et leurs lèvres s'unirent en un long baiser. C'était ce dont ils avaient tous les deux rêvé, sans jamais vraiment oser y croire. La réponse à leurs prières.

Parfois, les prières mettent longtemps avant d'être exaucées, mais les plus ferventes le sont toujours.

Vous avez aimé ce livre ?
Vous souhaitez en savoir plus sur Danielle STEEL ?
Devenez, gratuitement et sans engagement,
membre du **CLUB DES AMIS DE DANIELLE
STEEL** et recevez une photo en couleurs dédicacée.

Il vous suffit de renvoyer ce bon accompagné d'une
enveloppe timbrée à vos nom et adresse, au *CLUB DES
AMIS DE DANIELLE STEEL — 12, avenue d'Italie —
75627 PARIS CEDEX 13.*

CLUB DES AMIS DE DANIELLE STEEL
12, avenue d'Italie — 75627 Paris cedex 13
Monsieur — Madame — Mademoiselle
NOM :
PRENOM :
ADRESSE :
CODE POSTAL :
VILLE :
Pays :
Age :
Profession :

La liste de tous les romans de Danielle Steel publiés
aux Presses de la Cité se trouve au début de cet ouvrage.
Si un ou plusieurs titres vous manquent, commandez-les
à votre libraire. Au cas où celui-ci ne pourrait obtenir le
ou les livres que vous désirez, si vous résidez en France
métropolitaine, écrivez-nous pour le ou les acquérir par
l'intermédiaire du Club.

Composé par Nord Compo
à Villeneuve-d'Ascq